Lise

Le Dixième Cadeau

Jane Johnson

Le Dixième Cadeau

Roman

*Traduit de l'anglais
par Céline Véron-Voetelink*

Libre Expression
Une compagnie de Quebecor Media

Catalogage avant publication de Bibliothèque et Archives nationales du Québec et
Bibliothèque et Archives Canada

Johnson, Jane, 1951-
  Le dixième cadeau
  Traduction de: The tenth gift.
  ISBN 978-2-7648-0434-6

  I. Véron-Voetelink, Céline. II. Titre.

PR6060.O357T4614 2008   823'.914   C2008-941605-8

Titre original : *The Tenth Gift*
Traduction : CÉLINE VÉRON-VOETELINK
Mise en pages : JESSICA LAROCHE
Photo de l'auteure : © THE FISHER AGENCY
Photo de Couverture : COMSTOCK IMAGES

© Jane Johnson, 2008
Publié avec l'accord de l'auteur, c/o BAROR INTERNATIONAL, INC., Armonk, New York, USA
© Presses de la Cité, 2008, pour la traduction française
© Les Éditions Libre Expression, 2008, pour l'édition en langue française au Canada

Les Éditions Libre Expression
Groupe Librex inc.
Une compagnie de Quebecor Media
La Tourelle
1055, boul. René-Lévesque Est
Bureau 800
Montréal (Québec) H2L 4S5
Tél. : 514 849-5259
Téléc. : 514 849-1388

Dépôt légal – Bibliothèque et Archives nationales du Québec
et Bibliothèque et Archives Canada, 2008

ISBN : 978-2-7648-0434-6

Distribution au Canada
Messageries ADP
2315, rue de la Province
Longueuil (Québec) J4G 1G4
Téléphone : 450 640-1234
Sans frais : 1 800 771-3022

Diffusion hors Canada
Interforum

À Abdel

À l'attention de Leurs Seigneuries
membres du Conseil privé de Sa Majesté.
Oyez, oyez, oyez.
À Plymouth le dix-huitiesme jour d'avril,
la huitiesme heure après midi
Thomas Ceely, Bourgmestre

Vos Seigneuries sont avisées qu'en ce jour j'ai ouï de Turcs, Mauresques et Hollandais de Salé en Barbarie qui devant nos costes guestent et causent ruine en tout endroit qu'il s'en trouve possibilité, ainsi qu'il apparaist dans la constatation faiste par un certain William Knight, dont je suis porté à reconnaistre la validité, car deux barques de pêcheurs mentionnées dans ycelles observations furent plus tardivement retrouvées errant sur les mers, despouillées de tout esquipage et apparaux...

Information me fust en outre communiquée de trente bateaux à voiles qui s'apprestent à appareiller pour les costes de l'Angleterre lorsque desbutera l'esté, et si nulle action n'este intentée avec diligence pour nous préserver, ils causeront grands maux et diableries.

Croyant dans mes attributions et devoirs d'informer Vos Seigneuries.

Je demeure votre humble et respectueux serviteur,
Thomas Ceely, Bourgmestre
Plymouth, le 18ᵉ jour d'avril 1625

1

« Il n'existe que deux ou trois histoires inventées par l'homme ; elles se répètent inlassablement, comme à chaque fois renouvelées, telles des alouettes poussant les cinq mêmes notes depuis des milliers d'années. »

J'avais gribouillé dans un carnet cette citation lue dans un roman, la veille d'un rendez-vous avec Michael. J'avais hâte de la replacer dans la conversation au cours du dîner, bien que connaissant d'avance sa réaction (négative et méprisante : Michael se montrait toujours sceptique à l'égard de tout ce qui pouvait, même de loin, évoquer le romantisme). Michael était maître de conférences en littérature européenne, adepte d'un poststructuralisme intransigeant, comme si les livres ne représentaient que viande destinée au croc du boucher : un assemblage de tendons, de muscles, d'os et de cartilages à dépecer et examiner avec attention. Michael trouvait mes opinions sur la fiction peu rigoureuses et émotionnelles. Par le passé, ce jugement avait entraîné des disputes passionnées qui m'avaient souvent blessée et menée au bord des larmes. Mais au bout de sept ans ces escarmouches faisaient partie de notre quotidien. Pendant ce temps, au moins, on oubliait de discuter – ou d'éviter de discuter – d'Anna ou de l'avenir.

Au début, j'avais eu du mal à me satisfaire de moments volés, mais je m'y étais habituée. Malgré cela, ma vie me convenait telle qu'elle était. Du moins, c'est ce que je me répétais.

Je m'habillai avec un soin particulier pour le dîner : un chemisier de soie plissée, une jupe noire ajustée au-dessus du genou, des bas (Michael avait des goûts très masculins) et une paire d'escarpins en daim avec lesquels j'étais tout juste capable de franchir les huit cents mètres qui me séparaient du restaurant. J'ajoutai mon étole favorite de cachemire noire sur laquelle, brodées à la main, scintillaient des pensées aux couleurs chatoyantes.

J'ai toujours affirmé qu'il fallait de l'optimisme à une bonne brodeuse. Un accessoire tel qu'une étole peut nécessiter six mois à un an de travail minutieux. Il faut également une bonne dose de détermination, comme à l'alpiniste qui avance pas à pas, au lieu de céder à la panique face à l'immense paroi glacée et pleine de crevasses qui se dresse devant lui. Vous pensez que j'exagère ? Un bout de tissu, du fil, une aiguille, ça ne paraît pas sorcier... Mais quand vous avez dépensé une petite fortune en cachemire et une autre en fils de soie, ou qu'il vous faut dessiner un patron et broder un million de points dans l'urgence pour le mariage d'une gamine excitée, je vous assure que la tension est palpable.

Michael m'avait donné rendez-vous à l'Enoteca Turi, un élégant restaurant toscan où nous nous retrouvions quand nous avions quelque chose à fêter. Aucun anniversaire, à ma connaissance, n'approchait ; aucune publication d'article ni promotion ne se profilait non plus à l'horizon, du moins en ce qui me concernait, car je dirigeais ma propre entreprise. Le mot « entreprise » peut sembler excessif pour décrire le petit atelier que j'avais ouvert dans le quartier de Seven Dials, plus par caprice que par nécessité : une tante décédée cinq ans plus tôt m'avait légué une somme importante ; ma mère l'avait suivie dans la tombe deux ans plus tard, et j'étais fille unique. Le bail de la boutique m'était pour ainsi dire tombé du ciel ; il expirait dans moins d'un an et je ne savais pas encore ce que j'allais faire après. En attendant, les commandes me permettaient d'égrener, point de croix après point de croix, les minutes qui me séparaient de mes rendez-vous avec Michael.

J'arrivai en avance. On dit qu'une relation repose principalement sur les épaules d'un des deux partenaires. J'estimais en porter soixante-dix pour cent. Cette situation était due en partie aux circonstances et en partie à nos tempéraments respectifs. Michael avait un caractère réservé tandis que je me laissais mener par mes émotions.

Je m'assis dos au mur et observai les autres clients, comme au zoo. Essentiellement des couples d'une trentaine d'années, comme nous ; aisés, bien vêtus, éloquents, parlant un peu trop fort. Des fragments de conversation me parvinrent :

— Sais-tu ce que sont des *fagioli occiata di colfiorito* ?

— Quel dommage, pour Justin et Alice ! Un si beau couple... que vont-ils faire de la maison ?

— Ça te dirait, Marrakech le mois prochain ? Ou préfères-tu Florence ?

Des gens normaux, heureux, avec de bons boulots, beaucoup d'argent, des mariages solides, menant une existence ordonnée, confortable, conformiste. Les voyant auréolés de lumière, je me demandai ce qu'ils penseraient de moi, en dessous chics, les jambes gainées dans des bas neufs, perchée sur de hauts talons, à attendre le mari de ma meilleure amie.

Ils deviendraient verts d'envie, me souffla une petite voix pleine de malice.

Pas si sûr...

Que faisait Michael ? Ma montre affichait huit heures vingt et il devait rentrer chez lui à onze heures, comme il prenait chaque fois grand soin de me le rappeler. Un dîner vite expédié, une rapide partie de jambes en l'air, c'était le mieux que je pouvais espérer, et encore... Tandis que les précieuses minutes s'écoulaient, je sentis l'anxiété me gagner. J'avais refusé de m'interroger sur les raisons qui avaient poussé Michael à proposer l'Enoteca, un endroit cher, pas un restaurant qu'on choisit sur un coup de tête, surtout avec un salaire de maître de conférences à temps partiel, même augmenté des revenus occasionnels qu'il tirait de la vente de livres anciens. Michael était trop près de ses sous pour ça. Je commandai une bouteille de Rocca Rubia pour détourner mon esprit de cette énigme et joignis les mains autour de mon verre, comme s'il s'agissait du Saint-Graal, en attendant mon Lancelot plein de défauts. À la lueur des bougies, le vin rutilait comme du sang frais.

Il surgit enfin de la porte tournante, les cheveux en désordre et les joues rouges, comme s'il avait couru depuis Putney Station. Il se débarrassa de son manteau d'un geste impatient, transférant sa mallette et son sac noir d'une main à l'autre, et se pencha enfin vers moi, un sourire aux lèvres, même s'il évitait mon regard. Il m'embrassa rapidement sur la joue et prit place sur la chaise que le serveur approchait de lui.

— Désolé pour le retard. On commande ? Je dois rentrer...

— À onze heures, je sais. Dure journée ?

J'aurais aimé qu'il me dise pourquoi nous étions là, mais il se plongea dans la lecture du menu, étudiant le rapport qualité-prix des différents plats du jour.

— Pas vraiment, répondit-il enfin. Toujours les mêmes crétins, assis devant moi comme des moutons, qui attendent que je remplisse leurs crânes vides, à l'exception de l'éternelle grande gueule qui croit tout savoir et qui, pour épater les filles, cherche des crosses au professeur. Mais je l'ai calmée.

J'imaginai Michael clouant le bec à l'arrogant d'un seul regard, puis l'achevant d'une phrase lapidaire qui aurait sûrement déclenché l'hilarité des étudiantes. Les femmes adoraient Michael. J'ignore si son pouvoir provenait de son charme ténébreux, de ses airs de mauvais garçon, de ses yeux noirs, de son sourire cruel ou encore de ses mains toujours en mouvement. Depuis longtemps, j'avais cessé de m'interroger.

Le serveur s'éloigna avec notre commande. L'heure n'était plus aux faux-fuyants. Michael posa sa main sur la mienne, l'emprisonnant sur le lin immaculé. Aussitôt, un frisson familier parcourut mon bras comme une onde électrique avant de se propager à tout mon corps. Il paraissait tellement solennel que je faillis éclater de rire. On aurait dit Puck[1] sur le point de confesser un crime monstrueux.

— Je crois, déclara-t-il en fixant un point situé cinq centimètres à ma gauche, que nous devrions cesser de nous voir. Au moins provisoirement.

Au temps pour moi et ma citation sur les alouettes ! Le rire que je tentais de refouler jaillit soudain, discordant, fêlé. Des têtes se tournèrent vers nous.

— Quoi ?

— Tu es encore jeune, poursuivit-il. Si nous arrêtons maintenant, tu pourras rencontrer quelqu'un avec qui fonder une famille.

Michael détestait les enfants. Le fait qu'il me souhaite d'en avoir confirmait la distance qu'il voulait établir entre nous.

— Ni toi ni moi ne sommes plus de la première jeunesse, rétorquai-je. Surtout toi.

Il porta inconsciemment la main à son front. Il perdait ses cheveux et sa vanité lui interdisait de s'en moquer. Les premières années, j'avais affirmé que cela ne se remarquait pas ; quand mon mensonge était devenu manifeste, je lui avais assuré que ce début de calvitie le rendait plus distingué et sexy.

Le serveur apporta nos plats. Michael se mit à manger en silence tandis que je poussais mes linguinis au crabe du bout de ma fourchette et buvais verre sur verre.

Une fois débarrassées, nos assiettes laissèrent un vide inquiétant entre nous. Michael fixa la nappe des yeux comme si elle représentait une menace, puis il s'anima.

— Je t'ai apporté quelque chose, dit-il.

Il prit son sac noir et fouilla dedans. J'aperçus deux objets aux dimensions presque identiques, enveloppés dans du papier

---

1. Sorte de lutin espiègle issu du folklore médiéval anglais. (N.d.T.)

brun, comme un même cadeau destiné à deux femmes différentes. Peut-être était-ce le cas. Il poussa un des paquets vers moi.

— J'ai peur qu'il ne soit pas très bien emballé ; je n'en ai pas eu le temps. Mais c'est l'intention qui compte. Il s'agit d'une sorte de *memento mori…* et d'un gage d'excuse, expliqua-t-il avec ce sourire sensuel et sardonique qui m'avait séduite lors de notre première rencontre. Je suis désolé, tu sais. Pour tout.

Il avait des tas de raisons de l'être, mais je ne me sentis pas la force de le lui dire. *Memento mori :* un souvenir de la mort… Je déballai l'objet avec soin, la sauce au crabe me remontant dans la gorge.

Un livre. Un livre ancien, avec une reliure en veau blond décorée de lignes aveugles et un dos à nerfs ronds. Je le caressai avec un plaisir sensuel, comme un autre épiderme. Fermant mon esprit aux paroles dévastatrices de Michael, j'ouvris l'ouvrage en faisant attention à ne pas abîmer le dos fragile. La page de titre était décolorée et mouchetée de moisissure.

La Gloire de la brodeuse, disait le titre en caractères gras, puis, en italiques raffinés : *Cy-suivent quelques motifs charmants à broder d'or, de soie, de laine, comme tel qu'en prévaudra votre plaisir.*

Cy-publié céans pour la première fois par Henry Ward de Cathedral Square, Exeter, 1624.

Et au-dessous, tracé d'une main malhabile : *Pour ma cousine Cat, 27ᵉ jour de may 1625.*

— Oh ! m'exclamai-je, confondue par l'âge et la beauté de l'ouvrage.

Un motif de broderie compliqué remplissait la page suivante. Je levai le livre vers la lumière.

Michael termina une phrase. Ses propos, sans doute destructeurs, me passèrent au-dessus de la tête.

— Oh ! m'écriai-je à nouveau. Quelle merveille !

Michael s'interrompit. Un lourd silence s'installa, exigeant une réaction de ma part.

— As-tu entendu un seul mot de ce que je viens de dire ?

Je le regardai sans répondre.

Ses yeux noirs s'emplirent soudain de pitié.

— Je suis désolé, Julia, répéta-t-il. Anna et moi avons eu une conversation à cœur ouvert, et nous avons décidé de donner un nouveau départ à notre mariage. Je ne peux plus continuer à te voir. Tout est fini.

Cette nuit-là, seule dans mon lit, je sanglotai à perdre l'âme en serrant contre moi le petit livre, l'ultime objet qui me reliait à Michael. L'épuisement finit par avoir raison de moi mais le sommeil, peuplé de terribles cauchemars, était presque pire. Je me réveillai à deux heures trente, à trois, puis à quatre heures, l'esprit envahi d'images désordonnées – du sang et des os fracassés, des hurlements de douleur, des cris dans une langue que je ne comprenais pas. Dans une séquence particulièrement réaliste, je me vis nue, exhibée devant des inconnus qui raillaient mes imperfections. Michael se trouvait parmi eux. Il portait une longue robe et une capuche, mais je reconnus sa voix lorsqu'il s'écria :

— Celle-ci n'a pas de seins. Pourquoi m'amenez-vous une femme sans seins ?

Je m'éveillai en sueur, honteuse, convaincue d'avoir mérité mon sort.

Je me haïssais et me sentais en même temps étrangement détachée, comme si ce n'était pas moi qui souffrais cette disgrâce, mais une autre Julia Lovat, à mille lieues de là. Je glissai de nouveau dans le sommeil et, si je rêvai, je n'en gardai aucun souvenir. Je finis par me réveiller, couchée sur le livre. Celui-ci avait gravé une empreinte très nette sur mon dos : quatre zébrures, comme une cicatrice.

2

La sonnette retentit. Michael s'approcha de la fenêtre. Dans la rue, un homme se balançait d'un pied sur l'autre, comme pris d'un besoin urgent. Il portait un pantalon en velours côtelé et un manteau trois quarts en laine, trop chaud pour la saison. Michael remarqua pour la première fois que Stephen était presque chauve ; le sommet de son crâne était recouvert d'une fine couche de cheveux peignés avec soin, qui y semblaient collés. Son ami paraissait déplacé dans cette partie de Soho où se croisaient des jeunes hommes au sourire averti, vêtus de débardeurs, de jeans troués ou de pantalons de cuir moulants, et des touristes émoustillés à la perspective de se mêler à eux durant quelques heures.

Quand Michael y avait emménagé, Old Compton Street n'était pas encore si outrancier. Les yeux fixés sur les jeunes qui flânaient au-dehors, il avait l'impression d'observer une fête à laquelle il était trop âgé pour être convié, surtout à présent qu'il devait jouer les maris vertueux.

— Stephen ! appela-t-il.

L'homme leva la tête, les yeux plissés à cause du soleil.

— Dernier étage ! ajouta Michael en jetant ses clefs par la fenêtre.

Pas seulement ses clefs, mais aussi celles de Julia... Il devrait les lui rendre, à présent que tout était fini. Mais ce geste aurait eu quelque chose de trop... définitif.

L'entrée de Stephen Bywater interrompit le cours de ses pensées.

— Tu aurais pu venir à la boutique, lui lança son visiteur d'un air rageur, essuyant la sueur qui perlait à son front après une montée de quatre étages. Bloomsbury's se trouve à peine à dix minutes d'ici !

Il se débarrassa de son manteau.

— Je ne voulais pas qu'on nous interrompe, répondit Michael. Tu comprendras pourquoi dans un instant. Assieds-toi.

Il fit de la place sur le canapé élimé en poussant une pile de journaux et de cahiers. Stephen Bywater considéra d'un œil méfiant le tissu constellé de taches, comme s'il avait peur pour son pantalon coûteux, puis il s'assit tout au bord, en pliant les coudes et les genoux – on aurait dit une mante religieuse.

— Tu ne le regretteras pas, poursuivit Michael d'un ton excité. Tu vas voir, c'est une pièce unique, un vrai bijou ! Mais assez radoté. Regarde plutôt.

Il sortit d'un sac noir posé sur la table un mince objet enveloppé de papier brun qu'il tendit à Bywater. Ce dernier le déballa avec précaution, découvrant un petit livre relié en veau dont la couverture avait pâli. Avec un murmure approbateur, Bywater tourna le livre pour en examiner le plat, la tranche, puis la reliure.

— Très joli. XVIe, XVIIe siècle.

Il l'ouvrit avec un soin infini et lut le titre :

— 1624. *La Gloire de la brodeuse*. Remarquable. J'en ai entendu parler, bien sûr, mais je n'en avais jamais eu un exemplaire entre les mains. Il est en excellent état, malgré quelques petites taches et traces de doigts.

Il adressa à Michael un sourire qui dévoilait ses dents jaunes – des dents de rat.

— Il devrait te rapporter un bon paquet de fric. Tu as dit que tu l'avais trouvé où ?

— Oh, je le tiens d'un ami. Qui le vend pour le compte d'un ami.

Pas tout à fait la vérité, mais presque.

— Regarde bien à l'intérieur, reprit Michael d'un ton pressant. Il est bien plus extraordinaire qu'on pourrait le croire au premier abord.

L'antiquaire souffla sur les pages pour les séparer.

— Oui, tout est là, dit-il au bout d'un moment. Les motifs, les patrons, tout.

— C'est tout ce que tu trouves à dire ? s'exclama Michael. Mais enfin, il y a un palimpseste ! Une inscription cachée dans les marges et entre les motifs... Difficile à repérer, je l'admets, mais tu ne peux pas l'avoir ratée !

Bywater fronça les sourcils et se pencha de nouveau sur le livre. Lorsqu'il le referma, il regarda son ami avec une expression étrange.

— Pas de palimpseste, mon cher. C'est du papier, pas du vélin. Il ne paraît pas avoir été gratté et je ne vois aucune trace d'une *scriptio inferior*. À la rigueur, il pourrait s'agir de *marginalia*. Si elles étaient de la main de l'auteur, elles ajouteraient à la valeur du livre. Ça peut aller du simple au double...

— Ce n'est pas l'auteur qui l'a écrit, mais une fille. Ce document est unique ; il n'a pas de prix ! Tu as besoin de lunettes, ce n'est pas possible !

Michael lui arracha le livre des mains, l'ouvrit au hasard et le feuilleta avec frénésie.

Il le reposa un instant plus tard, le visage sombre.

Puis il se précipita vers le téléphone.

3

Je connaissais Anna, la femme de Michael, depuis l'université. À cette époque, on nous appelait les Trois Amigos. Anna, ma cousine Alison et moi-même étions aussi différentes que possible : Anna, menue comme une poupée, Alison et moi, deux solides filles de Cornouailles élevées au beurre et au pâté en croûte. Ma chevelure m'arrivait à la taille quand Anna arborait une coupe de magazine de mode, courte et brune. Quant à Alison, ses cheveux sont devenus tour à tour châtains, rouges, fuchsia puis de nouveau châtains, selon qu'elle enseignait l'anglais ou le théâtre. Ensemble, nous avons survécu à l'université et fait notre entrée dans le monde du travail, Anna comme vendeuse en librairie, Alison comme enseignante, et moi comme serveuse dans une interminable série de bars.

Avec ma cousine, je vivais à cent à l'heure. Drogue, alcool, sexe, on a touché un peu à tout. Anna, pendant ce temps, prenait son existence en main et cueillait les fruits d'un travail acharné. Elle est devenue éditrice dans un magazine de renom où elle gagnait une petite fortune, ce qui était plutôt ironique car, de nous trois, c'était la plus riche. Sa famille, pour ce que j'en savais – elle se montrait plutôt discrète sur la question, alors qu'Alison et moi nous étalions toujours nos problèmes d'argent –, jouissait d'une certaine aisance.

Après l'université, nos chemins se séparèrent. Alison rencontra Andrew et l'épousa. Je n'ai jamais beaucoup apprécié son mari, un rugbyman cramoisi, démonstratif et sûr de lui, qui vous pressait le genou ou autre chose suivant son degré d'ébriété. Toutefois, Andrew avait de l'humour et il rendait Alison heureuse, du moins au début. Je fis donc des efforts pour m'entendre avec lui. Alison et lui prenaient bien soin de moi chaque fois que je venais pleurer sur leur épaule, le cœur brisé par un incapable en qui j'avais placé tous mes espoirs. Ils me faisaient boire pour me réconforter, puis Alison, pleine d'indulgence, regardait son époux flirter maladroitement avec moi. Je jouais alors le jeu, mêlant les rires aux larmes, et manquant de m'étouffer en vidant mon verre. Quand Andrew trompa ma cousine et qu'à son tour celle-ci se précipita vers moi, persuadée que sa vie était brisée, j'en voulus terriblement à Andrew. Pendant deux ans, je refusai de lui adresser la parole.

Quelle ironie ! Car peu après je rencontrai Michael.

Un jour, Anna vint me trouver, un peu essoufflée.

— Viens prendre un verre, Julia, me dit-elle d'un air gêné. J'aimerais te présenter quelqu'un. Mon fiancé, en fait.

Elle avait bien gardé son secret ! J'étais très surprise par cette nouvelle. En même temps, j'étais un peu blessée qu'elle ne m'en ait pas parlé plus tôt. Anna n'avait jamais connu de petit ami à l'université. À l'âge où la plupart des filles jouissent de leur liberté toute neuve, elle écrivait des dissertations, étudiait, révisait. Tandis que je goûtais aux joies du sexe, Anna dressait son plan de carrière. « Je ne me marierai pas avant d'avoir trente ans, m'avait-elle confié un jour. J'attendrai d'avoir une bonne situation qui me permette de prendre un congé maternité. » Je lui avais rétorqué que la vie prenait un malin plaisir à déjouer les plans les mieux conçus. Et voilà qu'à trente et un ans elle m'annonçait ses fiançailles !

Je l'avais taquinée :

— Tu es enceinte ?

Elle avait rougi, indignée.

— Bien sûr que non !

Avait-elle seulement couché avec l'heureux élu ?

Il y avait forcément une faille quelque part, car la perfection n'existe ni dans la vie ni dans l'art. Pire, la perfection provoque la colère du destin. Je me souviens d'avoir lu que les potiers japonais introduisaient un minuscule défaut dans chacune de leurs créations, de peur de mettre les dieux en colère. Anna avait dû mécontenter une divinité particulièrement malicieuse pour hériter de Michael et d'une amie comme moi.

Notre attirance fut immédiate. Michael et moi avions passé toute la soirée à nous dévorer des yeux. Plus tard, quand sa main frôla intentionnellement mes fesses, dans un petit bar désuet d'East Dulwich, cela me fit un effet indescriptible. Trois semaines après cette première rencontre, et après beaucoup de regards et de contacts furtifs, nous couchions ensemble.

— Je ne peux pas le dire à Anna, m'avoua Michael cet après-midi-là, comme s'il énonçait une évidence.

Je manquai alors une bonne occasion de me dégager de la nasse avant qu'elle ne m'emprisonne. Foudroyée par le plaisir et la culpabilité, j'acquiesçai. Puis, au fil du temps, il devint de plus en plus difficile d'avouer notre trahison.

Je fus demoiselle d'honneur au mariage.

Les mercredis où Michael ne travaillait pas, dans l'appartement qu'il louait à Soho, il se confiait parfois à moi tandis que le soleil qui filtrait à travers les persiennes hachurait nos corps :

— Anna n'est pas très physique. J'ai toujours l'impression de lui imposer mes désirs.

J'en tirais alors un sentiment de triomphe, à tort. La froideur d'Anna le séduisait et l'intriguait : elle était un trophée qu'il lui fallait remporter, un territoire encore vierge à conquérir. Moi, je lui étais déjà soumise, pieds et poings liés, souvent littéralement. Quand nous faisions l'amour, Michael attrapait mes longs cheveux blonds à pleines poignées, comme des rênes. Un jour, dans un hôtel, il s'en servit pour m'attacher au lit. Il nous fallut utiliser la paire de ciseaux miniatures que je garde dans mon sac pour me libérer, tellement il avait fait de nœuds.

Quatre ans plus tard, en me remémorant cet épisode, j'y décelai comme un présage : Michael avait fait de ma vie un écheveau, puis il avait tranché dedans d'un coup de rasoir. Passé le premier mouvement de colère, je dus admettre que j'étais autant à blâmer que lui. Anna était mon amie. Dès le début, ma trahison m'avait emplie de honte, un sentiment que personne n'aime affronter. J'étais vite passée maître dans l'art d'éviter les tête-à-tête et les dîners à trois. Le bonheur d'Anna m'épouvantait, moi qui pouvais l'anéantir d'un seul mot.

Maintenant que tout était fini entre Michael et moi, je doutais d'avoir la force de la revoir.

Le lendemain de notre rupture, épuisée par un déluge de larmes, je m'obligeai à prendre l'air loin de Londres. Je me rendis sur la côte sud ; l'envie me prit de sauter du haut d'une falaise, mais le courage me manqua. J'avais laissé mon téléphone portable chez moi pour ne pas être tentée d'appeler Michael. Quand je ne parcourais pas les sentiers d'un pas machinal, aveugle à la beauté des lieux, je travaillais sur un nouveau motif de broderie auquel je voulais m'atteler depuis des semaines.

Cette composition, destinée à une tapisserie murale, nécessitait une toile de lin sergé et des fils de laine plutôt que de soie. Depuis l'époque élisabéthaine, ce type de travail est connu sous le nom de « broderie crewel », d'après un ancien mot gallois signifiant « laine ». Les heures s'écoulaient, pleines d'amertume, tandis que je brodais en ressassant de piètres jeux de mots : monde *crewel*, destin *crewel*... J'avais esquissé sur la toile un motif monochrome de feuilles d'acanthe simplifiées ; il se déroulait comme une guirlande parsemée d'éclats de couleur, là où des fleurs émergeaient des feuillages. Le style, traditionnel, s'inspirait des tapisseries de verdures flamandes que j'avais admirées au musée Victoria et Albert, tandis que l'intérieur des feuilles imitait les dentelles vénitiennes. Une fois terminée, la tapisserie recouvrirait l'espace laissé vacant, sur le mur de ma chambre, par une grande photo en noir et blanc de Michael. Je l'avais cérémonieusement brûlée dans mon jardinet avant de quitter mon appartement, mais la trace qu'elle avait laissée sur le mur nu me rappelait à la fois son absence et celle du modèle.

La broderie est un hobby assez inattendu pour une personne aussi désordonnée que moi, mais c'est sans doute la minutie même de cette activité qui m'attire, ainsi que l'impression qu'elle me procure de contrôler mon existence. Quand j'entreprends un nouveau motif, je ne pense à rien d'autre. Culpabilité, amertume, nostalgie, tout s'envole. Plus rien ne compte que le monde miniature qui prend forme entre mes mains ; l'éclat de l'aiguille, l'arc-en-ciel de soie ou de laine, et l'exactitude de la discipline. Les jours qui suivirent ma rupture avec Michael, ce fut cette tapisserie murale qui m'empêcha de sombrer dans la folie.

Je retournai à Londres une semaine plus tard, presque apaisée. Mon répondeur clignotait furieusement. « Vous avez vingt-trois nouveaux messages », m'indiqua-t-il. Mon cœur s'emballa. Peut-être Michael regrettait-il notre rupture et voulait-il me voir ? Je repoussai fermement cette éventualité. J'étais bien mieux sans ce salaud. Craignant de changer d'avis, j'effaçai tous les messages sans les écouter. Si c'est urgent, la personne rappellera, me raisonnai-je. Je savais qu'il me suffirait d'entendre la voix de Michael pour voir fondre mes belles résolutions.

J'entrai dans ma chambre, qui se trouvait toujours en désordre, avec des vêtements éparpillés partout. Je les ramassai et les fourrai dans la machine à laver avant de faire le lit.

Le livre que m'avait offert Michael reposait entre les draps chiffonnés. Je le saisis et appréciai une fois de plus son poids dans ma main et la douce chaleur de sa reliure de cuir. Il semblait presque vivant. Je l'ouvris au hasard, tournai les pages avec soin et tombai sur un motif destiné à orner un vêtement : un dessin délicat de feuilles de vigne, à exécuter en noir sur blanc, ce qui, suggérait l'auteur, « *seroit au plus approprié sur une coyfe ou caule, ou encore en bordure d'un mouchoir* ».

Le reste des instructions disparaissait presque sous des hachures et des marques de crayon. Agacée, je plaçai le livre sous la lampe de chevet et l'examinai avec attention.

Quelqu'un avait couvert toute la page d'une écriture minuscule et archaïque où des « f » remplaçaient les « s ». Le texte était difficile à déchiffrer, taché et presque effacé par endroits. Je compris néanmoins qu'il n'avait aucun rapport avec la broderie. J'allai chercher une loupe sur mon bureau, pris un cahier et un crayon, ouvris le livre à la première page et commençai à transcrire ce que je lisais.

Ce jour, le 27ᵉ de may de l'an 1625 de Nostre Seigneur, marque la fin de nostre Roy Jacques et la 19ᵉ année de la naissance de sa servante, Catherine Anne Tregenna. Grâce en soye rendue, ainsi que pour le cadeau qu'este ce livre et la mine de plomb offerts par mon cousin Robert, avec lesquels il dit que je pourrai escrire mes propres dessins et motifs. Cy je ferai, mais aussi, comme dit ma maistresse lady Harris de Kenegie, garderai-je céans mes pensées car elle asserte qu'il este de bon devoir et bonne tasche pour l'esprit que d'exercer mes lettres…

4

Catherine
Juin 1625

Matty réveilla Cat peu avant l'aube.

— Viens vite au parloir, lui dit-elle. Jack Kellynch s'y trouve, ainsi que Thom Samuels et ton cousin Robert.

— Robert ?

Cat cligna des yeux, encore à moitié endormie, et s'assit avec difficulté. Une pâle clarté pénétrait à travers la couverture de laine qu'elle avait accrochée devant la fenêtre disjointe du grenier.

— Que fait Rob ici avec ces coquins ?

Matty se rembrunit.

— Ne parle pas comme ça, ce sont de braves garçons.

Les frères Kellynch possédaient un bateau de pêche. Parfois, ils revenaient avec leur filet rempli de poissons, mais la plupart du temps ils disparaissaient pendant des semaines, puis ils réapparaissaient soudain, les poches pleines d'or étranger, distribuant des sourires et des clins d'œil aux filles. Matty s'était entichée de Jack, que Cat considérait comme une canaille et un imbécile, même s'il était joli garçon. Son compagnon, Thom Samuels, ne pouvait même pas se prévaloir de cette qualité, avec son front barré par un seul sourcil noir et bas. Cat éclata de rire.

— Des contrebandiers et des brigands, voilà ce qu'ils sont !

Mais Matty avait déjà atteint la porte. Cat l'entendit descendre l'escalier. Le maître, sir Arthur (lorsqu'il était là), et lady Harris avaient leurs appartements dans l'aile ouest, la plus tranquille de la maison. Les domestiques logeaient à l'est, où l'on entendait les bruits de la ferme voisine. Si Matty ne l'avait pas réveillée, les chiens et le coq s'en seraient chargés. Cat se glissa hors du lit. Sur le dossier de l'unique chaise s'empilaient son cotillon vert foncé, son jupon et son corset. Ses vieux bas de lin étaient posés par-dessus, telle une seconde paire de jambes. Ne voulant pas perdre de temps à se lacer, elle jeta sur sa chemise son plus beau châle, qu'elle avait brodé d'églantines avec une laine délicate.

Que faisait son cousin Robert à Kenegie, surtout à cette heure ? Elle savait que Margaret Harris avait un faible pour lui ; la maîtresse l'encourageait à leur rendre de plus fréquentes visites que ses devoirs ne l'exigeaient. Rob, qui avait une épaisse chevelure blonde et des yeux bleus, dépassait la noble dame d'une bonne quinzaine de pouces[2]. Comme, du reste, il dépassait la plupart des gens. Lady Harris le taquinait souvent à ce sujet, affirmant qu'il descendait des géants de Carn Brea, qui traînaient leurs prisonniers jusqu'au sommet de la colline pour les sacrifier sur des roches plates avant de cacher leur or et leurs bijoux dans des grottes de granit. Mais le tendre Rob paraissait incapable de capturer qui que ce soit, et encore moins de répandre sa cervelle sur des rochers. Cat trouvait déjà étonnant qu'il apparaisse en compagnie de Kellynch et de Samuels, à une heure où la maîtresse était encore au lit.

Sa curiosité piquée au vif, elle glissa ses pieds nus dans ses bottes et partit à la suite de Matty.

Elle la trouva avec Grace la Grande – la fille de ferme qui s'occupait de la traite – en train d'espionner les visiteurs à travers un interstice de la porte. Des voix masculines s'échappaient de la cuisine, en même temps qu'une forte odeur de bière et de fumée. L'un des hommes prononça une phrase que Cat ne parvint pas à saisir. Les filles écoutaient avec attention.

---

2. Le pouce mesurait environ 2,54 cm. *(N.d.T.)*

Grace pressa la main de Matty et les deux amies échangèrent un regard horrifié. Cat grimaça et s'avança sur la pointe des pieds. Comme elle se penchait vers la porte, elle posa une main sur l'épaule de Matty. La jeune servante fit un bond et lâcha un couinement aigu, tel un lapin attrapé par un renard.

Jack Kellynch ouvrit brusquement la porte. Il était brun et trapu, avec une peau mate et des yeux vifs qui trahissaient les origines espagnoles de sa mère. On affirmait que celle-ci avait été recueillie à bord d'un navire marchand naufragé au large de la péninsule de Lizard, en même temps qu'une cargaison de vin de Madère, un coffret rempli d'or et de vaisselle d'argent et des balles de soie orientale destinées à la reine. Les étoffes et la plupart des plats étaient parvenus à Sa Majesté, mais le vin et la fille du marchand espagnol étaient demeurés introuvables.

— Tiens donc, Matty ! s'exclama-t-il. Tu devrais savoir qu'il ne vient rien de bon à ceux qui écoutent ce qui ne les concerne pas !

Matty rougit et baissa les yeux, incapable d'articuler le moindre mot. Quant à Grace la Grande, elle se cramponnait au bras de sa compagne, la bouche béante et les yeux exorbités. Elle n'avait que treize ans, était simple d'esprit et toute petite, en dépit de son sobriquet.

Cat s'avança.

— Que fais-tu là, Jack Kellynch ? Matty et Grace, elles, ont de bonnes raisons, puisqu'elles travaillent ici. Mais toi, il me semble que tu n'œuvres pour le compte de personne et tu n'as rien à faire chez nous à cette heure-ci.

— Mes affaires me regardent, et ne concernent pas une garce danoise.

Cat secoua sa chevelure rousse, qui lui avait valu cette insulte, et entra dans la cuisine, la tête haute, prête à admonester son cousin Robert pour avoir introduit cet individu dans leur maison. Dans la pièce enfumée, en plus de Robert Bolitho et Thomas Samuels, tous deux assis derrière la table, elle trouva un troisième homme, adossé au mur. Il était vêtu d'un manteau de voyage poussiéreux et portait des bottes pleines de boue. Lorsqu'il s'avança, la lumière de la lanterne éclaira soudain son visage et elle reconnut le maître, sir Arthur Harris.

— Ces hommes se trouvent ici sur mon invitation, dit-il, la mine sévère. L'honnête affaire qui les amène étant de me confier des informations.

Cat, gênée, fit une révérence.

— Je vous prie de me pardonner, monsieur. Je croyais Votre Seigneurie sur le Mont…

— Est-ce cela qui vous autorise à vous présenter en compagnie à demi vêtue ?

Il n'y avait rien à répondre à cela. Cat baissa les yeux. Néanmoins, elle surprit le geste furtif de Robert pour recouvrir de son vieux chapeau un objet qui brillait sur la table de chêne.

Quand elle se tourna vers lui d'un air interrogateur, son cousin lui adressa un regard qui disait : « Va-t'en ! » Un court instant, elle résista. Puis elle murmura :

— Excusez-moi, monsieur.

Comme elle quittait la pièce, elle sentit le regard de Jack Kellynch qui la suivait. Elle le sentait encore quand elle regagna sa chambre.

— Catherine, dit Margaret Harris avec toute la fermeté dont elle était capable, mon époux m'apprend que tu t'es présentée devant ses compagnons dans une tenue inconvenante. Il m'a demandé de te parler, car il ne désire pas de scandale à Kenegie. En outre, j'ai promis à ta mère de veiller sur toi.

John, le père de Catherine, un homme de la milice de sir Arthur, avait été emporté par la peste deux ans auparavant, laissant Jane Tregenna et sa fille sans revenus. On disait que des *spriggans*[3] avaient jeté un sort à Jane, pour qu'elle n'ait pas d'autres enfants. Cat, elle, soupçonnait que ses parents ne s'étaient guère aimés. La maîtresse de Kenegie avait offert aux

---

3. Sortes de lutins censément hideux et maléfiques existant dans le folklore de la Cornouailles. *(N.d.T.)*

deux femmes une position au manoir, mais Jane Tregenna, se considérant comme une dame, avait refusé d'exercer un emploi de domestique. Elle s'était installée à Penzance, chez son frère Edward, confiant Cat à lady Harris. En plus d'un revenu, celle-ci avait offert à la jeune fille ses encouragements et une éducation bien supérieure à celle qu'aurait pu espérer une personne de sa condition. Cat savait que sa mère nourrissait de grandes ambitions pour elle. Peut-être même envisageait-elle une union avec l'un des garçons Harris. Si elle perdait sa place au manoir, elle n'aurait pas fini de l'entendre récriminer.

— Pardonnez-moi, madame, je ne voulais offenser personne. Mais en entendant de l'agitation, j'ai pensé à un intrus.

— Descendre au parloir à demi nue n'était pas la meilleure conduite à tenir. Si d'aventure des gredins s'étaient trouvés là, tu te serais exposée à un grave danger et tu m'aurais mise, en tant que ta protectrice, dans une position fort délicate. Comprends-tu ?

Cat hocha la tête.

— Mais, madame, je n'étais pas à demi nue. Je portais sur ma chemise un châle, je le jure.

— S'agissait-il par hasard de ton châle brodé de roses de laine ?

La jeune fille rougit.

— En effet.

Margaret Harris évalua la jeune servante en silence. À dix-neuf ans, la petite était jolie malgré sa chevelure d'un roux flamboyant. Sa mère, Jane Tregenna, était brune et pas très grande, prématurément usée par le dépit. Son défunt mari, un homme irritable et brun, avait la silhouette trapue des villageois du cap Lizard (on prétendait que ceux-ci s'étaient déplacés à quatre pattes jusqu'à ce que l'équipage d'un navire étranger échoué sur la côte se soit établi parmi eux, permettant aux générations suivantes de se développer). Un couple mal assorti, qui laissait soupçonner un mariage de circonstance. Jane était une Coode, issue d'une famille ancienne et respectée. Les Tregenna étaient des fermiers originaires de Veyran et de Tregare. Ne pouvant se prévaloir d'aucune fortune, leur troisième fils, John, s'était engagé dans la milice. Une jolie fille issue d'une famille convenable aurait pu prétendre à un meilleur parti ! Et rien chez ces deux-là n'expliquait la chevelure rousse et les longues jambes de Catherine. Un âge dangereux que dix-neuf ans : elle devait être mariée au plus vite. Margaret avait remarqué les regards que lui jetaient ses fils William et Thomas.

— As-tu vu ton cousin, ce matin ?

Cat fronça les sourcils.

— Oui, madame.

Lady Harris lissa sa jupe de ses doigts.

— Robert est un bon et brave travailleur. Je ne serais guère étonnée si mon époux le nommait intendant quand George Parsons prendra sa retraite.

Guettant la réaction de Catherine, elle poursuivit :

— Bien entendu, il aurait plus de chances de s'élever s'il avait une famille.

— Oh, Robert a de nombreux parents dans les environs, répondit Catherine d'un ton léger. On trouve des Bolitho et des Johns dans chaque hameau et ferme de Gulval et Badger's Cross, jusqu'à Alverton et Paul.

— Ce n'est pas ce que je veux dire. Robert est un jeune homme aimable et très capable. Sans vouloir insister, je dirais qu'il ferait un excellent parti pour une jeune fille du pays.

Cat baissa le regard vers le tapis à motifs – « le tapis turc », comme l'appelait sa maîtresse. Ses couleurs éclatantes contrastaient avec l'austérité du reste de la pièce : les murs recouverts de lambris, le sol en granit, le mobilier massif en noyer sombre ou en acajou. Catherine aurait donné n'importe quoi pour pouvoir broder avec une laine pareille. Comme les tapis et broderies d'Orient devaient être beaux, et comme elle aurait aimé les admirer de près ! Mais il semblait improbable qu'elle les voie jamais de plus près que le tapis turc de sa maîtresse.

— Mon cousin est un brave homme et je l'aime comme un frère.

Lady Harris, avec sagesse, décida de ne pas poursuivre plus avant. Mais elle se promit qu'avant la fin de l'été Catherine Tregenna serait devenue Catherine Bolitho.

Robert vint trouver la jeune fille un peu plus tard, ce jour-là.

— Veux-tu faire une petite promenade avec moi, Cat ? demanda-t-il.

Quatre heures avaient sonné ; la maîtresse avait emmené ses filles Margaret et Alice rendre visite au révérend Veale et à son épouse, à Trevailor. Avec un sourire, elle avait fait savoir à Catherine qu'elle pouvait disposer de son temps jusqu'à leur retour, qui aurait lieu après dîner.

Cat abrita ses yeux de la main et son regard se posa derrière son cousin, sur le jardin à l'italienne et la cour qui s'étendaient jusqu'à la campagne environnante. Au loin, la mer miroitait au soleil, donnant à la forteresse perchée au sommet du mont des airs de château de conte de fées. En direction de Lescudjack, un faucon se laissait porter par un courant d'air chaud, guettant paresseusement un lapin ou un mulot. Les nuages s'étiraient dans le ciel d'été tandis qu'une douce brise ébouriffait les feuillages des sycomores et des chênes qui poussaient dans la vallée de Rosemorran. Cat ne voyait aucune raison de refuser la proposition de Robert. La maison lui semblait étouffante en ces journées d'été, et Robert était d'une agréable compagnie. Si elle n'avait aucune intention de l'épouser, elle éprouvait une certaine fierté à se montrer à ses côtés. Par ailleurs, elle brûlait de savoir ce qui s'était dit en secret au parloir, ce matin-là.

Le regard de Cat revint se poser sur le jeune homme. Il l'observait comme un oiseau de proie. Ses yeux bleus scrutaient son visage.

— Merci, Robert, répondit-elle enfin. J'en serais enchantée. Si tu veux bien m'attendre un instant pendant que je change de souliers.

Une petite fenêtre s'ouvrait dans le mur de l'escalier principal. Cat y jeta un œil en passant et vit son cousin triturer son chapeau entre ses mains, comme s'il tordait le cou d'un poulet. Il le reposa brusquement sur sa tête, l'en ôta plus brutalement encore, l'enfonça dans sa poche et s'essuya le front avec son mouchoir.

Nerveux, songea-t-elle. Et avec de bonnes raisons, car jamais elle ne lui dirait oui.

Dans sa chambre, elle prit le temps de remplacer sa robe de travail par un joli cotillon de coton blanc décoré de dentelles flamandes. Elle l'avait acheté au marché de Penzance, avec le peu d'argent qui lui restait après qu'elle eut donné la plus grande partie de ses gages à sa mère. Elle passa par-dessus une robe de laine bleue, lacée devant et ornée d'un col de lin blanc. Un châle de laine brodé d'une guirlande de fleurs et de feuilles complétait sa tenue. Ses bottes de cuir détonnaient un peu, mais, même par vanité, Cat ne pouvait se résoudre à abîmer sa seule paire de souliers de satin sur un chemin de campagne. Avec un soupir, elle laça ses bottes, puis elle aspergea sa nuque et son décolleté d'eau de rose. Au soleil, son parfum délicat se diffuserait jusqu'aux narines du pauvre Robert.

Quand elle réapparut enfin, son cousin eut le bon sens de ne faire aucune réflexion sur son retard. Il montra encore plus d'esprit en s'exclamant :

— Comme tu es gracieuse, Cat !

Sa remarque lui valut un sourire.

— Je m'appelle Catherine, le corrigea-t-elle néanmoins.

Le visage de Robert s'assombrit aussitôt. Elle perçut son changement d'humeur tandis qu'elle le dépassait pour prendre le sentier qui longeait les fermes.

— Montons vers Castle-an-Dinas, suggéra-t-elle. J'ai besoin de m'aérer l'esprit.

— Tu en es sûre ? Le chemin est long.

— J'ai deux jambes, au cas où tu ne l'aurais pas remarqué.

Il l'avait remarqué, bien sûr. La seule pensée de ses jambes le bouleversait. Il se mit à courir derrière elle.

— Je dois être de retour avant la tombée de la nuit pour aider Will avec les vaches.

— Dans ce cas, ne gaspillons pas notre temps à bavarder, déclara Cat avant de poursuivre à grandes enjambées.

Ils empruntèrent le chemin qui traversait les marécages, en direction de Gariss et Hellangrove. Boutons d'or, scabieuses et marguerites constellaient l'herbe. En les regardant, Cat imagina un motif de frise : une multitude de points de croix jaunes, bleus et blancs, sur un fond vert émeraude.

À leur gauche, derrière les ronces, se dressaient des collines boisées qui bruissaient de chants d'oiseaux. Le cerfeuil sauvage et les clématites festonnaient les haies. Les fragrances poivrées de l'herbe-à-Robert et de l'ail sauvage flottaient dans l'air. Gulval Downs se dressait devant eux, piqueté d'ajoncs dorés. Des alouettes chantaient à tue-tête dans le ciel. Cat risqua un regard vers son compagnon. L'air maussade, Robert décapitait les hautes fleurs de son bâton de saule.

— Eh bien, traînard ! Tes bottes sont-elles en plomb ?

Elle s'élança tel un garçon manqué, comme aurait dit sa mère.

Quarante minutes plus tard, ils parvinrent au sommet de la colline. Une bonne brise de mer couchait l'herbe et les ajoncs. Les cheveux de Cat volaient en tous sens lorsqu'elle s'assit sur un cairn de granit. Érodés par les siècles, envahis par les herbes, les remparts de la vieille forteresse semblaient se refermer autour d'elle, comme des mains en coupe, pour la protéger.

— Tu ressembles à une reine guerrière, assise sur son trône, lui dit Robert, ému. Reste là…

Il s'éloigna en courant. Cat fronça les sourcils, puis elle regarda la mer qui semblait s'étendre à l'infini. Que trouvait-on au-delà de l'horizon ? Sans doute des merveilles inestimables, des monstres défiant l'imagination, des terres exotiques ; elle rêva à d'autres lieux, où les femmes de talent n'étaient pas confinées à balayer, repriser ou nourrir les poulets...

Le retour de Robert interrompit sa rêverie. Il tenait entre ses mains une délicate couronne d'ajoncs, d'églantines et de fougères piquée de fleurs qui émergeaient du feuillage comme des gemmes.

— Une couronne pour la reine, déclara-t-il.

Ses yeux bleus étincelaient quand il mit un genou en terre pour lui tendre son œuvre.

— Eh bien, couronne-moi, dit-elle d'un ton péremptoire, même si son geste la touchait.

Robert se releva et posa doucement la couronne sur sa tête. Au même moment, le vent souleva une des mèches de Catherine, la faisant onduler telle une oriflamme. Robert l'attrapa et l'enroula autour de ses doigts, émerveillé par sa douceur et par ses reflets cuivrés.

— Cette forteresse a été construite au temps du roi Arthur, dit-il, pour arrêter les envahisseurs danois. J'imagine que cela fait de toi un trophée arraché à ces rois des mers... et non une vraie Cornouaillaise, comme nous autres, termina-t-il avec un sourire.

Irritée, Cat se dégagea.

— Pourquoi voudrais-je être une véritable Cornouaillaise ? La Cornouailles n'est qu'un pauvre petit pays peuplé de brigands, d'idiots et de vieilles chouettes superstitieuses.

Robert eut l'air peiné.

— Et moi, que suis-je – un brigand ou un idiot ?

Elle haussa les épaules sans répondre, puis changea de sujet.

— De quoi parliez-vous ce matin, avec le maître ?

— Rien d'important. Jack et Thom avaient des informations à lui transmettre, c'est tout.

— À propos de quoi ?

— Oh, la navigation, les bateaux, ce genre de choses.

— Les bateaux ? Depuis quand sir Arthur se préoccupe-t-il des bateaux ? Je t'ai vu cacher quelque chose, tu sembles l'oublier.

Robert ne mordit pas à l'hameçon.

— D'ici, on aperçoit Carn Galva, « la Chaise du Géant ». On voit aussi Trencrom, Tregoning et Godolphin Hills. Pas étonnant qu'on ait choisi cet endroit pour construire une forteresse ! On distingue même les îles Scilly ! Il était impossible de surprendre les habitants de cette côte, que ce soit par terre ou par mer. On raconte qu'ils ont allumé au sommet du mont St Michael des feux qui ont été relayés ici, puis à Carn Brea, St Agnes, St Bellarmine, Cadbarrow, Rough Tor et Brownwilly, jusqu'à Tintagel, pour avertir le souverain de la venue des pillards. Après une marche forcée de deux jours, Arthur et les neuf autres rois ont rencontré l'ennemi près de Vellan-Druchar. Tant d'hommes ont péri dans la bataille que le moulin à eau, affirme-t-on, tourna ce jour-là avec du sang. Aucun Danois n'a survécu.

— Quel dommage qu'Arthur n'ait pas été là pour sauver Mousehole et Newlyn des Espagnols !

En juillet 1595, son grand-oncle avait suivi sir Francis Godolphin pour combattre l'ennemi qui occupait le village de Mousehole et avait brûlé l'église du hameau de Paul. Peu nombreux, mal armés, les Cornouaillais avaient dû se replier sous le feu des canons tiré depuis les galions. Tandis qu'ils attendaient des renforts, les envahisseurs avaient incendié quatre cents maisons à Newlyn et à Penzance. La génération des parents de Catherine évoquait encore cet épisode à voix basse. Une invasion étrangère sur le sol cornouaillais constituait un outrage, une insulte, surtout après la victoire contre l'Armada. D'autant que cette victoire était largement due aux hommes de l'ouest du pays !

— Tu n'as pas répondu à ma question, remarqua Catherine.

Son cousin regarda l'océan.

— Tu te sers du livre que je t'ai offert ?

— Oui. Tu as été bien aimable de te rappeler que j'avais admiré la copie de lady Harris. Je suis heureuse d'en posséder une. Certains motifs me sont très utiles, et j'ai conçu quelques variations que la maîtresse juge charmantes.

— Bien. Je me réjouis de l'entendre.

— J'ai l'intention de passer maître en broderie et de rejoindre la guilde.

Rob sourit malgré lui.

— Et comment feras-tu, depuis les profondeurs de notre Cornouailles ? Je crains que la géographie ne s'y oppose. En outre, la guilde est constituée de *maîtres* en broderie et ne s'ouvre pas aux bachelettes, même si elles sont aussi adroites que toi.

— Alors tu m'as offert ce livre seulement pour m'humilier ?

Rob prit ses petits doigts dans ses mains.

— Bien sûr que non, Cat. Je suis très heureux que la comtesse de Salisbury t'ait fait cette commande.

Elle se dégagea brusquement.

— Comment le sais-tu ? C'est un secret !

— C'est lady Harris qui en a parlé, elle était ravie. C'est un grand privilège de participer à la confection d'une nappe d'autel pour la famille Howard. En plus, la maîtresse n'est pas peu fière d'avoir influencé la comtesse pour qu'elle confie cette tâche à une fille de la Cornouailles.

Catherine rougit.

— C'est une grande responsabilité. Je n'ai jamais entrepris quoi que ce soit d'aussi prestigieux. Je n'ai même pas fait d'esquisse encore.

Rob releva les sourcils.

— Tu as l'intention de créer toi-même le modèle ?

— Évidemment !

Robert lui avait offert ce livre pour lui permettre de copier les motifs des maîtres. Les femmes – chacun savait cela – étaient incapables d'abstraction. Dans ce domaine, comme dans beaucoup d'autres, elles devaient se conformer aux décisions des hommes.

Le jeune homme soupçonnait, avec raison, que lady Harris avait recommandé sa protégée à la comtesse pour qu'elle reproduise un motif conçu par un des maîtres en broderie qui allaient de manoir en manoir présenter leurs dessins. Malheureusement, personne ne semblait en avoir informé Catherine. Un jour, songea-t-il, elle irait trop loin et tomberait de haut. Il espérait être là pour la rattraper !

— Si tu es sûre de toi, dit-il doucement.

— Je le suis. Mais je ne veux pas en discuter tant que je n'ai rien commencé. Parlons plutôt du poignard recourbé que tu tentais de cacher sous ton chapeau.

— Le maître nous a ordonné de n'en parler à personne !

Catherine éclata de rire.

— Au cas où tu ne l'aurais pas remarqué, Robert Bolitho, je ne suis pas « personne ».

Rob soupira.

— Pour l'amour de Dieu, ne dis rien à Matty, ou tout le pays le saura avant l'aube.

Cat se signa solennellement.

— Sur la dépouille de mon père, je le jure.

— Tu as entendu parler de la *Constance*, ce bateau venu de Newlyn qui a disparu la semaine passée ?

Cat acquiesça :

— Oui, Elias, le cousin de Nan Simons, fait partie de l'équipage. Est-ce qu'il est de retour ? Nan était morte d'inquiétude.

Robert secoua la tête.

— Mauvaises nouvelles. Le bateau dérivait ce matin dans la brume, près de Mousehole. Jack et Thom se trouvaient là, occupés à… leurs affaires. Ils l'ont découvert, échoué sur les rochers qui limitent l'île de Saint-Clément, sans une âme à bord, les voiles pendantes et les filets vides.

Cat fronça les sourcils.

— Mais il faisait beau, ces jours-ci. Il n'a pas pu être renversé par une vague.

— Thomas nous a dit que ses flancs avaient été déchiquetés par les rochers. Mais Jack jure avoir vu la trace d'un grappin sur le plat-bord.

Cat écarquilla les yeux.

— Et le poignard ?

— Fiché entre deux planches, à fond de cale.

— Je n'en ai jamais vu de semblable.

— Moi non plus, et je n'aime pas ça.

— Qu'en dit sir Arthur ?

— Sur la côte sud, les attaques de corsaires se multiplient. Mais jusqu'à présent elles étaient dirigées contre des navires marchands isolés. Rien d'inhabituel, et Dieu sait que nos gars en font autant aux navires de commerce français ou espagnols. Mais je ne vois pas quel profit on pourrait tirer d'un bateau de pêche.

— Peut-être que la *Constance* a simplement joué de malchance ?

— Peut-être, répéta Robert avec une grimace. Mais cela n'explique pas la présence d'un poignard turc à bord.

— Turc ?

— Cat, je ne peux pas t'en dire davantage sans risquer la colère du maître. Les rumeurs se répandent comme feu de forêt dans cette région, et sir Arthur s'inquiète de voir éclater la panique.

— Rob, es-tu en train de me dire que des pirates turcs croisent dans nos eaux ? s'exclama Cat, les yeux pétillants d'excitation. Comme c'est... exotique ! J'aimerais tellement en voir un !

— Tu ne dis ce genre de bêtises que pour me chagriner, Catherine ! Pour ma part, je prie Notre-Seigneur de ne jamais croiser le chemin d'un de ces païens. Ils ne valent guère mieux que des animaux. Les histoires que j'ai pu entendre...

Il secoua la tête devant l'expression avide de Cat.

— Partons à présent. La nuit arrive et je dois te raccompagner. Les vaches m'attendent, et je suis sûr qu'il te reste des tâches à accomplir avant le retour de lady Harris. Nous ne parlerons plus de pirates, d'accord ?

Cat détacha la couronne d'ajoncs de sa chevelure et la lança vers la mer. Les deux jeunes gens la virent s'envoler et se défaire dans le vent, faisant pleuvoir des fleurs sur les rochers.

5

Treiziesme jour de juin. Ce jour d'huy marque le mariage de nostre Roy Charles avec Henriette, princesse de France et de Navarre, et aussi la descouverte du bateau de pêche la Constance sur les rocs de Mousehole, tous ses hommes disparus et ses cordages coupés. Nul ne connoist le sort de ces hommes, mais une espée turque fut retrouvée enfoncée entre deux planches, et Rob me fit jurer de ne rien dire au sujet de pirates ou de Turcs, par frayeur de desclencher grave panique. Cy écrirai-je céans mon secret, que seuls ce livre et moy-mesme partagerons. J'appris que les Turcs sont noirs de peau, avec le chef rasé et de cruelles manières. Rob les nomme de sauvages animaux mais j'aimerois en grande vérité en rencontrer un par moy-mesme…

Je posai le livre, stupéfaite. Je m'étais attendue à découvrir des notes concernant les motifs présentés dans le livre, des précisions sur l'exécution d'un dessin, la couleur des fils ou le type de points. Mais j'avais entre les mains une véritable fenêtre ouverte sur le passé. Ce livre était un trésor.

Je me demandai si Michael avait lu les commentaires à demi effacés de Catherine, ou s'il les avait à peine regardés, considérant qu'ils défiguraient l'ouvrage. Peut-être en avait-il profité pour faire baisser le prix ? Je l'imaginais très bien se plaindre d'un minuscule défaut, flairant la bonne affaire. Combien de fois m'étais-je détournée, mortifiée, parce qu'il marchandait avec un malheureux brocanteur ou un camelot ? L'idée même de Michael fouinant dans sa boutique de livres d'occasion préférée à la recherche d'un cadeau d'adieu me donnait la nausée. Avait-il longuement mûri notre rupture ? Depuis quand Anna et lui avaient-ils décidé de donner « un nouveau départ » à leur mariage ? Leur rapprochement s'était-il opéré au fil des jours, des semaines, des mois qui avaient été les témoins de nos rencontres furtives ? Je me précipitai dans la salle de bains et rendis tripes et boyaux, jusqu'à ce que la bile me remonte par le nez.

Quand je regagnai mon lit, toute tremblante, le livre m'attendait sur la table de nuit. Sur mon cahier, à côté, j'avais griffonné mon interprétation des notes de Cat Tregenna. Pendant plus de trois heures, j'avais étudié l'étrange calligraphie, l'orthographe insolite et les structures inhabituelles de ces phrases venues d'un autre temps. J'avais rempli six pages de phrases raturées, parfois soulignées ou semées de points d'interrogation quand la signification d'un mot m'échappait. Ce cahier-là ne vaudrait rien dans quatre cents ans ! Pourtant, malgré la différence des époques, je devinais entre Catherine Anne Tregenna et moi un lien qui ne tenait pas seulement à notre passion commune pour la broderie. J'avais, moi aussi, grandi en Cornouailles et rêvé de m'en échapper.

Sur une nouvelle page, j'écrivis son nom et entourai les majuscules d'une guirlande de feuillage : un simple exercice de point de croix à travailler sur un carré de tissu, comme l'aurait fait une jeune fille du passé au début de son apprentissage. Catherine s'était-elle aussi exercée à broder son nom d'une seule couleur avant de l'auréoler de feuilles et de fleurs ? Je ne connaissais pas grand-chose à la broderie jacobéenne, mais il semblait peu probable qu'elle ait pu travailler des matériaux raffinés lors de ses premiers essais. Si elle était issue d'une famille pauvre, elle avait dû s'exercer sur de la toile de jute ou de sac, avec des écheveaux de laine grossière. Sans doute avait-elle teint elle-même la laine, avec des plantes cultivées dans un jardin des simples ou cueillies sur des haies – la guède pour le bleu, la garance pour le rouge, le genêt ou les peaux d'oignon pour le jaune. Elle n'avait certainement pas de jolis écheveaux de soie comme ceux que, petite fille, je conservais précieusement dans une boîte, classés en fonction de l'échelle des couleurs.

Je terminai mon esquisse et la tins à bout de bras. L'évidence me sauta alors aux yeux. Catherine Anne Tregenna, C. A. T. – Cat. Je m'étais demandé pourquoi elle ne se faisait pas appeler Kate ou Cath ; son sobriquet semblait moderne pour une jeune fille du XVIIe siècle. J'éprouvai soudain une vive affection pour cette femme, disparue depuis longtemps, qui avait su imposer à son entourage le surnom qu'elle s'était choisi. Avait-elle calqué son existence sur celle du chat, son animal totem ? Elle était soignée, rusée, prudente, avec des yeux en amande ? Elle se déplaçait d'un pas léger dans le manoir où elle était employée, souriant en son for intérieur de la folie des autres ? Je l'imaginai, petite et brune, lovée dans un fauteuil de bois, adossée à des coussins qu'elle avait elle-même cousus. À la lumière d'une fenêtre, elle brodait les plumes d'un oiseau fabuleux, avec des fils de couleur, sur un carré de lin blanc – un chemin de table peut-être, la bordure d'une courte-pointe, ou encore cette nappe d'autel si brièvement mentionnée. Cette commande m'intriguait. J'aurais aimé partir à la recherche de ce trésor dont je connaissais à présent l'origine, et dont j'allais – qui sait ? – suivre les différentes étapes de la création au fil des pages du petit livre.

Je passai amoureusement la main sur le frontispice décoloré par le temps. 1625… Presque quatre siècles me séparaient de cette époque. Encore célibataire à trente-six ans, j'aurais alors suscité la pitié autant que les moqueries. On m'aurait considérée comme une vieille fille, inutile à la société. Mais que savais-je des premières années du XVIIe siècle ? Dans mon esprit, elles se situaient en gros entre la glorieuse époque Tudor et la guerre civile, puis la restauration.

Je cherchai dans ma bibliothèque de quoi approfondir mes connaissances. J'y trouvai quelques livres de poésie, des pièces de Shakespeare commentées, plusieurs manuels de littérature et un petit nombre d'ouvrages de philosophie datant de mes études : rien de très utile. Dans la chambre d'amis, sur une étagère poussiéreuse, j'aperçus une collection d'encyclopédies pour la jeunesse qui datait probablement de ma grand-mère. Une odeur de moisi et de poudre de riz s'éleva des volumes quand je les posai au sol ; des odeurs étroitement associées à mon enfance, dans la maison que ma grand-mère partageait avec son irascible sœur aînée. Je me demandai si elles étaient réelles ou imaginaires, comme un souvenir qui remonte à la mémoire par association. Enfant, j'avais passé des heures à rêver devant ces encyclopédies et leurs planches illustrées : une pomme vue en coupe, la dissection d'une grenouille, la mouche, le moteur à vapeur, le château médiéval... En feuilletant un des volumes, je m'attardai sur de longs articles présentant l'histoire de l'art, la mythologie grecque, l'anatomie humaine, la guerre de Troie et le système féodal anglais. Deux tomes plus loin, après la découverte de la pénicilline, la vie sauvage dans la savane, Chaucer et Galilée, je finis par trouver ce que je cherchais.

J'emportai le sixième tome dans le salon après avoir rangé les autres sur leur étagère. Bien installée sur le canapé de cuir, je me plongeai dans la lecture.

Quarante minutes plus tard, j'avais appris tout ce que je désirais savoir. Pour un condensé destiné aux enfants, l'article de l'encyclopédie s'était révélé passionnant et rempli de détails surprenants. Je savais déjà que Jacques Ier était le fils de Marie Stuart, la reine martyre des Écossais. Mais j'ignorais qu'il avait épousé une princesse danoise et affiché un tel nombre de favoris masculins que, quand il monta sur le trône, il se murmurait que si Élisabeth avait été roi, à présent, Jacques était reine ! Ce souverain impopulaire avait une telle propension à dilapider le Trésor qu'il plongea le pays dans la faillite. Acculé à la ruine, il dut vendre titres et terres, puis il cessa de payer les marins. Invoquant son droit divin, il préféra dissoudre le Parlement plutôt que d'encourir ses critiques. Il tenta également d'unir son fils Charles à la riche infante d'Espagne, alors que l'Angleterre demeurait farouchement protestante. Les Espagnols rejetèrent l'offre de mariage et Charles, humilié, finit par épouser la princesse Henriette-Marie de France, à peine quelques mois avant la mort de son père. Le jeune roi fut couronné en mars 1625, à l'âge de vingt-six ans.

Plus intéressant, le principal conseiller du roi Jacques avait été Robert Cecil, comte de Salisbury. N'était-ce pas la comtesse de Salisbury qui avait commandé une nappe d'autel à Cat ? Aussi excitée que peut l'être un détective amateur, je repris *La Gloire de la brodeuse*.

Dixiesme jour de juillet. Ce jour s'este montré pis que tout autre auparavant, et pousserait toute âme au désespoir. La colère du maistre s'este abattue sur moy, comme afin de me punir de désirer mieux pour moy-mesme. Mon despit est si grand que je ne saurais penser à rien, tandis que Nell, espouse de Will Chigwine, me traite de tentatrice et de catin de Babylone, et que Maistresse Harris y ajoute sa part. Et à présent, voicy mon cousin imposé à moy...

6

Catherine
Juin 1625

Cat caressa *La Gloire de la brodeuse*. L'aube, qui entrait à flots par la fenêtre, auréolait sa chevelure rousse. Quand elle s'était éveillée, une image à la fois entêtante et fugace s'enroulait dans son esprit telle une guirlande de lierre. Un clignement de paupières aurait suffi à la faire disparaître, et Cat souhaitait éviter cela. Car, alors même qu'elle ouvrait les yeux, elle avait compris ce qu'elle représentait : le motif de la nappe d'autel, venu à elle comme une vision.

La commande de la comtesse de Salisbury l'avait beaucoup préoccupée ces dernières semaines, pas seulement à cause du défi artistique qu'elle représentait, mais aussi parce qu'elle lui offrait une chance de s'élever et de fuir. Cat nourrissait un rêve secret : si la comtesse était satisfaite de son travail, peut-être déciderait-elle de la garder auprès d'elle, dans sa maison londonienne. Cat aurait alors abandonné Kenegie, Penwith, la Cornouailles et tous ses habitants sans regret. Elle aurait volontiers échangé les vents du sud, la mer, les collines d'ajoncs et le granit de sa région natale contre la possibilité de vivre dans une véritable maison aristocratique. Les rumeurs et les médisances de Kenegie l'étouffaient ; ses devoirs envers lady Harris, aussi plaisante que fût sa maîtresse, l'ennuyaient. Et l'idée que son cousin Robert soit le meilleur parti auquel elle pouvait aspirer la faisait pleurer de frustration ! Elle était née pour de grandes choses : sa mère le lui avait toujours affirmé, et elle y croyait de toute son âme.

Elle s'était endormie en songeant à la nappe d'autel, au dessin, aux matériaux qu'elle utiliserait. Une étrange alchimie s'était opérée au cours de la nuit. La vision scintillait dans son esprit ; parviendrait-elle à la reproduire sur un parchemin avant qu'elle s'envole ? Son avenir en dépendait peut-être, et cette pensée faisait trembler sa main.

Elle inspira profondément et, de sa mine de plomb, traça une ligne courbe jusqu'au bas de la page. En un rien de temps, elle esquissa les contours de l'arbre puis, sans aucune hésitation, elle ajouta une branche ici et là, émaillant le feuillage de petites baies, de boutons de roses et de fleurs écloses. L'Arbre de la Connaissance s'éleva bientôt vers le ciel, de minuscules créatures sur ses racines : un lièvre, une grenouille, un escargot. Adam se tenait d'un côté, Ève de l'autre, et la pomme était suspendue entre eux. Dans les branches, au-dessus d'Ève, le serpent souriait et déroulait ses anneaux.

— Cat, Cat ! appela une voix derrière la porte. Pourquoi n'es-tu pas descendue ? Tu es souffrante ?

Avec un soupir, Cat referma son livre qu'elle cacha sous sa courtepointe.

— J'arrive ! cria-t-elle en retour. J'arrive tout de suite.

— La cuisinière ne voudra plus de toi si tu ne viens pas sur-le-champ, parce qu'elle doit préparer le déjeuner pour les invités du maître. Tu n'auras rien pour petit-déjeuner. En plus, on nous a dit qu'il y aurait pas de viande ce midi ; on doit prendre ce qu'il faut de pain et de fromage pour tenir jusqu'à ce soir !

Matty semblait affolée par la perspective de rater un repas.

— Qui sont les invités ? s'enquit Cat.

Un silence succéda à sa question.

— J'en sais rien, répondit enfin la jeune servante. Des hommes venus voir le gouverneur. Dépêche-toi, ou tu n'auras rien.

Cat leva les yeux au ciel. Allez donc compter sur Matty pour vous informer !

— En fait, je n'ai pas faim, répondit-elle en prenant une chemise propre.

Elle hésita. Si sir Arthur avait des invités, peut-être devrait-elle faire un effort pour s'habiller. Elle reposa son cotillon de travail et sortit de son coffre de chêne une robe de laine écarlate qui avait appartenu à sa mère.

— Viens m'aider à lacer mon corset.

Matty poussa doucement la porte.

— Tu es sûre de ne pas être souffrante ? demanda-t-elle à nouveau.

— Non, pauvre sotte. Dépêche-toi, ou je serai en retard pour aider notre maîtresse. Et tu sais bien qu'elle s'énerve vite.

En effet, elle trouva lady Harris dans une humeur épouvantable mais qui n'avait rien à voir avec son retard.

— J'aimerais que mon bon époux me prévienne avant d'inviter des personnages aussi importants, se plaignit-elle tandis que Cat s'employait à plisser la fraise de sa maîtresse. Je suis obligée de superviser la cuisinière et de préparer le salon pour le déjeuner ! J'ai peur que notre plus beau linge ne soit mité, à force de rester dans les coffres. Polly, qui a pris froid, n'est pas en état de servir, et je dois encore me parer de manière à faire honneur à mon époux. En plus de ça, le buis aurait bien besoin d'être taillé. Que pensera de nous sir Richard, qui vient de Lanhydrock ?

Cat leva discrètement un sourcil. Sir Richard Robartes vivait à l'est de Kenegie, après le bourg de Bodmin. Elle se demanda ce qui l'amenait de si loin. Quelques années plus tôt, ce gentilhomme s'était porté acquéreur du domaine de Lanhydrock. Il en avait redessiné les jardins, et avait dépensé tellement d'argent qu'on avait jasé dans tout le comté. Cat avait souvent entendu sa mère en parler d'un air désapprobateur. « Un prétendu puritain qui dépense une fortune à essayer d'améliorer ce que le Seigneur offre dans toute sa simplicité ! Quelle hypocrisie ! Je préfère mille fois un honnête coquin à l'un de ces bigots ! »

Cat assembla les plis de la fraise d'une main experte, les noua, puis dissimula les lacets derrière le riche brocart italien.

— Je ne peux pas croire que sir Richard soit venu depuis Bodmin afin d'inspecter le jardin, madame, énonça-t-elle d'une voix douce, ni qu'il ait l'intention d'examiner le linge de table, mité ou non.

— Tu as raison, Catherine. Quoi qu'il en soit, je ne voudrais pas nous couvrir de honte. Ma demeure n'est peut-être pas la plus riche de la région, mais nos visiteurs sont influents et ils ont beaucoup voyagé. Même s'ils ne remarquent pas ces détails, ils seront mieux disposés à entendre sir Arthur et à lui accorder leur soutien s'ils le considèrent comme un homme sérieux et un bon maître de maison.

Elle s'approcha du miroir vénitien.

— Comment me trouves-tu, Catherine ?

Catherine ne répondit pas tout de suite. La robe de lady Harris semblait bien démodée. L'étoffe était riche et le corsage agrémenté de petites perles, mais le col montant et la jupe trop large lui donnaient un air raide et engoncé, sans parler de sa fraise à tuyaux. Gardant ses pensées pour elle, elle dit :

— Vous paraissez très distinguée, madame. Sir Arthur sera fier de vous.

Cela ne faisait aucun doute : si ses devoirs l'obligeaient à s'absenter fréquemment, le gouverneur de St Michael's Mount était très attaché à sa famille. En présence de son épouse, il la couvait du regard avec plus de chaleur que cette femme guindée et sérieuse n'aurait pu l'espérer. Polly avait sans doute raison : une telle union n'aurait pas duré aussi longtemps, ni produit huit enfants en bonne santé (sans compter les six morts en bas âge), si elle n'avait été fondée que sur le devoir.

Margaret Harris traversa la pièce, se posta derrière la fenêtre et regarda au-dehors. À travers les arbres, elle distinguait claire-ment St Michael's Mount, surgissant de la mer telle la légendaire Avalon. Les eaux turquoise de la baie scintillaient sous le soleil qui frappait de ses rayons le sable crémeux. Elle soupira.

— J'aimerais n'avoir jamais posé les yeux sur cet endroit, déclara-t-elle avec amertume.

Cat considéra sa maîtresse, étonnée. Margaret Harris avait décidé de maintenir sa demeure à Kenegie plutôt que d'emménager dans la forteresse du Mont, une décision que Cat ne comprenait pas. Kenegie était tout à fait respectable : une bastide de granit gris construite au sommet de la colline de Gulval, au sein d'un nid d'arbres. Mais si elle avait été l'épouse d'un tel homme, elle aurait exigé de quitter le domaine familial pour élire résidence au château. Ils y auraient tenu une cour raffinée dans les grands salons aux murs tendus de magnifiques tapisseries et aux longues tables couvertes de linge immaculé, de cristal et d'argent. Traverser la baie avant de gravir le chemin qui menait au palais, perché au sommet de l'île, voilà qui aurait impressionné les visiteurs, même ceux qui avaient passé leur vie à voyager !

Elle avait un jour commis l'erreur de partager ses pensées avec sa maîtresse, qui l'avait alors fermement corrigée :

« Ma chère enfant, il est difficile d'habiter un château, et en particulier celui-ci, qui est rocailleux, inaccessible et plein de courants d'air. En outre, St Michael's Mount est visible à des lieues à la ronde, depuis la mer et la terre, ce qui en fait une cible idéale pour nos ennemis. Mon époux ne cesse de se plaindre que sa garnison est insuffisante et mal armée, avait-elle ajouté d'une voix tremblante. Crois-moi, Catherine, je n'échangerais pour rien au monde le petit confort dont je jouis ici contre toute la grandeur de ce château. »

Lady Harris se détourna de la fenêtre, la bouche pincée.

— Cet endroit détruit lentement la santé de mon époux, déclara-t-elle. C'est un souci supplémentaire, alors qu'à l'automne de sa vie sir Arthur devrait se reposer. Durant trente années, il s'est montré un serviteur loyal et dévoué envers la Couronne ; et quelle a été sa récompense ? Le plus doux des beurres n'assaisonne point le navet, et les plus belles bannières ne sauraient sauver un royaume.

Le roi Jacques avait envoyé le drapeau royal au gouverneur en reconnaissance de ses « bons et loyaux services », avec ordre de le hisser chaque jour au sommet du Mont. Cat dévisagea sa maîtresse, surprise par sa véhémence autant que par ses propos : cet étendard était une grande marque d'honneur, de telles paroles équivalaient à une trahison. Il valait mieux que personne ne les entende.

— Je puis prendre la place de Polly et servir à table, si cela peut soulager Madame, offrit-elle pour meubler le silence qui s'était installé. Je ne possède pas son expérience, mais je vous assure que je vous ferai honneur.

Lady Harris secoua la tête.

— Je ne peux pas te demander cela, Catherine. Ce sera long et pénible, et tu gâterais ta jolie robe.

Margaret Harris n'était pas idiote ; elle avait remarqué que sa servante avait mis sa plus jolie tenue rouge en prévision de l'arrivée de visiteurs fortunés.

— Mais tu peux m'aider à préparer le salon pour le déjeuner.

Cat passa les deux heures suivantes à exécuter sans broncher les ordres de sa maîtresse, qui lui demanda de balayer les dalles, battre les tapis, cirer les chaises, polir les verres et les couteaux et changer les fleurs des vases. Elle secoua également le linge de table afin d'en chasser les mites, inévitables malgré les herbes nauséabondes chargées de les repousser. Elle dut ensuite s'asseoir sous la lumière du jour avec une aiguille et du fil de soie blanc, pour repriser la myriade de trous minuscules laissés par les insectes dans leur plus belle nappe flamande. Matty, quant à elle, ne cessait d'aller et venir, cherchant dans la cuisine chiffons, balais, plumeaux et un fer à repasser rempli de braises. Margaret Harris supervisait le travail de la cuisinière et de Nell Chigwine. Il fallait rôtir le mouton égorgé ce matin-là, préparer des pâtisseries, accommoder une soupe de poisson et présenter joliment les fruits et les fromages. Mettant elle-même la main à la pâte, elle confectionna un énorme pain et un gâteau aux baies confites.

— Cours à la laiterie et demande à Grace une jatte de crème, ordonna-t-elle à Nell.

Nell essuya aussitôt ses mains enfarinées sur son tablier et traversa le salon pour rejoindre la cour, derrière laquelle se dressait la ferme.

Quand elle aperçut Cat, à genoux, qui finissait de nettoyer l'âtre, Nell s'arrêta sur le seuil. Les deux femmes ne s'appréciaient guère.

La jeune brodeuse se redressa et plongea son regard dans celui de Nell.

— Tu n'as rien de mieux à faire que de m'espionner ? lança-t-elle avec hargne, en enlevant son tablier de lin crasseux.

Nell fit une grimace.

— J'ai vu l'extrême vanité de ce monde, Catherine Tregenna. Le Seigneur m'a montré la vanité des choses ; « et voici, tout est vanité et poursuite du vent » – Ecclésiaste 1 : 14.

Cat éclata de rire.

— Pas la peine de me citer les Écritures, Nell, elles entrent par une oreille et ressortent par l'autre. Parle clairement ou laisse-moi tranquille.

— « Tu chercheras la rédemption auprès de Notre-Seigneur avant qu'il ne soit trop tard. » Tu ne vaux guère mieux qu'une païenne.

Nell se dressait sur le seuil, mains sur les hanches.

— Je t'ai vue à l'église ce dimanche, poursuivit-elle. Tu adressais des œillades aux jeunes gens et écrivais dans un petit livre au lieu de supplier le Seigneur de te pardonner tes pensées frivoles et tes actes impies. Et hier, je t'ai aperçue dans le verger ; tu levais le bras afin de cueillir une pomme devant ton cousin, et ce pour lui montrer ta cheville, pécheresse que tu es !

Cat haussa les épaules et se dirigea vers la cuisine.

— Je n'ai jamais rien fait de tel et ma conscience est pure, répliqua-t-elle d'un ton sec.

Nell recula comme si le simple fait de toucher la robe rouge pouvait l'infecter.

— Tu es une tentatrice et une Jézabel ; le Seigneur te punira de ta vanité.

— Au moins, je ne suis pas une vieille sorcière bigote, murmura-t-elle.

Nell, un brin sourde, la suivit d'un regard soupçonneux.

Cat espérait avoir gagné les faveurs de lady Harris en travaillant dur. Mais elle dut encore se rendre dans la chambre de sa maîtresse pour coudre des sous-vêtements. La nature de cette tâche et surtout le moment choisi la hérissaient autant que Jack, le vieux fox-terrier, quand le chat de la ferme s'approchait de son écuelle. Aucune objection possible, toutefois ; elle baissa la tête en signe d'assentiment et se dépêcha de sortir avant qu'on remarque son dépit. Elle gravit l'escalier à toute vitesse, s'empara du rouleau de tissu et de son panier à couture, puis s'installa dans une chaise à haut dossier, encore bouillante de fureur. Elle découpa l'étoffe en s'aidant du patron formé par un ancien caleçon et tenta de s'immerger dans son travail, cousant et ourlant avec tout le soin dont elle était capable. Mais l'injustice de sa situation revenait la harceler, comme un chien qui gratte à la porte. L'idée que cette écervelée de Matty et cette vieille pie de Nell s'étaient mises sur leur trente et un pour servir à table la rendait furieuse. Inutile également de demander à Matty quelle était la teneur des conversations, elle avait autant de mémoire qu'un moucheron. De frustration, elle se mordit les lèvres jusqu'au sang, mais s'en s'aperçut seulement quand une goutte tomba sur le lin immaculé.

— Par les plaies du Christ !

Elle jeta son ouvrage d'un geste rageur. Il ne lui restait plus qu'à coudre la ceinture de soie pour terminer le caleçon ! Elle devait tout recommencer à présent, en espérant que lady Harris, avec sa radinerie habituelle, n'irait pas mesurer le tissu restant. Sinon, elle devrait avouer son erreur et payer les trois pennies correspondant à l'étoffe gâchée. Avec un profond soupir, elle reprit la culotte et l'emporta près de la fenêtre. À travers les carreaux, elle aperçut cinq cavaliers qui avançaient dans l'herbe comme s'ils fendaient les flots. Le premier était sir Arthur, monté sur Kerrier, un robuste étalon gris. Il était suivi de deux cavaliers aux manteaux sombres. Puis venait un gentilhomme plus âgé, qu'elle reconnut comme leur voisin, sir Francis Godolphin – un visiteur régulier de Kenegie –, sur une majestueuse jument alezane. Un homme tout de noir vêtu et portant un large chapeau à plumes fermait la marche. Sir Arthur pénétra bruyamment dans la cour, démonta en hâte et jeta les rênes à Jim, le garçon d'écurie. Cat ouvrit la fenêtre pour mieux voir. Peut-être alerté par le bruit, le dernier homme leva les yeux. Il traversa la cour en soutenant son regard, un demi-sourire aux lèvres, puis sauta à bas de son cheval avec une telle vivacité que son chapeau s'envola, révélant une longue chevelure et une barbe rousse très soignée.

Quelques instants plus tard, les visiteurs disparurent dans la maison, laissant la jeune fille dévorée de curiosité. Elle dut faire appel à toute sa volonté pour se replonger dans son ouvrage.

Le caleçon recousu, elle rangea son matériel, puis elle se leva et s'étira. Dehors, elle aperçut son cousin Robert qui traversait la cour. Elle frappa un petit coup à la fenêtre et descendit l'escalier en hâte. Elle traversa discrètement la cuisine jusqu'à la pièce où les invités étaient réunis. On entendait l'écho de leurs voix à travers la porte. L'espace de quelques battements de cœur, elle tendit l'oreille mais rien d'important ne lui parvint : entrecoupée de commentaires polis sur le repas, la conversation semblait porter sur les mérites des canons. Quand le silence retomba, Cat, craignant d'être découverte, se dépêcha de fuir. Robert en saurait certainement plus que ce qu'elle parviendrait à glaner en écoutant à la porte ; il avait un talent certain pour se tenir informé de ce qui se passait au manoir. Tout le monde voyait en lui un homme de confiance, déterminé, compétent. Il ferait un bon mari, pour une autre femme.

— Robert !

Elle se faufila dans la cour et lui fit signe de la suivre.

Il s'exécuta, visiblement étonné.

— Qu'y a-t-il, Cat… Catherine ?

— Qui sont ces quatre hommes avec qui sir Arthur déjeune ?

Rob la dévisagea avec méfiance.

— Pourquoi ça t'intéresse ?

— Je n'ai pas le droit de me montrer curieuse ? Ces invités doivent être importants, pour que madame nous ait obligées à courir jusqu'à l'épuisement.

Il sourit.

— Jusqu'à l'épuisement ? Dans ta plus belle robe ?

— C'est loin d'être la plus belle, mentit-elle. Et d'abord, qu'est-ce que tu connais aux robes, Robert Bolitho ?

— Pas grand-chose, admit-il en rougissant.

— Qui sont-ils, et que font-ils ici ? Je sais que sir Richard Robartes est venu de Lanhydrock, et bien entendu j'ai reconnu sir Francis. Mais j'ignore qui sont les deux autres.

— Le plus âgé des deux est sir John Eliot, de Port Eliot, répondit Robert, plein de respect. Il est célèbre pour sa franchise, même quand il s'adresse à Sa Majesté le roi, et il est très influent à Londres.

Cat enregistra l'information. Le fait que ce sir John ait traversé le pays pour s'entretenir avec le maître prouvait que la discussion était de la plus haute importance.

— Et l'autre ? Le gentilhomme à la chevelure rousse et au beau chapeau ?

— John Killigrew, de Arwennack, répondit Robert, laconique.

— Le pirate ? s'exclama Cat.

— Le gouverneur du château de Pendennis, la corrigea-t-il, même si tout le monde savait que les Killigrew étaient une famille de corsaires – des bandits ayant gravi l'échelle sociale d'un seul bond grâce à une pile de pièces d'or, vraisemblablement volées.

Nombre de Cornouaillais les considéraient comme des héros, en particulier ceux qui pleuraient encore la disparition de la reine Élisabeth et la fin de l'époque où la Couronne fermait les yeux sur ces innocentes, mais fort lucratives, initiatives maritimes...

La mère de Cat avait vécu trois ans à Arwennack. Loin d'éprouver une quelconque honte d'avoir servi des maîtres aussi peu recommandables, Jane Tregenna se repaissait des nombreux récits qui entouraient les Killigrew. Elle n'était jamais lasse de raconter l'histoire de Jane Killigrew, l'épouse du premier sir John. Ce dernier avait mis fin à ses jours dans une prison londonienne, laissant une veuve criblée de dettes. Quand deux galions hollandais, poussés par le mauvais temps, avaient cherché abri à Pendennis, cette femme déterminée avait armé ses domestiques de piques et d'épées et pris les navires d'assaut. Ayant maîtrisé l'équipage, elle avait tué deux mandataires espagnols avant de s'échapper avec plusieurs boucauts d'or. L'assassinat des deux Grands d'Espagne valut à la plupart des hommes impliqués d'être pendus ; mais la rumeur affirmait qu'Elisabeth elle-même était intervenue pour éviter la corde à lady Jane. L'actuel sir John était le fils de celle-ci.

— L'homme qui a édifié le phare de Lezard Point ? demanda Cat.

— Lui-même.

Robert n'appréciait guère sir John Killigrew. Décidée à le taquiner, Cat déclara :

— Il a agi par charité en construisant ce phare qui avertit les navires de la présence de mauvais rochers sur nos côtes.

— Par pure charité, en effet, grogna Rob, si ce n'est pour le droit de passage qu'il fait payer à chaque navire qui aborde le cap.

De même qu'il éteint le phare quand la promesse d'une riche cargaison s'ajoute à un fort vent de sud-ouest, ajouta-t-il en son for intérieur.

— Le brave homme ! poursuivit Cat, qui s'amusait bien. Peut-être sir Arthur a-t-il l'intention de construire un phare au sommet du mont et a-t-il besoin de son conseil ?

— Je ne crois pas que notre maître envisage de détrousser ses voisins, rétorqua Rob avec aigreur. Il cherche, bien au contraire, à nous protéger. Il a réuni ses alliés afin d'obtenir leur aide pour s'adresser au Conseil du roi. Il souhaite obtenir des fonds pour doter St Michael's Mount de canons supplémentaires. Killigrew semble jouir de la faveur royale, car il en a obtenu pour Pendennis, même s'il prétend qu'il n'en a jamais assez.

— Est-ce que les Espagnols vont nous attaquer encore, ou doit-on se protéger des Français ? demanda Cat.

— De ceux-là ou des Turcs, des corsaires, ou encore de ces faquins de Hollandais : une côte sans défense attire beaucoup d'ennemis.

— Mais il n'y a rien à voler, ici ! Que pourraient-ils nous prendre, nos sardines ? Ou bien Nell Chigwine et sa mère ? J'aimerais les voir dans la demeure d'une noble dame catholique, obligées d'assister à la messe en latin !

— Tu ne devrais pas te moquer des croyances des autres, Cat, dit Rob en réprimant un sourire. Ce n'est pas très chrétien.

— J'ai peur d'être aussi mauvaise chrétienne que le prétend Nell, avoua Cat.

Horrifié, le jeune homme plaqua une main sur sa bouche.

— Lâche cette femme, vaurien !

Les deux jeunes gens s'écartèrent immédiatement l'un de l'autre, l'air coupable. Sir John Killigrew se tenait à quelques pas d'eux, une longue pipe d'argile dans une main, une bourse de cuir dans l'autre. Il remplit avec soin le fourneau de la pipe, tandis que Rob et Cat l'observaient en silence. Rob s'inclina.

— Je vous demande pardon, monsieur, mais il s'agit de ma cousine, Catherine.

— Vraiment ? Et cela t'autorise à la maltraiter ? railla sir John Killigrew dont les yeux s'attardèrent sur la jeune femme.

— Non, monsieur, mais…

— Pas de « mais », rustre ! Déguerpis, et laisse cette pauvre fille. Je rapporterai ton attitude à sir Arthur. Allez, file !

Rob lança un regard à Cat, espérant qu'elle prendrait sa défense, mais pour une fois la jeune fille restait muette. Il s'éloigna à grands pas, la rage au cœur.

— Tout va bien ? s'inquiéta sir John. Votre… cousin ne vous a pas blessée ?

Cat lui adressa son plus charmant sourire.

— Merci, monsieur. Non, pas du tout. Rob cherchait seulement à corriger mes manières.

— Vous ne semblez pourtant pas en manquer, Catherine… comment ? Je veux connaître le nom de celle que j'ai secourue.

Quand il s'avança d'un pas, elle aperçut des rides profondes autour de ses yeux bleus. Il était plus âgé qu'elle ne l'avait pensé.

— Tregenna, monsieur.

— Catherine Tregenna : un joli nom pour une jolie fille.

Cat se mordit la joue pour s'empêcher de rire.

— Merci, monsieur.

Il rangea sa pipe qu'il n'avait pas touchée, puis il lui prit la main. Le contact de ses doigts calleux rappela à Catherine les rumeurs qui affirmaient que, durant sa vie de contrebandier, il avait dû manier lui-même les rames de son bateau. Sans réfléchir, elle lui fit part de ses pensées.

Killigrew éclata de rire.

— Comme ça, vous aimez les contrebandiers et les voleurs, mademoiselle ? Rêvez-vous d'aventures, dans votre lit de pucelle ?

Cat tenta de retirer sa main.

— Non, monsieur, répondit-elle, tandis que le rouge qui envahissait ses joues contredisait ses paroles.

Sir John resserra sa prise.

— Je crois que nos discussions vont durer plus longtemps que prévu, et que je vais devoir passer la nuit à Kenegie, déclara-t-il. J'espère avoir le plaisir de mieux vous connaître, Catherine Tregenna. Voici une petite promesse que je ne manquerai pas de tenir.

Avant qu'elle puisse protester, il l'attira à lui et pressa sa bouche sur la sienne. Son haleine sentait le vin. Cat se débattit en vain. Le bras droit de Killigrew l'emprisonnait ; sa main gauche engloba son sein. Personne ne l'avait jamais touchée de cette manière, et elle crut qu'elle allait s'évanouir. Elle lui donna des coups de pied, mais il portait de robustes bottes de cuir. Cat sentit le rire qui le secouait ; la résistance qu'elle lui opposait semblait l'amuser.

La délivrance prit une forme totalement inattendue. Une voix sévère retentit.

— « Il me transporta en esprit dans un désert. Et je vis une femme, assise sur une bête écarlate, pleine de noms blasphématoires, ayant sept têtes et dix cornes. »

Plantée devant le portail de la cour, un pichet sous le bras, Nell Chigwine pointait un doigt accusateur vers le couple de pécheurs.

Surpris, sir John Killigrew libéra sa proie.

— Disparais, immonde créature ! Adresse tes folles paroles aux porcs et aux poules, qui les apprécieront certainement davantage que moi !

Il s'éloigna à grands pas tandis que Catherine, sans prendre garde à la poussière ni à la saleté, se laissait tomber par terre.

Posant son pichet, Nell s'avança vers la jeune femme et se tint au-dessus d'elle, les mains sur les hanches. Puis elle déclama d'une voix puissante, comme les prédicateurs qui parcouraient la région :

— « La femme était vêtue de pourpre et d'écarlate, parée d'or, de pierres précieuses et de perles ; elle tenait en main une coupe d'or, pleine d'abominations et des impuretés de sa fornication. Sur son front, un nom inscrit : mystère, Babylone la grande, la mère des prostituées et des abominations de la terre. » Honte sur toi, Catherine Tregenna, dans ta robe écarlate, car tu es véritablement Babylone !

— Par tous les diables, que se passe-t-il, ici ?

La maîtresse de Kenegie apparut sur le seuil. Elle engloba la scène du regard : John Killigrew qui s'éloignait vers les écuries, pipe en main ; Catherine par terre, les cheveux en désordre, le visage aussi rouge que sa robe ; et Nell Chigwine, l'image de la vertu triomphante.

— Comment osez-vous faire ce raffut, alors que sir Arthur s'entretient de choses d'importance ! fulmina-t-elle à l'encontre des deux servantes.

— Cette fille est diabolique, renifla Nell. Sa robe provoquerait le Malin lui-même.

— Les invités de mon époux ne sont pas tous des anges, affirma Margaret Harris, mais je ne crois pas qu'aucun d'eux soit aussi mauvais que le diable. Parle, Éléonore. Pourquoi hurlais-tu ainsi ?

Les yeux de Nell Chigwine se rétrécirent.

— J'allais remplir un pichet d'eau quand j'ai aperçu Catherine forniquant avec un homme à la vue de tous.

Cat bondit sur ses pieds.

— C'est complètement faux !

— Par tout ce qui est sacré, répliqua Nell, la main sur le cœur, c'est ce que j'ai vu. Et puis, ajouta-t-elle avec un sourire sournois, on la sait capable de tout pour attirer un riche époux, même un homme qui s'est déshonoré par un divorce.

— Retourne à ton travail, Éléonore, ordonna lady Harris d'un ton sec, et pas un mot de cela à quiconque. Si la moindre rumeur parvient à mes oreilles, je saurai d'où elle vient.

Nell jeta à Cat un regard malveillant, puis elle ramassa son pichet et le remplit à la pompe avec une lenteur insolente avant de regagner la maison. Les deux autres femmes la suivirent des yeux en silence.

Quand elle referma la porte, Margaret Harris, pâle et troublée, se tourna vers Cat.

— Je ne te demanderai pas ta version des faits, Catherine, mais crois-moi, cet homme possède une terrible réputation, déclara-t-elle, glissant un regard vers John Killigrew qui, devant les écuries, était enveloppé dans un nuage de fumée. Tu ferais mieux de garder tes distances.

— Je n'ai rien fait pour attirer son attention, madame, quoi qu'en dise Nell Chigwine, répondit Cat à voix basse.

— Tu es encore jeune, Catherine, et moins sage que tu ne le crois. L'habit ne fait pas le moine : Killigrew a beau porter un nom de gentilhomme, il n'en est pas un. Je suppose qu'il ne sait pas qui tu es...

— Je lui ai dit mon nom.

Les yeux de lady Harris étincelèrent.

— Tu lui aurais dit « Coode », il aurait tourné les talons, et bon débarras. À présent, monte te changer ; un habit écarlate n'a pas sa place dans la garde-robe d'une honnête femme.

— Cette robe appartenait à ma mère, rétorqua Cat, obstinée.

— Cela ne m'étonne pas. Il est peut-être injuste que les fautes des parents retombent sur les enfants, mais dans le cas de ta mère, le péché personnel s'ajoute au péché originel pour peser lourdement sur tes épaules, Catherine. Dans ton propre intérêt, écoute mon conseil : il existe des hommes sans titre, domaine ni fortune qui valent cent John Killigrew. Ton cousin Robert est l'un d'eux. Tu devrais faire cas de lui, avant que ta réputation ne soit à tout jamais entachée.

Après le souper, Polly, la jeune servante, vint chercher Cat dans sa chambre. Elle avait les yeux fiévreux et le nez rouge à force d'éternuer.

— Madame te demande à l'instant dans son boudoir. Sir Arthur s'y trouve également, il a laissé ses hôtes.

Quand Cat se présenta dans la petite pièce aux poutres basses, elle y trouva, outre lady Margaret et son époux, son cousin Robert. Vêtu de son plus beau pourpoint, les cheveux peignés avec soin, il évitait son regard.

Quelques minutes plus tard, elle ressortit dans le couloir, tremblante de rage, les paroles de sir Arthur résonnant encore à ses oreilles :

« Nous afficherons les bans samedi prochain. Robert et toi recevrez le cottage derrière la bouverie. Matty vous aidera à l'installer dès demain. »

Voici à quoi allait se résumer sa vie : elle resterait à Kenegie, unie à son ennuyeux cousin, vivant dans une maison derrière l'étable ! Cette nuit-là, Cat pria le Seigneur de la rappeler à Lui dans son sommeil. Elle voulait ne jamais se réveiller.

Après s'être tournée et retournée durant des heures, elle alluma une chandelle et s'empara de son livre, où elle avait dessiné le motif de la nappe d'autel. Elle tailla sa mine de graphite et, à la lumière vacillante de la flamme, donna au serpent le visage sournois de Nell Chigwine.

7

Ainsi se dessine ma vie, embusquée à jamais ici, à Kenegie, unie à mon cousin Robert, vivant dans une masure derrière l'estable des vaches, eslevant une foule d'enfants et mourant dans l'obscurité. Je dois m'eschapper de cet endroit. La comtesse de Salisbury visitera lady Harris en aoust. Si je puis complester la nappe d'autel avant cela et la persuader de m'emmener avec elle, peut-être aurai-je une chance de fuir…

La sonnerie du téléphone me tira hors du XVIIe siècle.

J'allai dans la cuisine, m'attendant presque à voir Michael surgir de ce vacarme. Mais la voix qui parlait sur mon répondeur n'avait rien de masculin.

— Julia ?

C'était ma cousine.

— Alison, quel bonheur de t'entendre ! Comment vas-tu ? Je voulais t'appeler, mais je n'allais pas très bien…

— Julia, pour l'amour de Dieu, tais-toi et écoute-moi !

Je m'interrompis, les yeux fixés sur le téléphone. Alison était d'un naturel aimable. J'appliquai de nouveau le combiné contre mon oreille et entendis Alison respirer bruyamment, comme si elle avait couru un marathon.

— C'est… c'est Andrew, commença-t-elle avant de s'interrompre, prise de violents sanglots.

J'attendis, ne sachant quoi dire. Andrew l'avait-il de nouveau trompée ? Le couple avait emménagé en Cornouailles en partie à cause d'une liaison qu'il avait eue avec une collègue, mais c'était de l'histoire ancienne. Alison l'avait-elle enfin quitté ? Elle menaçait de le faire depuis des années, mais pour moi elle en était incapable.

— Il... il est mort.

— Oh, Alison, non ! Mon Dieu, je suis désolée. Ça va ? Non, bien sûr que ça ne va pas, pardonne-moi. Mais que s'est-il passé ?

Après un long moment, elle parvint à répondre :

— Il... il s'est p... pendu dans le grenier. Je...

Son explication se mua en un cri d'animal blessé. Je frissonnai.

— Mon Dieu, Alison, c'est horrible. Arrête, arrête, je t'en prie. Je suis certaine que cela n'avait rien à voir avec toi.

Qu'est-ce qui m'avait pris de dire ça ? Bien sûr que cela avait à voir avec elle ; c'était son mari ! À l'autre bout de la ligne, je perçus un silence sinistre.

— Alison ? Je ne sais vraiment pas pourquoi j'ai dit ça. Alison ?

Elle avait raccroché. J'essayai de la rappeler plusieurs fois au cours de la journée, mais je tombai à chaque fois sur son répondeur. Je lui laissai enfin un pitoyable message d'excuses avant d'abandonner.

Cette nuit-là, j'écartai le journal de Catherine Tregenna, cessant de penser à cette fille qui avait vécu quatre cents ans plus tôt. Pour une fois, je ne songeai pas non plus à ma propre existence, mais à ma pauvre cousine. Comment affrontait-on une telle tragédie ? Elle avait partagé sa vie avec un homme qui soudain, sans explication, sans avertissement, tirait non seulement un trait sur leur relation mais aussi sur l'existence ! Même si leur mariage s'était détérioré jusqu'à un point de non-retour, qu'est-ce qui avait pu conduire Andrew, si solide, si enjoué, à se suicider ? Et qui plus est, dans la maison qu'ils avaient restaurée de leurs propres mains ?

Mais quand je finis par éteindre la lumière, je ne rêvai ni d'Alison ni d'Andrew, mais de Cat Tregenna. Il lui arrivait quelque chose de terrible, mais je ne parvenais pas à saisir la nature exacte du danger qui la guettait. Des voix criant « Dieu nous protège ! » résonnaient dans ma tête et je m'éveillai en sursaut, très inquiète. D'ordinaire, j'émerge du sommeil comme un plongeur remontant des profondeurs mais, ce matin-là, j'ouvris les yeux sur le qui-vive, convaincue qu'on m'observait. Prise de panique, je repoussai les couvertures et me précipitai hors de mon lit en fouillant ma chambre du regard. Bien entendu, il n'y avait personne. Maudissant ma nervosité, je me préparai un café puis appelai Alison.

Cette fois, elle décrocha.

— Allô ?

Sa voix était faible et fragile, comme venue de très loin.

— Alison, c'est moi, Julia. Je suis tellement désolée de ma gaffe d'hier, je ne pensais pas…

Je m'interrompis, à court de mots.

— Je sais. Je ne pouvais simplement plus te parler – ni à personne. J'ai eu besoin de m'enfuir, de quitter cette maison, de ne plus penser à lui ni à ce qui s'est passé.

— Tu es de retour, maintenant, observai-je stupidement.

— Oui.

— Écoute, tu veux que je vienne t'aider ? Ça te permettrait de souffler un peu, tu aurais une épaule sur laquelle pleurer. Enfin, si tu le veux. Ce n'est pas un problème, rien ne me retient ici.

Il y eut un long silence. Puis :

— Vraiment ? Tu viendrais ? Aujourd'hui ?

— Bien sûr.

Après avoir mis au point quelques détails pratiques, je reposai le combiné, démoralisée. Pourquoi avais-je proposé cela ? Je n'éprouvais aucune envie de traverser le pays, de me rendre au bout du monde. En Cornouailles ne m'attendaient que des fantômes, et je ne comptais pas Andrew parmi eux.

Pourtant, deux heures plus tard, j'achetais un billet pour Penzance au guichet de la gare de Paddington.

Je n'étais pas retournée chez moi depuis trois ans ; à cette époque-là, j'avais connu des jours meilleurs, et j'effectuais des allers-retours pour rendre visite à ma mère. Elle qui avait manifesté jusque-là une énergie extraordinaire – courant encore le marathon à soixante ans et nageant sans difficulté à soixante-dix – avait eu une attaque cérébrale. En un instant, elle avait perdu non seulement l'usage d'une moitié de son corps, mais aussi son indépendance et sa personnalité ; elle avait terminé ses jours dans une maison de soins qui puait l'urine et les antiseptiques.

C'est par culpabilité que j'allais la voir si souvent, par peur aussi : c'était notre lot commun, voilà ce qui me terrifiait. Au moins, ma mère pouvait puiser du réconfort dans la présence d'amis et de parents. Mais pour moi, célibataire et sans enfants, la perspective de la vieillesse, de ce déclin physique et mental, me semblait soudain effrayante, même à trente-trois ans. Je m'accrochai alors à Michael. Il en vint bientôt à éviter mes appels téléphoniques et à espacer nos rendez-vous, pour éviter de partager mon chagrin, d'entendre ma douleur. Il me fallut plusieurs mois pour comprendre que ses absences répétées découlaient de mon comportement. Mais, même alors, je n'eus pas le courage de regarder notre relation en face.

Le train traversa la gare de Liskeard, d'où partait une jolie ligne ferroviaire qui suivait les courbes de la rivière, au fond de la vallée, avant de remonter vers les collines boisées en direction de Looe et de la mer. Trois ans plus tôt, de guerre lasse, Michael avait fini par accepter de passer un week-end avec moi en Cornouailles. Sa famille avait quitté St Austell longtemps auparavant et rien ne l'attendait là-bas, à l'exception de mauvais souvenirs, m'avait-il alors avertie. Après avoir rendu visite à ma mère – seule –, j'avais rejoint mon amant et éclaté en sanglots. Il s'était alors éclipsé pour une longue promenade, m'abandonnant dans le jardin de l'hôtel. J'étais bien mieux seule qu'avec cet égoïste, me raisonnai-je. Un long moment, mes pensées suivirent un cours aussi morose que la lande blême que nous traversions, sans que je parvienne à me concentrer sur ma tapisserie.

Mais quand j'approchai de Camborne et aperçus les installations minières abandonnées qui se découpaient sur le ciel, mon cœur fit un bond. Les collines recouvertes de fougères et d'ajoncs et les landes parsemées de pierres levées et de tumulus avaient laissé la place à des terres cultivées. Quelque chose dans la qualité de la lumière – elle devenait ardente, resplendissante – suggérait la proximité de l'océan. La ligne ferroviaire arrivait à sa fin, juste derrière la ligne d'horizon. Là se terminait aussi la terre.

Ma famille – un vrai clan cornouaillais – avait là ses origines : à West Penwith, la pointe la plus à l'ouest de l'Angleterre. Ma mère l'appelait toujours « la véritable Cornouailles ». À ses yeux, le Sud-Est n'existait que pour les derniers arrivants ou les traîtres. La Cornouailles s'enorgueillissait d'être une nation indépendante avec sa propre langue, son roi et ses lois. Mes ancêtres avaient travaillé comme chaudronniers et rétameurs avant que l'industrie ne périclite. Beaucoup s'étaient alors dispersés autour du globe – Argentine, Australie, Canada, Chili –, partout où l'expertise minière représentait un atout.

J'entretenais peu de relations avec la famille qui me restait dans la région. Quelques cousins aux troisième et quatrième degrés avaient assisté aux obsèques de ma mère, mais nous n'avions guère échangé davantage que les condoléances d'usage. Alison les connaissait mieux que moi. Ils portaient des noms bien cornouaillais – Pengelly, Bolitho, Rowse, Tucker – et menaient des existences qui semblaient se dérouler sur un autre continent, à une autre époque. Je n'avais jamais compris les raisons qui avaient poussé Alison et Andrew à quitter Londres, en dehors du petit scandale né de la liaison d'Andrew. Mais, alors que le train approchait de sa destination, je commençai à saisir. Alison avait eu besoin du soutien de sa famille, mais elle trouvait aussi la Cornouailles magique, pleine d'énergie. Je l'avais suspectée de puiser du réconfort dans l'aura de mysticisme dont elle parait son nouvel environnement. Mais à la vue de St Michael's Mount surgissant des flots comme un château légendaire, j'eus la chair de poule.

St Michael's Mount… Combien de fois avais-je lu ce nom dans le journal de Catherine? Le train arrivait à la station de Penzance et je me sentais presque fiévreuse.

Je redescendis vite sur terre. Le train s'arrêta dans une gare victorienne grise, immense et sinistre. Sur le quai, un crachin cornouaillais souffleta mon visage et s'insinua en quelques secondes jusqu'à la racine de mes cheveux. Alison m'attendait dans le hall, devant le buffet de la gare. Dans la lumière criarde, elle semblait aussi livide qu'un cadavre.

En la serrant dans mes bras, je sentis qu'elle tremblait. Je songeai à la jeune femme de vingt ans qu'elle avait été, téméraire, vive, effrontée; celle qui avait couru nue dans le parc après avoir pris de l'ecstasy; celle qui avait rampé dans le cimetière St Nicolas de Deptford à deux heures du matin, après quelques tequilas de trop, incapable de marcher mais déterminée à me montrer les tombes de Kit Marlowe et du grand charpentier naval du XVIIᵉ siècle, John Addey; celle qui avait passé des nuits entières à danser dans des raves puis juré, l'aube venue, de ne jamais vieillir. Aujourd'hui, elle frissonnait dans mes bras, frêle, désorientée, les cheveux gris, le visage ridé.

Quand Alison et Andrew s'étaient établis en Cornouailles, ma cousine et moi avions continué à entretenir des relations par téléphone. Quand elle venait à Londres pour quelques jours, nous allions dans les pubs au bord de la Tamise et faisions semblant de flirter avec de beaux garçons. Jamais elle ne m'avait encouragée à lui rendre visite dans sa nouvelle maison, aussi ne l'avais-je jamais vue, sauf sur les innombrables photos, avant et après rénovation, qu'elle m'avait montrées.

Il s'agissait d'une ancienne ferme, pleine de recoins, construite sur les collines au nord-est de Penzance. Alison avait eu le coup de foudre, même si la maison était abandonnée depuis des années. Percevant son potentiel, elle avait insisté auprès d'Andrew pour qu'ils l'achètent, et lui qui avait tellement à se faire pardonner avait cédé. Il leur avait fallu beaucoup d'efforts, d'imagination et de temps, mais le résultat en valait la peine. Dans le jardin bien entretenu, des haies concentriques de buis s'élevaient autour de massifs de fleurs ou de lits de lavande, bordées par des petits sentiers de gravier. Une fontaine occupait le centre d'une terrasse dont le sol était couvert de petits galets blancs où ruisselait la pluie.

À l'intérieur, la maison était fraîche et lumineuse, avec des murs blanc cassé, une moquette vert pâle, des tapis aux couleurs pastel, des tableaux modernes et des meubles solides taillés dans du bois sombre. Tout était bien rangé. Il se dégageait une impression d'espace, de simplicité, de sérénité. Il était difficile de croire qu'ici un homme avait mis fin à ses jours avec tant de violence.

— Je t'ai installée dans notre chambre, déclara Alison. J'espère que ça ne te dérange pas. Je ne peux pas me résoudre à y dormir pour le moment. Elle a une salle de bains et une très belle vue, ajouta-t-elle sur un ton d'excuse.

— Ça ira, mentis-je, alors que l'idée même me faisait froid dans le dos.

Devant l'escalier, elle leva automatiquement les yeux vers les marches qui menaient au grenier, puis elle détourna la tête.

Elle remplit une théière que, la pluie ayant cessé, j'emportai dans le jardin, derrière la maison. Là, parmi les fragrances mêlées du thym et de la menthe, elle me raconta comment Andrew et elle avaient rénové la ferme pièce après pièce, jusqu'au grenier qu'ils avaient aménagé seulement cette année. À la place de la cour de béton, ils avaient planté des fleurs, des arbres et du gazon. Pendant un temps, cela leur avait suffi : un projet commun qui les rassemblait, dont chacun tirait fierté, et qui enterrait le passé. Mais la transformation du grenier avait marqué un tournant. Andrew s'était retiré en lui-même, il était devenu taciturne et irritable – bien différent du personnage jovial et cabochard que j'avais toujours connu. Il s'était mis à boire, négligeant d'abord sa famille, et bientôt son travail d'agent de change sur Internet. En un rien de temps, son affaire avait périclité et les dettes s'étaient accumulées.

— Je n'ai rien vu venir, me confia Alison. Je savais qu'il déprimait et je l'encourageais à voir un médecin. Mais il ne voulait parler à personne : ni à moi, ni à sa sœur, ni à ses amis. Il affirmait que cela ne servait à rien, que personne ne pouvait changer ce qui était fait. Je ne sais pas de quoi il parlait. Je ne le sais toujours pas. Mais se suicider… comment ai-je pu être aussi aveugle ?

Je la pris dans mes bras et elle pleura contre moi un long moment.

— Il me manque, son odeur dans la maison me manque, même ses pieds froids au lit.

Elle se redressa pour essuyer son nez rouge.

— Al, ma chérie, je suis certaine que tu ne pouvais rien faire, déclarai-je. Comment aurais-tu pu prévoir une chose pareille ? Andrew ne m'avait jamais semblé considérer la vie avec autant de sérieux.

— À moi non plus. Même quand il m'a demandé de l'épouser, j'ai cru qu'il plaisantait. En fait, je crois que c'était le cas… On était ivres et tout le monde en parlait ; on a juste suivi le mouvement. Puis je suis tombée enceinte et… bref.

Elle était enceinte de quatre mois au moment de la cérémonie. Mais personne n'était au courant, sauf sa mère, sa meilleure amie Susie, Andrew et moi. Elle portait une robe Empire, elle tenait son bouquet devant elle, et personne n'avait rien remarqué. Et heureusement, car deux semaines plus tard elle avait failli mourir d'une fausse couche et n'était plus jamais tombée enceinte.

— En fait, commença-t-elle, détournant le regard comme si elle faisait un aveu difficile, le soir de sa… mort, j'ai essayé de le persuader de tenter une FIV. Je ne l'avais jamais vu aussi furieux. J'ai cru qu'il allait me frapper. « N'essaie pas de me piéger avec ça ! a-t-il hurlé. Ça ne te suffit pas de m'avoir enfermé dans cette cage, dans cette saloperie de maison au bout du monde ? » Et puis il a quitté la pièce et s'est réfugié dans sa salle de travail. C'est la dernière chose qu'il m'ait dite. Quand il n'est pas descendu dîner, cela ne m'a pas surprise ; à vrai dire, j'ai été soulagée. Je me sentais incapable d'endurer une nouvelle dispute. J'ai grignoté deux feuilles de salade avant de me glisser au lit. Je me suis réveillée à trois heures du matin, comme ça m'arrive parfois. Mon cœur battait si fort que j'avais du mal à respirer. Et j'ai su, j'ai su aussitôt ; mais je n'ai pas pu monter là-haut, pas avant qu'il fasse jour.

Elle déglutit puis reprit :

— Le médecin légiste m'a appris qu'il était mort avant minuit, je n'aurais rien pu faire. Mais je me sens coupable de ne pas avoir essayé d'arranger les choses ; j'aurais dû lui monter un verre de cognac. Quelque chose. N'importe quoi…

À court de mots, elle s'interrompit.

Elle fouilla dans sa poche et en sortit une feuille de papier froissée.

— C'est juste une copie, expliqua-t-elle. La police a pris l'original, mais ils m'ont dit que je pourrais le récupérer. Non pas que j'en aie besoin, note bien, je le connais par cœur.

— Tu es sûre ?

Je pris la feuille, sans aucune envie de la lire. Au même moment, mon estomac émit un gargouillis qui brisa le silence.

— Oh, je suis désolée ! m'exclamai-je.

Alison regarda sa montre.

— Tu n'as rien mangé ?

— Le wagon-restaurant avait à peu près tout vendu avant Plymouth, expliquai-je, soulagée de changer de sujet. J'ai dû commander un hamburger réchauffé au micro-ondes, mais quand je l'ai vu, tout spongieux et ratatiné, je n'ai pu me résoudre à le manger.

Alison grimaça.

— Je comprends ; ça n'a pas l'air très appétissant.

Elle réfléchit un instant puis ajouta, sérieuse :

— Ça me rappelle quelques hommes que j'ai connus. J'espère qu'en plus il n'était pas poilu.

J'écarquillai les yeux, puis nous éclatâmes de rire. De nouveau, la vie semblait moins cruelle.

Malgré cela, au moment d'aller me coucher, je sentis l'appréhension me gagner. La note d'adieu pesait comme du plomb dans ma poche. J'allumai toutes les lumières de la chambre et m'allongeai sur le lit, les yeux fixés sur le plafond. La poutre où Andrew s'était pendu se trouvait-elle à présent directement au-dessus de moi ? Je m'efforçai de ne pas y penser.

Je me levai, fis couler un bain et pris un livre que j'avais acheté à la gare de Paddington. Après trois pages, je n'avais plus envie de lire.

Je sortis du bain, m'enveloppai dans une serviette puis m'assis sur le lit. La lettre que m'avait confiée Alison y était posée, pliée en quatre, comme un reproche silencieux. Délicatement, je lissai la feuille de la main. L'écriture d'Andrew, petite, nette, désuète, ne ressemblait pas du tout à ce que j'attendais.

« Chère Alison, commençait-il de façon conventionnelle, ma mort sera pour toi un choc terrible, je le sais, même si tu es en partie responsable de mon état actuel. Je ne peux plus continuer. Cette maison m'a tout pris, elle a emporté mon désir de vivre. Quand tu t'es mise à parler d'enfants, j'ai su que je ne pouvais plus continuer. À quoi bon croire en l'avenir, pour moi, pour un enfant que j'aurais conçu ? L'histoire se répète, encore et encore : nous ne pouvons rien faire pour changer notre destin, et il faut être fou pour croire que l'on peut diriger sa vie. Je suis désolé que notre mariage ait été un simulacre. Je suis désolé de la douleur que j'ai causée. Plus que tout, je suis désolé de ne pas avoir réalisé à temps le nouveau cap que devait prendre mon existence, pour le suivre seul, au lieu de t'entraîner avec moi. Au moins, maintenant, tu as une chance de te construire un avenir. Vends cette maison et va-t'en. C'est un lieu étouffant, rempli de désespoir et d'échecs. Pars tant que tu le peux, sauve-toi. Retourne à Londres, trouve quelqu'un d'autre sans traîner le poids de ma vie, ni de ma mort.

Pars, avec mon affection si ce n'est mon amour,

Andrew. »

Je demeurai immobile pendant vingt minutes, la lettre entre mes mains. Puis je me levai et m'approchai de la fenêtre d'où j'apercevais, au-delà de la pelouse, l'océan. Cette maison qu'Alison et son mari avaient construite, avec son joli jardin et ses vues imprenables, n'avait rien d'une prison ni d'une cage. Je ne reconnaissais pas Andrew dans la tournure des phrases ou dans les sentiments exprimés, mais après tout, je ne l'avais connu que sous l'influence de l'alcool, bonhomme et plein d'enthousiasme. Pourtant, une partie de ses mots trouvaient en moi un écho que je ne parvenais pas à saisir.

Dans le ciel brillait un croissant de lune, telle une fenêtre ouverte sur un autre monde. Une chouette hulula au loin. Ma mère disait toujours que ces animaux empruntaient la voix des morts. Avec une superstition toute cornouaillaise, elle touchait du bois à la moindre occasion et, quand elle renversait du sel, en jetait systématiquement une pincée par-dessus son épaule gauche pour repousser le diable – dont elle niait par ailleurs l'existence. Elle croyait en un état transitoire entre la vie et la mort, où les âmes erraient jusqu'à trouver la paix. Et elle était convaincue que certaines n'y parvenaient jamais.

En dépit de la chaleur qui régnait cette nuit-là, je tremblais de froid. Malgré cela, j'ouvris la fenêtre en grand, comme pour purifier l'atmosphère. Ou pour permettre à l'esprit d'Andrew de sortir.

8

Quelques jours plus tard, cherchant à distraire Alison des idées noires qui l'accablaient d'autant plus à présent que le choc s'estompait et que les obsèques avaient eu lieu, j'entrepris de lui raconter les meilleurs épisodes de ma relation avec Michael.

Notre liaison avait contribué à creuser un écart entre Alison et moi, surtout après l'infidélité d'Andrew. Elle n'avait jamais aimé Michael, même comme époux d'Anna. « Il a quelque chose de fondamentalement malsain », m'avait-elle confié lors de leur première rencontre. J'avais attendu plus d'un an avant d'oser lui avouer notre aventure. Quand je m'en étais enfin ouverte à elle, elle était d'abord demeurée muette. Puis elle avait déclaré :

« Je devrais appeler Anna tout de suite. Je devrais prendre le téléphone et l'avertir que sa meilleure copine s'envoie en l'air avec son mari, et qu'elle devrait les buter tous les deux. »

J'avais presque souhaité qu'elle mette sa menace à exécution, même en sachant qu'Anna serait furieuse. Mais je savais aussi que mon amie, quoi que Michael ait fait, ne le laisserait pas partir aussi aisément. Quant à lui, il ne la quitterait jamais – pas pour moi, en tout cas. La raison était en partie financière, mais il y en avait une autre, plus profonde, sur laquelle je ne voulais pas trop m'interroger.

Sans mâcher ses mots, Alison avait fini par me dire ce qu'elle pensait de moi et de ma trahison vis-à-vis d'Anna. À la fin de sa diatribe, elle avait fait une pause avant de conclure :

« Si jamais tu couches avec Andrew, je te tue. »

Malgré son petit rire, j'avais compris qu'elle était sérieuse.

Après cela, nous avions fait de notre mieux pour recoller les morceaux de notre amitié, mais le spectre de l'adultère semblait toujours s'élever entre nous. J'avais été très touchée qu'Alison se tourne vers moi quand elle était au fond du trou. Aussi, en guise de contribution, je lui brossai un tableau cocasse de quelques situations survenues au cours de notre relation : à l'un de nos premiers rendez-vous, Michael m'avait emmenée dans un restaurant chinois très chic ; je voulais désespérément faire bonne impression, mais en avalant ma soupe, j'avais aspiré trop fort et une nouille brûlante était venue se coller à ma joue. Elle y avait d'abord laissé une trace rouge, qui rapidement s'était changée en une boursouflure du plus vilain effet. Une autre fois, alors que nous faisions l'amour dans un champ de campanules, il avait couru, fesses à l'air, un bon kilomètre pour tenter de se débarrasser d'un perce-oreille qui s'était glissé dans ses cheveux. Un autre jour, Anna était venue chez moi à l'improviste ; Michael avait alors passé trois heures à se geler dans le cabanon du jardin.

Emportée par ma verve, je relatai bon nombre d'épisodes douloureux. J'éprouvai du soulagement à les mettre en mots, mais plus encore à les rendre drôles. J'évoquai d'autres anecdotes hilarantes, souvent à mes dépens, et bientôt, Alison se tordit de rire.

Quand je m'interrompis enfin, je fixai les traces et les taches sur la table. Même neuf, le bois devait présenter des nœuds et des veinures. Nul n'est parfait, et la vie se charge de nous corrompre encore plus. Des larmes me piquèrent les yeux.

— Tu sais, ma chérie, me dit ma cousine lorsqu'elle me vit silencieuse, Michael a toujours été un gros naze.

On était d'accord là-dessus. Je lui racontai alors le dîner de rupture.

— Il m'a offert un livre, en guise de cadeau d'adieu. Je vais te le montrer.

Je fouillai dans mon sac à main et en sortis *La Gloire de la brodeuse*.

— Ça alors ! Je suis presque certaine que c'est un des bouquins qu'Andrew a découverts dans le grenier il y a quelques semaines, et qu'il a envoyés à Michael afin qu'il les vende pour nous. J'en suis sûre, en fait. On en a trouvé deux identiques, et je me rappelle que cela m'avait étonnée.

Sa déclaration me fit l'effet d'un coup de poing. Ainsi, il ne m'avait pas même *acheté* ce livre ? En plus, en me l'offrant, il avait floué Alison et Andrew de l'argent qu'ils auraient pu en retirer ! J'avais la nausée.

— Bon Dieu ! Il faut que tu le récupères. Ou alors, je pourrais te l'acheter.

— Ne sois pas stupide, il est à toi. De toute façon, regarde, il a été abîmé. Michael n'aurait sans doute pas réussi à le vendre dans cet état.

Elle se pencha sur la petite écriture de Catherine :

— C'est toi qui as écrit ça ?

— Certainement pas !

— Eh bien, c'est que... On dirait ton écriture.

Je fronçai les sourcils.

— Ah bon ?

— À part les boucles déliées, oui. Tu vois, les « g » remontent en boucle, comme les tiens ? Et elle – je suppose qu'il s'agit d'une femme – place les points sur les « i » un tout petit peu à droite, comme toi.

Elle tint le livre devant la fenêtre et plissa les yeux avant d'ajouter :

— Et là, ce « a » en italique... Je ne connais personne, à part toi, qui les écrive ainsi.

— C'est étrange, dis-je, je n'avais rien remarqué.

Alison repoussa sa chaise et se dirigea vers la salle à manger. Quelques instants plus tard, elle revint avec un cahier et un crayon dont elle tailla la mine à l'aide d'un couteau de cuisine.

— Tiens, écris quelque chose ; le plus petit possible, comme dans le livre.

— Quoi donc ?

— Ce que tu veux – non, attends.

Elle prit l'ouvrage, qu'elle ouvrit au hasard.

— Écris ça : « *Une vieille Ægyptienne s'este présentée.* » C'est « Égyptienne » avec une diphtongue…

— Une quoi ?

Alison leva les yeux au ciel.

— « *Æ* » liés, abrutie. « *Une vieille Ægyptienne s'este présentée à l'huys de l'arrière-cuisine, ce jour d'huy. Elle este arrivée sur* »… Attends, je n'arrive pas à lire la suite…

Je lui pris le livre et me penchai dessus.

— Je crois qu'il s'agit de « *une mule* ».

Je lui rendis l'ouvrage.

— « … *attifurée de fort estrange* – estrange avec un « s » – *guise de moult escharpes et clochettes, le visage et les mains presque noirs.* »

J'écrivis consciencieusement. En voyant ma version à côté de celle de Catherine, je dus admettre qu'elles se ressemblaient.

— Mon écriture est plus penchée, et mes barres verticales sont plus longues, m'entêtai-je cependant.

— Tu disposes de plus d'espace. Elle a dû caser ses phrases là où elle a pu. À ce sujet, d'ailleurs, c'est étonnant qu'elle ait su écrire. Elle n'était pourtant pas une aristocrate, si ?

— Non, mais je crois que sa mère avait reçu une éducation et, d'après ce qu'elle raconte au début, sa maîtresse s'était attachée à elle et l'avait poussée à étudier.

Je marquai une pause et relus ce que j'avais écrit.

— L'Égypte, c'est bien loin de la Cornouailles. Tu es certaine d'avoir bien lu ?

— C'est ainsi qu'on appelait les gitans à l'époque. On croyait alors qu'ils venaient d'Égypte, ce qui était peut-être vrai pour certains. Tu as bien dit « Cornouailles » ?

J'avais oublié de mentionner ce détail.

— Heu, oui. Elle s'appelait Catherine Anne Tregenna – Cat, comme ses initiales – et, au XVIIᵉ siècle, elle travaillait dans un manoir qui n'est pas très loin d'ici, en fait. Ken… quelque chose.

— Kenegie ?

— C'est ça ! Tu le connais ?

— Mais enfin, c'est le nom de « notre » manoir élisabéthain : cette ancienne ferme se trouvait autrefois sur ses terres ! Figure-toi qu'on a trouvé beaucoup de vieux trucs venant de Kenegie, dans le grenier. Ça alors ! Ce bouquin a dû se trouver ici pendant plus de quatre cents ans ; Catherine a probablement vécu sur ce domaine !

Je sentis l'excitation me gagner.

— Le manoir existe toujours ?

Alison hésita.

— Il est… enfin, la demeure élisabéthaine est encore debout, mais les rénovations successives l'ont presque réduite à néant : on l'a aménagée en appartements de luxe. Comme si les cadres supérieurs rêvaient tous de s'installer à Penzance ! Le reste a été transformé en village de vacances.

— En quoi ? m'exclamai-je, horrifiée.

— On ne peut pas en vouloir aux propriétaires ; la Cornouailles est le comté le plus pauvre d'Angleterre. On ne peut compter que sur le tourisme et la pêche, qui ne se porte d'ailleurs pas si bien, à cause des restrictions européennes et des bateaux-usines étrangers. Les gens gagnent leur croûte du mieux qu'ils peuvent.

— Je comprends.

— On pourrait y aller plus tard, tu verrais par toi-même.

— Hmm, répondis-je, évasive.

— Comment s'appelait-elle, déjà ? murmura ma cousine en revenant à la page de titre. Ah, Catherine Tregenna. Tu sais, je crois qu'il existe des Tregenna dans notre famille. Ou peut-être Tregunna ? Tregenza ? Un épicier de Penzance s'appelle Tregenza. Et il y a le château Tregenna, à St Ives. Je me demande si on est tous de la même famille ? J'ai gardé la bible familiale quelque part…

Son visage se décomposa.

— Qu'est-ce qu'il y a ? demandai-je aussitôt.

— Elle est dans le grenier.

— Oh !

— Il faudra bien que j'y retourne un jour, je suppose…

Elle laissa sa phrase en suspens, et je sentis son regard vrillé sur moi.

— J'irai, capitulai-je, le cœur lourd, si tu me dis où regarder.

Elle s'arrêta au premier palier, les mains crispées sur la rampe, tandis que je gravissais les dernières marches.

Le grenier était aussi frais et lumineux que le reste de la maison, mais il y régnait un plus grand désordre. Un immense velux installé au nord, dans la pente du toit, laissait pénétrer la lumière. Le bureau d'Andrew se trouvait contre un mur, jonché de documents. L'ordinateur éteint avait un air hostile. Personne ne l'avait allumé depuis deux semaines. La lettre qu'Andrew avait laissée, m'avait appris Alison, était posée contre l'écran. Une immense poutre traversait la pièce dans toute sa longueur. Un tronçon de corde y pendait encore, dont l'extrémité avait été coupée par la police, sans doute, car Alison m'avait avoué qu'elle n'avait pas eu le courage de toucher au corps de son mari. Malgré moi, mon regard semblait attiré par ce tronçon de corde. Elle était faite d'une sorte de fibre artificielle – nylon ou polypropylène – bleu vif, d'aspect rugueux ; elle semblait difficile à nouer. Où Andrew avait-il appris à faire un nœud coulant ? Ses doigts avaient-ils tremblé ? L'image de la corde entaillant la peau délicate de son cou me traversa l'esprit ; je la repoussai en hâte.

— Tu vois les cartons ? me dit Alison d'une voix faussement enjouée.

Près d'une ancienne table à dessin d'architecte qui occupait un coin de la pièce s'élevait une colonne formée par trois cartons, empilés les uns sur les autres. Celui du haut était recouvert d'une épaisse couche de poussière.

Je le soulevai et l'ouvris. Le visage d'Andrew apparut soudain, vif et souriant. Je lâchai le carton et les photos s'éparpillèrent. Alison et Andrew. Andrew et Alison. Les « AA[4] », ou le « quatrième service d'urgence » comme leurs amis aimaient les surnommer. Il y avait là plus de deux cents photos d'eux ; prises lors de mariages, sur des bateaux, en vacances, en bleus de travail, rénovant leur maison : vingt années d'une histoire haute en couleur.

— Pardon ! J'ai fait tomber quelque chose.

Je récupérai ces images d'un autre monde, d'une autre époque, et les rangeai tant bien que mal en évitant de les regarder. Le deuxième carton contenait des vieux cahiers, des journaux intimes, un livre d'or fané ; rien qui ressemblait à une bible familiale. Restait le dernier. Je luttai pour l'ouvrir. Sous un amas de vieux journaux se trouvait un livre épais qui sentait le renfermé. Je le sortis avec difficulté. Sa couverture de cuir sentait le moisi, quoique le carton et le grenier fussent parfaitement secs.

— Je l'ai !

Alors que je le soulevais, plusieurs feuilles de papier aux bords jaunis tombèrent au sol. Un instant, je crus que le livre se désagrégeait, puis je réalisai qu'il s'agissait de pages volantes : des vieilles lettres, semblait-il. Je les replaçai avec soin à l'intérieur et jetai un dernier coup d'œil au grenier où Andrew Hoskin avait trouvé la mort. Malgré la lumière qui pénétrait par la fenêtre, je me sentis oppressée, comme si non seulement les poutres et les tuiles du toit pesaient sur moi, mais aussi le ciel, les étoiles et l'univers au-delà. J'étais anéantie. Je n'étais qu'un atome minuscule dans le cosmos. Que faisais-je là ? Je

---

4. L'Automobile Association, ou AA, en Grande-Bretagne, est une association qui fournit à ses membres assurance et secours en cas d'urgence, ainsi que d'autres services (cartes routières, aide au voyage, etc.). (*N.∂.T.*)

perdais mon temps, je gâchais ma vie. Rien ne m'attendait, ni ici ni ailleurs. Je n'avais pas de travail, pas de famille, ni amant ni enfants. Aucune perspective ne s'ouvrait à moi, surtout pas en Cornouailles.

Agrippant le livre, je me précipitai dans les escaliers, calculant le temps qu'il me faudrait pour faire mes bagages, appeler un taxi et me rendre à la gare de Penzance.

— Mais qu'est-ce qui se passe, enfin ?

Alison, les yeux cernés, me semblait une étrangère, une intruse.

Je tendis la main, prête à la repousser.

— Je...

Puis la sensation disparut.

Ma cousine me débarrassa du livre.

— Descendons, ordonna-t-elle d'une voix ferme, coinçant le volume sous son bras afin de me soutenir. On dirait que tu as besoin d'une tasse de thé bien corsé.

En un instant, elle était passée du statut de victime à celui de garde-malade. Peut-être, songeai-je en me laissant guider vers la cuisine, ce renversement des rôles était-il exactement ce qu'il lui fallait.

Aucun Tregenna n'apparut dans la liste qui couvrait la première page de la bible familiale. Beaucoup de Pengelly, de Martin, de John, de Bolitho ; quelques Lanyon et Stephen, et même un Rodda – nom que j'avais vu sur un bol de crème, dans le réfrigérateur d'Alison. Mais pas un seul Tregenna. Je ne savais pas si je devais le déplorer ou m'en réjouir.

9

Catherine
Juillet 1625

Une vieille Ægyptienne s'este présentée à l'huis de l'arrière-cuisine, ce jour d'huy. Elle este arrivée sur une mule, attifurée de fort estrange guise de moult escharpes et clochettes, le visage et les mains presque noirs...

Lorsque les coups résonnèrent à la porte, Catherine écrivait une liste d'aliments sous la dictée de lady Harris. Dans l'air flottait l'arôme fort du porridge de froment. Kate Rowse, la cuisinière, l'avait fait bouillir toute la matinée et l'odeur suffisait à faire gronder l'estomac de Cat. Kate l'avait relevé d'épices, de beurre et de rhum, et la jeune servante n'était pas certaine de pouvoir attendre le repas de midi.

— Va voir qui est là, Catherine, ordonna Margaret Harris sans bouger.

Puis elle se tourna vers la cuisinière :

— Je ne peux pas imaginer comment nous avons pu utiliser autant de farine en un mois.

Comme son époux, elle tenait bien serrés les cordons de la bourse.

Kenegie ne manquait pas de visiteurs : les mendiants qui faisaient l'aumône (même si rien ne les y incitait, car le maître donnait généreusement à la paroisse et préférait laisser au vicaire le soin de s'occuper des pauvres) ; les chasseurs avec lièvre ou pigeon ; les pêcheurs de Market-Jew portant leur marchandise sur le dos, enserrée dans des paniers d'osier, et qui demandaient quatre pennies pour un maquereau, un penny pour un lieu noir ou trois pence pour une de ces grosses anguilles qui se dissimulaient derrière les brisants.

Dehors, Catherine découvrit une vieille femme ; elle attachait à un arbre le licou d'une mule qui n'avait que la peau sur les os. La jeune fille n'avait jamais vu personne de semblable : elle portait une écharpe de couleur vive attachée sous le menton et de larges anneaux d'or aux oreilles. Un corsage qui semblait fait de divers tissus assemblés, ainsi qu'une paire de larges culottes serrées aux chevilles par des liens de soie et à la taille par une ceinture cousue de clochettes d'argent complétaient son étrange tenue. Mais plus que ce costume, ce fut la couleur de sa peau qui stupéfia Cat : elle était brune comme un marron. Quelques années plus tôt, des vagabonds prétendant être des Égyptiens étaient arrivés à Penzance pour y montrer un spectacle ambulant. Mais ils avaient noirci leur peau avec une liqueur de noix de galle, comme l'avait démontré le policier qui, après les avoir attachés au pilori, leur avait renversé la citerne d'eau sur la tête. Deux jours plus tard, ils avaient été chassés de la ville et on ne les avait jamais revus. Cat le regrettait ; véritables bohémiens ou non, ils apportaient un peu de distraction et d'exotisme.

Elle entrouvrit la porte.

— Que faites-vous là ? Vous devriez partir car les habitants de cette maison ne sont pas très charitables envers les gens comme vous.

La vieille fixa sur elle un œil vif comme celui d'un merle.

— Une fille à la chevelure de feu et dont le cœur est bon : autant de signes propices à un ténébreux sabbat.

— Que diable voulez-vous dire ?

La bohémienne s'appuya contre le chambranle de la porte et glissa un regard dans l'arrière-cuisine.

— Ces lieux me semblent convenir à mes vieux os après toutes les secousses qu'ils ont endurées depuis l'aube.

— Je ne peux pas vous laisser entrer. Même si j'aimerais bien. Mais il y a un banc dans le jardin, où vous pourriez vous asseoir. Je vous apporterai à boire avant que vous ne repartiez.

La sorcière continua de la dévisager sans ciller.

— Des ennuis se dirigent vers vous, que vous me laissiez ou non entrer.

Cat recula d'un pas.

— Comment ça, des ennuis ?

— Je vous dirai cela contre quelque pitance, jeune fille, lança l'Égyptienne, qui huma l'air comme un chien de chasse et avança son pied sur le seuil.

— Non, venez avec moi, cela vaut mieux, intervint Cat, craignant que la situation ne lui échappe.

Elle se glissa hors de l'arrière-cuisine, referma la porte derrière elle, et entraîna la vieille femme dans le jardin, hors de vue. La bohémienne s'assit sur le banc sous le pommier et retira ses longues chaussures de cuir avec un soupir de soulagement.

— Ces souliers sont aussi traîtres que le serpent d'Éden, se plaignit-elle en massant ses pieds d'une main crochue. J'y ai pourtant mis le prix, à Exeter. Mais à Plymouth, déjà, je n'en pouvais plus. J'ai bien peur de devoir en acheter une nouvelle paire à Penzance.

Comme Cat ne répondait pas, la vieille fronça les sourcils.

— Sois une brave petite ; donne-moi une pièce et je te dirai la bonne aventure.

La jeune fille retint sa respiration.

— Vous êtes une devineresse qui lit l'avenir dans la paume de la main ?

— Les esprits m'ont accordé ce don, répondit modestement la gitane, mais il semble se manifester plus clairement en présence d'une pièce d'argent.

— Je n'en ai pas, mais je peux vous donner à manger, si la faim vous tenaille. On vient de faire cuire du pain.

— Je ne peux pas le mettre à mes pieds, fit la vieille avec dédain.

Cat voulait connaître son avenir. Mais elle avait donné sa dernière pièce à sa mère la veille, et ne recevrait son salaire que le lundi suivant.

— Le pain est bon, et il y a du porridge.

À ces mots, la vagabonde se redressa et offrit à Cat un sourire édenté.

— Ça vaut tout l'or du monde à mes yeux. Mais rappelle-toi, petite, si tu souhaites que de bons esprits guident ton avenir, assure-toi qu'ils soient là en grand nombre.

Cat retourna en courant à l'arrière-cuisine, se demandant comment elle ferait pour emporter un bol de porridge sans être vue.

— Qui était-ce ? demanda sèchement Margaret Harris.

— Une pauvre vieille femme affamée, répondit Cat, les yeux baissés.

— Encore une vagabonde qui cherche à nous voler, gloussa la cuisinière.

— Non, c'est une pauvre femme presque pliée en deux avec une mule toute maigre, protesta la jeune fille. Je l'ai fait asseoir à l'ombre, dans le verger.

Margaret Harris se leva et, parvenue à la fenêtre, observa l'animal.

— Mais cette maudite bête mange ma lavande ! Kate, cours à l'écurie et dis au jeune Will de l'emmener et de lui donner de l'orge.

Se tournant alors vers Cat, elle ajouta :

— Tire un peu d'eau du puits pour cette femme, et porte-lui une miche du pain cuit hier. À cheval donné, on ne regarde point les dents.

Comme sa servante prenait un flacon, lady Harris arrêta son geste.

— Réfléchis, mon enfant ; ces vagabonds transportent toutes sortes de maladies. Nous ne voulons ici ni vérole ni pestilence. Elle doit avoir une tasse, non ?

Elle s'éloigna sur ces paroles, comme si elle craignait de rester en contact avec sa servante, elle-même peut-être déjà infectée.

Cat attrapa une des douze miches de pain toutes fraîches qui reposaient sur l'étagère de bois où, un peu plus tôt, Kate et Nell les avaient placées. Puis elle s'empara d'un vieux bol d'étain qu'elle plongea dans le pot de porridge fumant. Soulevant la cruche de rhum posée au sol, elle y ajouta une bonne rasade. Mais dans sa précipitation, elle arrosa ses souliers.

— Par Dieu !

Il faudrait les nettoyer au puits, sinon elle empesterait l'alcool toute la journée, ce qui n'arrangerait pas sa réputation. Serrant pain et bol contre sa poitrine, elle courut au verger.

Les doigts de la gitane se refermèrent sur la timbale comme les serres d'un faucon autour d'une souris. Un instant, les deux femmes restèrent comme cela, le récipient d'étain entre elles, et Cat ressentit un étrange tremblement. Puis l'Égyptienne rompit brusquement le contact et dévora le porridge sans presque prendre le temps de respirer.

— Pas assez de rhum, dit-elle enfin.

Elle s'essuya les lèvres sur sa manche et rendit le bol à Cat, avant de glisser la miche de pain dans une poche de son pantalon.

Cat serra les dents. Elle n'attendait pas de remerciements, mais au moins la reconnaissance de ses efforts ! Elle avança la main, paume en l'air, espérant que les esprits se montreraient plus aimables, mais la vieille la repoussa.

— Vous avez promis de lire ma main ! C'est pour ça que je vous ai apporté du pain et du porridge, quitte à me faire punir par ma maîtresse.

— Ce n'est pas ta maîtresse que tu dois craindre, ma fille. Soit, je lancerai les pierres pour toi, mais ne me blâme pas si ce que tu entends te déplaît.

Disant cela, elle fouilla dans une autre de ses poches et en tira une bourse de cuir qui tintait.

— Touche les pierres, petite, et pense à ce qui te tourmente le plus.

Cat obéit, songeant à Rob et à sa peur d'être enfermée, à la nappe d'autel et à ses rêves de fuite.

Les cailloux étaient froids et doux, comme des galets sortis de l'eau, sauf un côté qui lui sembla rugueux.

— Tire quatre pierres, l'une après l'autre, et pose-les au sol.

Les doigts de Cat caressèrent doucement les cailloux, comme pour les apaiser, puis elle en sélectionna un qu'elle posa sur le sol. Trois lignes gravées à sa surface formaient un « C » un peu tordu.

— Celle-ci, c'est ton passé, dit la devineresse en se penchant sur la pierre tel un oiseau au-dessus d'un ver. Un sang mélangé et sauvage coule en toi, ma jolie, et bon sang ne saurait mentir. Prends une autre pierre.

Le motif gravé sur la deuxième pierre évoquait deux maillons brisés au centre d'une chaîne.

— Le temps du changement est venu, mais le résultat de ce changement dépendra de ta persévérance.

— Combien de temps dois-je persévérer ? J'ai beau être entêtée, certaines choses ne peuvent pas être changées, j'en ai peur.

— Ah, patience, mon oiselle. Prends-en une troisième.

Cat posa à côté des deux autres une pierre qui montrait une ligne en zigzag.

— La foudre… La déchéance de la vanité et la colère de Dieu.

Cat fronça les sourcils ; la vieille se mettait à parler comme Nell Chigwine !

— Vous en êtes sûre ? On ne peut pas interpréter les signes autrement ?

— Ne mets pas les pierres en doute, petite, à moins de vouloir pire.

— Je ne sais pas si j'y crois, à vos pierres !

— Dans ce cas je me tais, et je m'en vais.

Cat soupira.

— Non, je vous en prie, continuez. J'écouterai sans rien dire.

Elle prit une quatrième pierre, qu'elle posa au sol. Celle-ci représentait un « R » grossièrement taillé, tout en angles.

La bohémienne éclata de rire.

— Le voilà, le voilà ! Je le savais. Ô esprits, comme vous parlez clairement à la vieille Maggi, parfois ! *Raido*, le voyage. Tu partiras loin, mon oiselle, très loin, et ton voyage débouchera sur une union entre la terre et le ciel, où tous tes rêves seront réalisés.

La promesse d'un long voyage représentait exactement ce à quoi elle rêvait. Si la fortune lui souriait, elle irait peut-être jusqu'à Londres. Mais l'idée d'une union entre la terre et le ciel la contrariait. Son voyage se résumerait-il à la traversée de l'existence, pour culminer avec la mort et l'ascension de l'âme ? Elle soupçonnait la vieille de posséder une provision de généralités qu'elle énumérait à ses clients en espérant qu'ils s'en accommodent.

— Catherine Anne Tregenna, qu'est-ce que tu fabriques en compagnie de cette créature ? fit la voix de Margaret Harris qui remontait à grands pas le chemin.

Le visage de Cat s'enflamma. Sa maîtresse allait sans doute reconnaître le bol d'étain par terre.

— Et toi, emporte tes diableries loin d'ici ou tu vas m'entendre ! Tu oublies que l'invocation des esprits peut te conduire au bûcher ? Tu as de la chance que je sois bonne chrétienne, et que je désapprouve l'usage de la violence sous prétexte de rédemption. Mais si je te trouve encore une fois sur mes terres, j'ordonne à la police de te conduire en mer, au large de Gurnard's Head, où tu rejoindras ceux de ton espèce ! Reprends ta mule de malheur et poursuis ton chemin ! Et tu n'as pas intérêt à t'arrêter à Penzance, ou bien je le saurai !

Elle saisit Cat par le bras puis recula, révulsée.

— Par Dieu, Catherine, tu empestes l'alcool ! Un méfait de plus sur ta liste, jeune fille. Je ne comprends pas pourquoi un brave homme comme Robert Bolitho désire t'épouser ! Améliore tes manières, ou il ira chercher ailleurs et toi, tu deviendras vieille fille, ou pire encore.

La vieille ramassa ses pierres et les rangea dans sa petite bourse. Puis elle se redressa et plongea son regard dans celui de lady Harris.

— Un grand chagrin va s'abattre sur cette demeure ; rien de ce que je peux dire ou faire ne changera le destin. Votre vie sera longue, dame du Mont... Mais bientôt, votre époux reposera dans sa tombe.

Elle siffla ensuite à l'intention de Cat :

— Toi, petite, n'aie pas peur du mariage.

Cat la regarda, étonnée :

— Et pourquoi ?

— Parce que tant que tu seras Catherine, tu ne seras pas unie dans ce monde, répondit mystérieusement l'Égyptienne avant de s'éloigner en claudiquant.

Cette nuit-là, dans son lit-cage, Cat chercha un sens aux paroles de la vieille. Elle les avait tellement ruminées qu'elles formaient un véritable sac de nœuds. Parfois, elle croyait tenir le fil qui lui permettrait de démêler l'écheveau : Elle ne devait pas craindre le mariage. Mais si elle ne se mariait pas, elle serait condamnée à travailler toute sa vie dans une maison, à la merci des caprices ou de la charité de ses maîtres. Un sort encore moins enviable que d'être unie à Robert, qui au moins travaillerait dur pour la mettre à l'abri du besoin. Elle songea ensuite au grand chagrin que l'Égyptienne avait évoqué. La peste allait-elle revenir dans cette partie de la Cornouailles ? La maladie avait déjà emporté son père, un homme robuste et fort ; si elle avait réussi à le terrasser, personne n'était à l'abri. Ou bien la guerre ferait-elle irruption sur leurs côtes, comme au siècle précédent ? Et le long voyage qu'elle lui avait promis, qui aboutirait à l'union de la terre et du ciel ? C'était la question qui l'intriguait le plus.

Peut-être prendrait-elle la route de Londres pour vivre dans une riche demeure, au milieu de la haute société. Les avances de John Killigrew, qui la faisaient encore rougir de honte, prouvaient que les hommes importants la trouvaient assez jolie pour vouloir l'embrasser. À la réflexion, la bohémienne avait dit qu'elle ne se marierait pas « tant qu'elle serait Catherine ». Si la comtesse de Salisbury l'emmenait loin d'ici et faisait d'elle sa première brodeuse et sa dame de compagnie, peut-être la rebaptiserait-elle ?

Cela lui rappela la nappe d'autel, car un tel projet demandait une grande persévérance. Enthousiaste, elle tira son dessin de sa cachette et le déplia avec un soin infini.

L'Arbre de la Connaissance s'étala sous ses yeux à la lumière de la chandelle. Dans les feuillages chantaient des oiseaux, tandis que des fleurs d'espèces différentes illuminaient ses branches d'un éclat glorieux. À ses pieds, de petites créatures jouaient et sautillaient. L'homme et la femme se tenaient de chaque côté du tronc, le ventre pressé contre l'écorce rugueuse. La main d'Ève se refermait sur le fruit qui promettait la connaissance et la damnation.

Cat garda les yeux fixés sur son dessin, persuadée qu'il recélait la solution à l'énigme qui la taraudait. Elle suivit du doigt ses contours gracieux.

— « Un long voyage », murmura-t-elle. « Une union entre la terre et le ciel. »

Soudain la réponse lui apparut : l'Arbre de la Vie, dont les racines s'enfonçaient au cœur de la terre, dont les branches atteignaient le ciel, unissait le sacré et le profane en un seul symbole.

Demain, après la messe, elle travaillerait tout l'après-midi à la nappe d'autel. Celle-ci représentait son salut. Une vie nouvelle l'attendait loin de Kenegie, de Rob, de la Cornouailles, comme elle en avait toujours rêvé.

10

Quelques jours plus tard, mon portable sonna alors que je me trouvais avec Alison dans le jardin. Nous avions passé une partie de la journée à Truro, dans le cabinet de l'avocat qui s'occupait du testament d'Andrew. Un accident sur l'A30 avait causé un énorme embouteillage. En plus, nous avions eu du mal à nous garer à Truro, et le clerc avait perdu un document important nécessitant la signature de ma cousine. Nous étions fatiguées et soucieuses. Je me reposais sur une chaise longue, tenant à la main un nouveau travail de broderie : une écharpe toute simple ornée de plumes de paon en points de barrette et de chaînette. Les alouettes chantaient et un verre de vin blanc bien frais était posé à côté de moi. La sonnerie stridente du téléphone me dérangea. Je n'étais pas au bout de mes peines.

— Allô ?

J'avais bêtement oublié de regarder l'écran avant de répondre. La voix de Michael me prit par surprise.

— Ah ! Toujours en vie ? attaqua-t-il avec une pointe de déception, me sembla-t-il. Je t'ai laissé plusieurs messages, mais tu ne m'as pas répondu.

Comme je gardais le silence, il ajouta :

— Où es-tu ?

— En Cornouailles, avec ma cousine Alison. Mais qu'est-ce que ça peut te foutre ?

Il parut surpris. Il était rare que je me montre téméraire, et encore moins grossière. Puis il éclata d'un rire nerveux.

— Incroyable ! Moi aussi. Je suis en Cornouailles, je veux dire.

Alison avança alors le bras et me prit le téléphone des mains.

— Salut, Michael. Oui, elle est ici avec moi. Trevarth Farm, juste après Gulval, sur les collines au nord de Penzance.

Elle écouta un instant puis hocha la tête.

— Si tu as une carte de randonnée, c'est indiqué. Demande à n'importe qui sur la route, si tu ne trouves pas, ou alors appelle Julia quand tu seras plus près. On t'attend dans quarante minutes, avec une salade au crabe ; j'espère que tu n'es pas allergique aux fruits de mer.

Elle mit fin à la communication puis me rendit mon portable.

— Mais qu'est-ce qui t'a pris ? lui dis-je.

— Vous devez mettre un point final à votre histoire de façon civilisée. Pour Anna. Serrez-vous la main et adoptez un comportement normal l'un envers l'autre. Après tout, vous ne pourrez pas vous éviter éternellement, alors autant régler ça en ma présence, alors que je peux servir d'arbitre.

— Facile à dire pour toi ! Mais moi, je ne suis pas encore prête à le voir. Je vais prendre une douche.

— Mets ta robe rouge ! cria-t-elle alors que je pénétrais dans la maison. Elle te va très bien.

Quand je redescendis, quarante minutes plus tard, pimpante, maquillée, les cheveux attachés et vêtue de ma robe rouge, Michael était déjà arrivé. Il me tournait le dos, assis sur une chaise longue, un verre de vin à la main. Il riait à quelque chose qu'Alison venait de dire. Il semblait parfaitement à son aise, ce qui m'irrita.

— Où est ta voiture ? Je ne l'ai pas vue dans l'allée.

Il se retourna brusquement en entendant ma voix.

— Moi aussi je suis ravi de te voir, rétorqua-t-il, s'extirpant avec difficulté de son siège.

J'espérais secrètement que la chaise se casse, mais Michael parvint à s'en extraire sans dommage, élégant comme à son habitude dans une chemise de lin couleur crème et un pantalon de toile. Il me jaugea du regard avant de répondre à ma question.

— J'ai pris un taxi. Il a immédiatement su où me conduire.

Je restai plantée devant lui, les mains sur les hanches, furieuse de l'effet qu'il avait encore sur moi.

— Qu'est-ce que tu fais en Cornouailles ?

Il leva un sourcil puis se retourna vers Alison.

— J'avais... euh, des affaires à régler ici. Des terres qu'Anna veut vendre. Elle te passe le bonjour, d'ailleurs.

L'allusion à mon amie me glaça. Je lançai à Michael un regard plein de mépris.

— On libère un petit capital en vue d'une seconde lune de miel ? raillai-je, et il eut la grâce de détourner les yeux. Où se trouvent ces « terres » ?

— Au village de Mousehole ; il s'agit d'un simple cottage, mais en piètre état. Pendant une vingtaine d'années, Anna l'a loué ; le locataire vient de mourir. Elle en a hérité à l'âge de vingt et un ans, mais elle ne m'en a parlé pour la première fois qu'il y a quelques jours. Elle se montre bien secrète, parfois.

— Où loges-tu ? demanda Alison.

— J'ai réservé un petit hôtel. Un peu cher, mais je ne peux pas refuser ça à mes compatriotes.

J'observais, par la fenêtre, la vallée qui s'étendait jusqu'à la mer. À travers les arbres, je parvenais tout juste à distinguer le clocher de l'église de Penzance ainsi que la baie. Mousehole se trouvait quelques kilomètres plus loin, après le promontoire rocheux qui bordait la partie ouest de la baie. Dans son journal, Cat mentionnait un bateau de pêche, la *Constance*, échoué là, sans équipage, une « lame turque » fichée entre ses bordées.

— J'adorerais voir ce cottage, déclara Alison. Certains endroits désuets possèdent un cachet extraordinaire, surtout quand ils ont été pratiquement laissés à l'abandon. Je pourrais te donner quelques conseils pour le restaurer si tu veux en tirer un bon prix.

Je la fixai du regard, lui ordonnant mentalement de se taire. C'était précisément le genre de projet dont Alison avait besoin afin de se changer les idées. Mais avec égoïsme, je me disais que chaque penny gagné servirait à cimenter la nouvelle vie d'Anna et de Michael. Quand je pensais à eux (ce que je m'efforçais de faire le moins possible), je leur souhaitais pauvreté et difficultés, pas richesse et bonheur.

Michael adopta la suggestion d'Alison avec enthousiasme. Il se pencha par-dessus la table et serra le bras de ma cousine avec un sourire qui éclaira tout son visage. Un sourire dont je croyais avoir l'exclusivité.

— Génial ! Allons y jeter un œil demain. Toutefois, je te préviens : je ne suis pas sûr d'entreprendre beaucoup de travaux. Je veux juste le remettre en état, pour le vendre le plus tôt possible. Mais j'adorerais avoir ton avis. Comme Julia peut te le dire, la décoration intérieure est loin d'être ma spécialité. Mon appartement de Soho est resté en l'état depuis vingt ans, mais je parie que tu ne lui trouverais aucun cachet !

Incapable d'en supporter davantage, je repoussai bruyamment ma chaise et courus m'abriter dans la maison.

Je gravis les marches quatre à quatre et m'effondrai sur mon lit, le visage dans les oreillers. Les larmes que je contenais depuis dix jours jaillirent en torrent. Mes sanglots étaient si bruyants que je n'entendis ni les pas dans l'escalier ni la porte qui s'ouvrait. Aussi, quand le matelas fléchit soudain sous le poids d'une personne qui s'asseyait, je sursautai, le cœur battant.

Michael me dévisageait, à la fois horrifié et honteux. Il tira de sa poche un mouchoir chiffonné avec lequel il entreprit d'essuyer mes joues. Furieuse, je repoussai sa main et me précipitai vers la salle de bains, claquant la porte derrière moi. Je m'aspergeai d'eau froide puis me regardai dans le miroir.

Je n'ai jamais compris pourquoi les gens veulent toujours plus de lumière dans leurs maisons. À moins d'avoir la peau lisse et ferme d'une jeune de vingt ans, la lumière naturelle souligne chaque ride, chaque défaut, vous donnant l'allure d'une vieille sorcière hagarde. Et cela, même si vous nourrissez votre épiderme avec une crème hors de prix et vous ruinez en produits de maquillage.

Rageusement, je me nettoyai le visage et sortis, sans masque, affronter l'amant qui m'avait rejetée, afin qu'il voie les dégâts qu'il avait causés.

En entrant dans la chambre, je le vis d'abord de dos, penché sur quelque chose. Il semblait agité.

— Pourquoi tu es venu ? demandai-je, soulagée de constater que ma voix ne tremblait pas.

Michael sursauta, se leva en hâte et se retourna vers moi. Il tenait en main *La Gloire de la brodeuse*.

Je traversai la pièce et lui arrachai l'ouvrage, le serrant contre moi pour le protéger.

— Alison m'a parlé du livre, déclara-t-il en se rasseyant avec une nonchalance feinte. Ça semble fascinant.

— Ça l'est.

— J'aimerais l'étudier de plus près.

Il tendit la main. Mon instinct me souffla qu'il cherchait à m'attirer, moi.

Il leva les sourcils.

— Julia, ne sois pas fâchée.

— Je crois avoir de bonnes raisons de l'être.

— Je n'ai jamais eu l'intention de te faire du mal, je te le jure.

— Alors qu'est-ce que tu fais ici à me parler du cottage d'Anna ? Tu crois que j'apprécie de te voir débarquer comme ça ? J'ai parcouru cinq cents kilomètres pour m'éloigner de toi et te voilà, sous mon nez, en train de lire le putain de bouquin que tu m'as offert en guise de cadeau d'adieu !

Je terminai ma phrase dans un hurlement. Il pâlit.

— Calme-toi, je t'en prie. Je voulais m'assurer que tu allais bien, alors j'ai appelé ton portable il y a quelques jours. C'est Alison qui a répondu. Elle m'a dit qu'elle s'inquiétait pour toi. J'ai pris prétexte du cottage d'Anna pour te rendre visite.

Alison et moi étions allées nager au Lido quelques jours plus tôt. Il s'agissait d'un très beau bâtiment Art déco au bord de la mer ; quand on barbotait dans l'immense bassin rempli d'eau de mer et qu'on admirait la couleur du ciel et de l'église Sainte-Marie, on pouvait s'imaginer sur la Riviera. Je me rappelai avoir vu ma cousine en conversation au téléphone tandis que je traversais le bassin à la brasse. De loin, je n'avais pas reconnu mon portable.

— Comme c'est généreux de ta part !

— En vérité… euh, nous avons besoin d'argent.

Je réprimai un petit sourire teinté de méchanceté. Tout n'était pas si rose, après tout. On se console comme on peut.

— C'est rigolo, mais ce livre – il indiqua le journal de Cat que je tenais serré contre moi – a été trouvé dans une maison du coin, lors d'une liquidation. Il doit être en Cornouailles depuis, quoi, 1624 ?

— 1625.

Apparemment, il ne savait pas que je connaissais la provenance exacte du livre. J'aurais pu ignorer son mensonge mais, bizarrement, j'eus envie de le démasquer.

— Alison m'a appris qu'Andrew et elle te l'ont envoyé en même temps qu'une cargaison d'autres livres anciens. Pour que tu les vendes en leur nom.

— Ah oui… Eh bien, vois-tu, j'ai tout de suite pensé qu'il te plairait. Ça fait un moment que je l'avais mis de côté pour toi. Je l'avais même oublié, jusqu'à… enfin, tu sais bien. Mais je te l'ai donné par erreur. Tu devrais me le rendre quand tu l'auras terminé, afin que je le vende pour Alison. Les obsèques coûtent cher de nos jours, et je suis sûr qu'Andrew était plutôt fauché.

Quel rat ! Dès qu'il aurait mis la main sur le livre, il le vendrait à coup sûr. Mais j'aurais parié que la totalité de la somme n'irait pas dans la poche d'Alison.

— Quand je l'aurai terminé, peut-être, mentis-je, et je lus le soulagement dans son regard.

— Viens là, vieille chose, ordonna-t-il enfin, m'ouvrant ses bras.

Tel un automate, je m'avançai vers lui et posai la tête sur son épaule. L'odeur de sa chemise fraîchement repassée et celle de son parfum chatouillèrent mes narines. Il passa la main sur mon visage, je sentis son pouls qui s'accélérait. Alors qu'il me serrait contre lui, le livre s'écrasa contre ma poitrine, me causant une douleur aiguë. Prenant soudain conscience de ma stupidité et de ma faiblesse, je le repoussai, les joues en feu.

— Arrête !

Il se frotta le visage et son geste me rappela les nombreuses fois où, appuyée sur mes deux coudes, penchée au-dessus de lui, j'avais effacé du bout des doigts les lignes de tension qui marquaient son front.

— Ce n'est pas facile de t'oublier, Julia, quoi que tu en penses. Ces dernières semaines n'ont pas été faciles pour moi.

— Tant mieux. Maintenant, pars.

Cette nuit-là, dans ma chambre, je me replongeai dans le journal de Catherine. Minuit sonna, puis la lune se leva dans le ciel plein d'étoiles, mais je n'en vis rien. Une chouette hulula dans la forêt. À deux heures du matin, je lisais toujours. Ce que je tenais entre mes mains représentait bien plus que le journal intime d'une petite brodeuse, une extraordinaire énigme historique.

11

Catherine
Dimanche 24 juillet 1625

J'escris cecy mais ne sais point en quel lieu, car je suis dans les ténè-
bres et crains tant pour ma vie que mon âme. Cinq jours se sont
escoulés depuis leur venue, cinq journées et cinq nuits d'horreur. J'ai vu
des choses que nulle femme ne devrait voir, subi indignités et frayeurs
que nul chrétien ne devrait affronter. Quelle sera la fin, sinon l'agonie
et la mort, je ne l'imagine pas. Tout, autour de moy, n'este que misère et
douleur, puanteur et cruauté. Peut-estre sommes-nous tous déjà morts
et séjournons-nous au purgatoire. Mais l'Enfer mesme serait-il pis que
cette effroyable destinée qui s'este emparée de nous ? Puisse le Seigneur
prendre pitié de moy et de mes compagnons ; puisse-t-Il nous sauver de
cette cruelle destinée ! Mais je crains qu'Il n'ait destourné Son visage de
nous et qu'Il n'entende nos cris.

— Cat... Catherine !

Elle se retourna et découvrit sur le seuil son cousin Robert
dans son plus beau costume. Ses yeux bleus avaient une
expression suppliante. Depuis deux semaines, depuis que le
maître avait exposé les projets qu'il lui réservait, Catherine lui
avait à peine adressé quelques mots.

— Que veux-tu ?

— Te proposer un petit tour en ville. Matty m'a dit que
vous comptiez vous rendre à Penzance pour écouter le nouveau
prêcheur, et j'aimerais vous accompagner. Et puis, une épaisse
brume est descendue sur la baie et j'ai pensé que vous n'aimeriez
pas marcher dans ces conditions...

— Merci, mais c'est inutile. Penzance n'est qu'à une demi-lieue d'ici.

Cat regarda ses bas avec regret. Ses plus beaux bas, avec une jolie broderie aux chevilles, qu'elle-même avait réalisée. Certes, elle ne voulait pas les mouiller, ou pire encore, les tacher de boue, mais elle refusait toute aide de Rob.

Matty apparut à cet instant.

— J'ai vu la carriole dehors. Tu viens avec nous, Rob ? Il y a de la brume, on ne voit même pas le Mont, et ça me dit rien de marcher. Mais bon, Nell et William sont déjà partis.

Cat poussa un soupir. Impossible de refuser, maintenant.

— Nell Chigwine est partie pour la chapelle de Notre-Dame ? se lamenta Cat. Pourquoi n'est-elle pas allée à Gulval, comme d'habitude, avec les autres ? La seule raison qui me rendait plus supportable la perspective de me joindre à ma mère et mon oncle Ned, c'était qu'au moins je n'aurais pas à supporter le regard de Nell pendant le sermon. Dès qu'on mentionnera le péché d'Ève, elle m'adressera son petit sourire dédaigneux.

— Ça nous changera de M. Veale, Cat. Si je dois écouter un autre de ses interminables sermons, je vais m'évanouir. Je n'ai pas fermé l'œil à cause de ces fichues mouettes ! Elles ont piaillé toute la nuit sur le toit, juste au-dessus de moi. Le révérend, il dit que Dieu a créé toutes les créatures pour une bonne raison, mais je ne vois pas à quoi servent les mouettes. Je me suis écorché les mains hier, à nettoyer le fatras que ces bestioles ont laissé dans la cour.

Cat se pencha vers Matty et lui souffla à l'oreille :

— On dit que leurs cris sont ceux des morts qui ne sont pas encore partis.

Matty s'écria :

— Mais elles nichent juste au-dessus de moi ! Je les entends !

Ses yeux se remplirent de larmes.

Rob lança un regard furieux à Cat avant de passer un bras consolateur autour des épaules de la jeune servante.

— Monte dans la carriole, Matty. Si tu veux, à notre retour, je nettoierai les nids qu'elles ont installés au-dessus de ta chambre.

Matty le dévisagea avec un air d'adoration.

— Tu es un brave homme, Robert Bolitho. Cat ne connaît pas sa chance.

Ils remontèrent l'allée du domaine puis s'engagèrent sur la route qui s'ouvrait jusqu'à la mer, comme une blessure dans la lande. Le brouillard venu de l'océan les enveloppait et rendait l'air étouffant. Un tel phénomène n'était pas rare en Cornouailles, durant l'été. La brume se dissiperait certainement avec le soleil, mais pour le moment, Catherine la trouvait oppressante. Les haies le long de la route ressemblaient à des murs de prison, les boutons d'oseille à des petites taches de sang. Elle glissa un regard à Rob, à son large visage carré, aux mèches de cheveux blonds qui s'échappaient de son chapeau. Supporterait-elle ce visage à ses côtés sur l'oreiller, jour après jour, année après année ? Son horizon se limiterait-il à entendre les vaches mugir dans l'étable et les mouettes hurler sur le toit ? Elle sentit sa gorge se serrer. Avant que le maître la force à épouser son cousin, elle éprouvait de l'affection pour lui. Mais à présent, elle tolérait à peine de s'asseoir à côté de lui, et surtout, elle détestait qu'on les considère déjà comme un couple. Les paroles d'espoir de la vieille gitane s'étaient révélées fausses : dans un mois, Rob et elle deviendraient mari et femme. Les bans étaient déjà affichés et lady Harris avait acheté au meilleur drapier de la ville (qui se trouvait être l'oncle de Cat, Edward Coode – nul doute qu'un marché avantageux avait été conclu !) cinq toises de mousseline aussi blanche que la brume qui voilait le paysage ce jour-là. Elle n'avait pas eu le cœur de s'atteler à la confection de son trousseau. Coudre sa robe de mariée quand, à peine posait-on les yeux sur l'étoffe, on aurait souhaité y tailler un linceul n'avait rien d'exaltant. Pire que tout, son unique chance de salut – c'est-à-dire la visite que la comtesse de Salisbury devait rendre à lady Harris – s'était évanouie. Alors qu'elle brodait la nappe d'autel depuis deux semaines, un messager avait apporté une lettre de Catherine Howard. Cette dernière les informait qu'elle passerait l'été sur son domaine de Marlborough ; elle espérait accompagner son époux lors de la visite de St Michael's Mount, à l'automne, pour juger de l'utilité d'armer la forteresse. Cette nuit-là, Cat avait replié son ouvrage, et l'avait rangé sous son lit. Elle ne l'avait pas touché depuis.

Alors que la carriole avançait sur le chemin qui bordait la mer, Cat regardait la baie écrasée de nuages. St Michael's Mount n'était qu'une masse fantomatique. La mer était haute, mais rien ne bougeait sur l'eau : les bateaux resteraient arrimés pour le reste de la journée. Les oiseaux eux-mêmes semblaient de pierre, la tête enfoncée sous les plumes. Cat joua avec un fil de sa manche. En temps normal, elle aurait réparé l'accroc sans tarder, avec des points si minuscules que personne n'aurait remarqué le raccommodage. Mais à présent, elle n'en avait ni l'énergie ni la volonté. Avec le triste avenir qui l'attendait, elle se sentait aussi dénuée de substance que le château sur l'île : une coquille vide, sans vie, piégée sur l'océan.

Ils contournèrent le port, longèrent les quais, les entrepôts, les étals à poisson et le puits de St Anthony avant de remonter vers la chapelle Notre-Dame, située sur le promontoire. Ils dépassèrent un flot de fidèles qui peinaient à gravir la colline, venus écouter le nouveau prédicateur. C'était un puritain de Liskeard, avait entendu Cat, ce qui ajoutait à son désespoir : son oncle, qui avait maintenant pris la tête de la famille, s'était récemment converti et semblait déterminé à ce que tous suivent son exemple. Beaucoup de ceux qui cheminaient vers la chapelle étaient modestement vêtus, mais pas par pauvreté. Cat reconnut le gros et vieil échevin Polglaze accompagné de sa non moins grasse épouse, Elizabeth. Hors d'haleine, ils portaient une triste tenue noire agrémentée seulement de dentelle blanche au col et aux manchettes. Il ne leur manquait qu'une fraise pour ressembler aux catholiques espagnols qu'ils méprisaient tant. Ils dépassèrent le constable Jim Carew, le vieux Thomas Ellys et son épouse Alice, le constructeur naval Andrew Pengelly et son fils Ephraim, Thomas Samuels et sa sœur Anne, la famille Hoskens de Market-Jew, et le vieux Henry Johns, qui possédait une grande maison près de Lescudjack. Le prêcheur allait compter une belle assemblée. Quelqu'un cria leurs noms. Cat se retourna et, de l'autre côté de la rue, elle aperçut Jack Kellynch avec son sourire carnassier.

— Hello du chariot ! Vous ressemblez à un véritable monsieur, Robert Bolitho, trottinant ainsi avec votre fiancée. Pauvre Matty, toute seule à l'arrière !

Sur ces paroles, il traversa la route et se hissa d'un bond sur le chariot, à côté de la servante écarlate.

Cat se retourna pour le dévisager, furieuse.

— Je suis surprise de vous voir fréquenter le prêcheur Truran, monsieur Kellynch. J'aurais cru qu'avec votre éducation et votre goût pour le péché votre place aurait été dans le confessionnal.

Jack éclata de rire.

— Ne dites pas ça à mon père, ou il vous basculera sur ses genoux pour vous infliger une correction, *madame* Catherine. Ma mère elle-même ne parvient pas à le faire renoncer à sa passion pour ce prêcheur. Ah, les voici : saluez de la main, Matty, comme une reine !

Au sommet de Quay Street apparurent Isacke Kellynch et son épouse Maria, petite et sombre, leur second fils Jordie et leur fille Henrietta, que tout le monde surnommait Poulette. Matty, rouge comme une écrevisse à présent, leva une main hésitante. Un instant, Isacke garda les yeux fixés sur la carriole qui les dépassait, puis ses yeux bleus étincelèrent.

— Descendez de cet attelage, ordonna-t-il à son fils. Utilisez donc les jambes que le Seigneur vous a données.

Mais Jack rejeta la tête en arrière et partit d'un grand éclat de rire.

Au sommet de la colline, Robert immobilisa le chariot et, après être descendu, aida Catherine à quitter son siège. Il attendit, la retenant par le coude, que Jack et Matty aient disparu dans la foule. Catherine retira brusquement son bras.

— Voilà, maintenant, Matty est entrée sans moi ! Tout le monde va se moquer d'elle à cause de Jack ; tu sais bien qu'elle a un faible pour lui alors qu'il ne fait que s'amuser avec elle sans lui accorder la moindre importance. Elle aura le cœur brisé !

Rob lui lança un regard étrange.

— Tu ne sais pas grand-chose de Jack Kellynch, n'est-ce pas ?

— Je sais que c'est un brigand et un boucanier ; un drôle d'oiseau avec une fille dans chaque port.

Et bien trop scintillant pour un navet comme Matty, ajouta-t-elle en son for intérieur.

— Tu as tort, répliqua Rob. Tu fais preuve d'une telle obstination dans tes opinions, Catherine, que parfois tu es incapable de constater l'évidence.

— N'est-ce pas assez déplaisant d'écouter le sermon d'un vieux prêcheur ennuyeux ? Je dois également supporter le tien ?

— Je pars, puisque ma présence t'est désagréable. Mais crois-moi, Jack fera de Matty son épouse avant la fin de l'année.

Il fouilla dans sa poche et en retira un petit objet serré dans un morceau de soie bleue.

— Tiens, prends ça. Ouvre-le plus tard... En famille, ou seule, comme tu préfères.

Elle referma ses doigts sur le paquet. Sous la douceur de l'étoffe, l'objet lui sembla petit et dur.

— Qu'est-ce que c'est ?

— Un gage de nos fiançailles. Il appartenait à ma mère. Elle t'aurait appréciée, Catherine, bien que tu n'éprouves aucune affection pour moi.

Il serra les dents. Cet aveu lui coûtait, mais s'il ne pouvait pas soulager son cœur le dimanche, quand le ferait-il ? Cat et lui étaient si rarement seuls ensemble ! Surtout à présent qu'elle évitait sa compagnie.

Catherine le fixa avec désarroi.

— Ce n'est pas ta faute, Robert, pas seulement. C'est… ici, Kenegie, la Cornouailles, cette vie. Ce n'est pas ce que j'avais imaginé.

Elle palpa plus avant et découvrit que la bague n'avait pas de chaton. C'était un anneau. Une alliance. Elle pressa l'objet entre les mains de son cousin.

— Ne me le donne pas maintenant, Robert. Attends un autre moment, plus propice, quand nous n'aurons pas échangé de si âpres paroles.

Il posa sur elle un regard qui la transperça jusqu'aux tréfonds de son âme. Enfin, il hocha la tête et déclara :

— Je pourrais trouver un emploi ailleurs. Je n'aimerais pas que, par ma faute, tu doives abandonner tes rêves, Catherine.

Il se détourna brusquement et s'éloigna, la laissant désorientée.

— Catherine !

Elle se retourna ; son oncle venait vers elle. Edward Coode était grand, chauve comme un serpent, et à peu près aussi sympathique. À côté de lui, son épouse, Mary, incarnait la santé dans tout son éclat, avec une plantureuse poitrine que son corset peinait à contenir. Leurs deux jeunes fils couraient sur le parvis de l'église et se bagarraient à coups de bâtons. La vieille sorcière du village, Annie Badcock, leur lança un regard noir et ils coururent aussitôt se cacher dans les jupes de leur mère.

— Vous prendrez place sur le banc familial aujourd'hui, dit son oncle d'un ton sévère, ruinant ainsi les espoirs qu'elle avait nourris de s'asseoir au fond de l'église avec Matty, où elle aurait pu écrire dans son livre sans que Nell Chigwine la surprenne.

Elle transportait son journal, sa mine de plomb et le mince couteau servant à l'aiguiser dans le petit sac accroché à sa ceinture. Les notes qu'elle couchait sur les pages devenaient trop intimes pour qu'elle risque de les voir tomber entre d'autres mains. Bien que Polly ou Nell ne sachent pas lire, elles ne manqueraient pas, si d'aventure elles trouvaient son petit livre, de le montrer à lady Harris. La simple idée que sa maîtresse ait pu lire ses pensées la pétrifiait d'horreur.

— Bonjour, ma fille.

Jane Tregenna n'avait pas succombé au puritanisme de son frère. Elle portait une robe bleu foncé ornée de fils d'argent et d'un col de fine dentelle.

— Pour l'amour de Dieu, enlève cette horreur !

Avant que sa fille ait pu faire un geste, elle lui arracha sa coiffe.

— Ta chevelure est ta gloire, ne la cache pas. Seigneur ! Et cette vieille robe élimée, s'écria-t-elle, sous l'œil désapprobateur de son frère.

Elle passa son bras sous celui de Cat et l'entraîna vers l'église.

— Cette affaire avec messire Bolitho ne me satisfait pas complètement, Catherine, mais Ned est passé outre à mes réticences. Lady Harris m'assure que Robert aura une bonne situation à Kenegie, et qu'il succédera à l'intendant Parsons, ce qui n'est pas mal. Mais je ne te cache pas ma déception. J'aurais bien aimé que tu hérites d'un des fils Harris.

— Tu en parles comme si c'était du poisson que l'on peut capturer.

— Un habile pêcheur peut attraper une baleine, s'il s'y applique.

— Quand bien même je m'y appliquerais ma vie entière, lady Harris m'en empêcherait. Elle me surveille comme un faucon, et ne cesse de jeter Rob au milieu de mon chemin. Mais ce qui est fait est fait ; je n'ai plus envie d'en parler.

— Je suis certaine que ton oncle aura son mot à dire là-dessus au cours du déjeuner. Il est ravi que tu t'installes.

À cet instant, le soleil fit son apparition et illumina le clocher de l'église.

— Dieu nous sourit.

L'homme qui avait prononcé cette phrase était grand, avec un visage buriné, un nez en bec d'aigle, un crâne chauve et un menton mangé par une barbe blanche comme l'écume. Il poursuivit :

— Depuis le ciel, le Seigneur regarde la terre. Toutes les nations devront révérer Son nom, et tous les rois Sa gloire.

Il regarda la foule assemblée devant lui et dévisagea chacun avec une ardeur qui en fit frémir plus d'un. Ses yeux se posèrent enfin sur Annie Badcock, qui se tenait de l'autre côté du parvis de l'église. La vieille femme était ridée comme une pomme, et ses yeux qui louchaient rendaient sa physionomie encore plus grotesque. Son œil aveugle rendit son regard au prêcheur tandis que l'autre demeurait fixé sur la baie.

— Viendras-tu dans l'église, bonne femme, offrir ton cœur au Seigneur ?

Annie Badcock releva le menton et afficha ce sourire édenté qui faisait faire des cauchemars aux petits enfants.

— Non, prêcheur, Dieu vous bénisse. Je ne suis la femme de personne, et encore moins bonne ! Je vais rester là, comme une vieille pécheresse, et je sauverai mon âme moi-même.

— Seul Dieu peut sauver une âme, vieille femme.

— Quoi qu'il en soit, je vais au lit, Walter Truran.

Son œil qui voyait pivota alors vers Cat et elle ajouta :

— Si tu possèdes une once de bon sens, tu remonteras dans ce chariot, en compagnie de ce jeune homme, et tu iras partager sa couche. Écoute mes paroles ou tu le regretteras.

Quelques personnes s'esclaffèrent devant la surprise de la jeune femme. L'oncle de Cat éclata :

— Déguerpis, vieille sorcière, et cesse tes élucubrations. Ouste ! Ouste !

La vieille femme garda son œil fixé sur Catherine, puis elle releva lentement son châle sur sa tête et s'éloigna.

— Il est vraiment temps que Penzance construise une maison de fous comme à Bodmin, où on pourra balayer de tels déchets, dit Jane Tregenna.

— Ces pensées ne sont pas très chrétiennes, mère, remarqua Cat, irritée.

Que savait donc la vieille femme ? Connaissait-elle Rob ? Lui avait-il demandé de parler à Cat ? Troublée, elle suivit son oncle dans la chapelle de Notre-Dame et prit place à l'extrémité du banc familial.

— Je vous parlerai des huit traits propres à l'homme qui vit sans le Christ ! rugit soudain le prédicateur, et le silence s'abattit sur la congrégation.

Voilà ce qu'ils étaient venus voir et ce qu'ils voulaient entendre : la Bible martelée, scandée ; le feu de l'enfer, la damnation.

— D'abord, tout homme qui vit sans Jésus-Christ est vil et bas. Qu'il soit né d'un prince, qu'il soit de sang noble, si le sang royal de Notre-Seigneur Jésus ne coule pas en ses veines, il n'est rien.

« Ensuite, un homme qui vit sans Jésus sera asservi, comme le dit Jean, chapitre 8 : 36 : « Vous ne serez libre que libéré par le Saint Fils, car si vous ne comptez sur Christ pour vous sauver de l'esclavage qui vous lie au péché et à Satan, vous serez esclave : esclave du péché, du Diable, et de la loi ! »

Une femme se mit à se balancer d'avant en arrière en gémissant. Nell Chigwine. Ses lamentations semblèrent s'éterniser, rauques, gutturales. Cat soupira. Le révérend Veale ne soumettait jamais ses ouailles à de si féroces injonctions ; il les adjurait de traiter leur prochain avec charité puis les guidait avec douceur. Elle aurait aimé se trouver à sa place habituelle, à l'église de Gulval, où elle aurait pu écrire à loisir dans son petit livre…

Le poing du prêcheur s'abattant sur son pupitre la fit sursauter.

— Cinquièmement, cet homme sera difforme. Un homme qui vit sans Notre-Seigneur est comme un corps couvert de plaies et d'abcès. Il erre, maison sans lumière, corps sans tête ; un tel homme ne peut être que déformé.

La voix du puritain baissa. Il contempla la foule assemblée devant lui, comme si les hommes et femmes présents étaient déjà perdus.

— Sixièmement, cet homme est inconsolable. Sans Jésus-Christ, tout réconfort n'est que croix à porter, toute clémence n'est que misère..

« Septièmement : il périra ! Ôtez Jésus à un homme et vous lui ôtez sa vie ; ôtez la vie à un homme et il ne devient qu'un morceau de chair pourrissante !

Ses paroles résonnèrent comme un grondement de tonnerre. Un jeune enfant au premier rang éclata en sanglots, que sa mère tenta de calmer. À cet instant précis s'éleva un grand fracas. La lourde porte de bois, à l'arrière de la chapelle, s'ouvrit brutalement et alla frapper le mur de pierre.

Le prêcheur leva les yeux vers l'intrus qui arrivait si tard. Il gonfla la poitrine, s'apprêtant à le fustiger, puis il se figea.

Un à un, les membres de la congrégation se retournèrent. Cat, qui ne voyait rien, tordit le cou. Un groupe d'hommes fit alors irruption dans l'église en poussant des cris. Crânes rasés, ils portaient de longues robes noires et brandissaient des épées aux lames étrangement recourbées. Cat songea à la dague qu'elle avait aperçue sur la table de la cuisine, à Kenegie, celle qu'on avait retrouvée sur la *Constance*. Ces hommes avaient une peau aussi noire que la vieille roume et, par contraste, le blanc de leurs yeux scintillait. Une douzaine d'entre eux envahirent la nef de l'église en hurlant « *Allah akbar !* »

Des pirates ! Le cœur de Cat cognait dans sa poitrine comme un oiseau emprisonné. Des pirates turcs !

L'échevin Polglaze bondit sur ses pieds.

— Qui êtes-vous ? lança-t-il en interpellant le premier homme parvenu devant le chœur.

L'étrange intrus éclata de rire, exhibant une rangée de dents parfaites. Avec sa barbe grisonnante et son visage tout en longueur, il ressemblait à un loup. L'échevin avait l'habitude qu'on l'écoute et qu'on lui obéisse. Malheureusement pour lui, il se montrait souvent irréfléchi.

— Comment osez-vous interrompre notre culte ? Si vous voulez l'aumône, attendez dehors la fin du service. Sortez d'ici tout de suite !

Le pillard, avec nonchalance, lui porta un coup terrible. Une femme hurla. L'épouse de Polglaze tomba à genoux à côté de son mari, faisant écran à l'épée qui allait le transpercer. D'un seul mouvement, le pirate dévia sa lame et, avec la poignée, frappa la femme qui s'écroula sur le corps de son époux. Leurs enfants poussèrent des cris, aussitôt repris par d'autres autour d'eux.

Au premier rang, un bébé s'époumonait, le visage cramoisi. L'un des pirates se planta devant lui et, tirant son épée, aboya :

— *Skaut !*

Le vagissement de l'enfant se transforma aussitôt en un couinement terrifié.

D'autres hommes surgirent, criant dans une langue gutturale, brandissant leurs épées à bout de bras. Jim Carew, le constable, agrippa la main d'un pirate et tenta de s'emparer de son arme. L'homme tira une dague de sa ceinture et l'enfonça dans la gorge de son adversaire. Du sang jaillit, éclaboussant tous ceux qui se trouvaient à proximité.

Les fidèles cédèrent alors à la panique. « Le Seigneur nous protège ! Dieu sauve nos âmes ! »

Au fond de l'église, Jack Kellynch sauta par-dessus le banc, entraînant Matty derrière lui, et se dirigea vers la porte de la sacristie. Mais un groupe d'hommes en robe les arrêta.

— Demi-tour, chien d'infidèle !

Jack les jaugea du regard, évaluant ses chances, mais Matty se pendit à son bras.

— Non, Jack ! Faites ce qu'il dit !

Le voyant encore hésiter, le premier pillard hurla quelque chose à ses compagnons, puis repoussa brutalement celui qui se dressait devant lui d'un coup de pied dans le ventre. Le choc catapulta Jack contre Matty, qui à son tour entraîna au sol trois personnes qui se trouvaient derrière elle.

D'autres pirates envahirent l'église – vingt, trente, quarante – jusqu'à ce qu'il devienne impossible de les compter. Le vacarme se fit immense et la chaleur suffocante. La peur était palpable. Au milieu de ce chaos émergea la mince silhouette d'un homme. Il repoussa la foule à l'entrée et remonta la nef. Ses hommes s'écartèrent sur son passage. Sa robe bleu nuit volait à chaque pas. Il avait la peau sombre et une longue bande de coton entourait son crâne et retombait sur ses épaules. Il portait une ceinture et de nombreux bracelets d'argent ainsi qu'un cimeterre finement damasquiné. L'homme regarda autour de lui, nota les corps qui gisaient au sol, les enfants qui gémissaient, les femmes terrifiées, les hommes livides. Avec son nez droit et ses yeux noirs, il ressemblait à un oiseau de proie : efficace, précis et sans pitié, songea Cat. Son impression se confirma quand l'homme au turban hurla un ordre à l'adresse des pirates, qui encerclèrent la congrégation. Le chef s'avança alors et se planta devant le prédicateur Truran. Ils s'affrontèrent du regard, puis le pirate éclata d'un rire clair. Comme un danseur, il s'élança d'un bond gracieux derrière le ministre, appuyant sa lame contre sa gorge.

— Tous assis et en silence, ou je tue votre imam ! cria l'étranger avec un accent prononcé.

Le silence succéda à ses paroles et les fidèles s'assirent aussitôt, comme des enfants qu'on gronde. Le chef des pirates eut l'air satisfait.

— Pas de résistance, pas de combat. Vous venez avec nous, et nous ne faisons de mal à personne. Vous essayez de fuir ou de vous battre et on vous tue. D'accord ? C'est très simple.

Quelqu'un entama une prière à voix basse :

— Dieu, délivre-nous de la foudre et de la tempête, de la peste et de la famine, de la guerre et du meurtre, et de la mort soudaine.

— Sauve-nous, Seigneur, sauve-nous.

— Mon Dieu, mon Dieu, mon Dieu.

— Jésus, viens à notre secours.

— Prier Dieu, c'est bien, dit le pillard qui venait de s'adresser à eux. L'âme est fragile, la prière la rend forte. Mais ne parlez pas de Jésus-Christ, c'est juste un prophète, comme vous et moi. Il ne peut pas sauver nos âmes. Debout, maintenant. Suivez-nous en silence.

L'un des pirates souleva l'échevin Polglaze et le balança sur son épaule comme un sac de navets. Un autre releva Mme Polglaze, encore étourdie, et la poussa devant lui.

Personne ne protesta. L'assemblée émergea dans les rues désertes de Penzance, sous le soleil. Ils aperçurent alors trois navires ancrés dans la baie : une élégante caravelle dont les voiles étincelaient sur la mer turquoise, flanquée de deux bateaux plus petits et plus légers, avec d'étranges voiles triangulaires. Cat cligna des yeux. Des détails s'imposèrent à elle avec une force extraordinaire : une mouette volait dans le ciel, comme si tout était normal. Les mules à talons rouges de Nan Tippet résonnaient sur le pavé, tels les sabots d'un âne ; Henrietta Kellynch suçait son pouce et dévisageait le pirate qui poussait son frère à la pointe de l'épée comme s'il s'agissait d'un spectacle qui pouvait s'achever à tout instant, dans un éclat de rire général, avec l'apparition soudaine de l'Obby Oss[5] accom-

---

5. Célébration de l'arrivée du printemps et du retour à la vie, issue de la fête du dieu Soleil celte Bel, qui a lieu le 1er mai. Parmi la foule en fleurs et au son des tambours et des accordéons parade le mannequin d'un cheval noir, « Obby Oss », terme dialectal pour l'anglais *Hobby Horse*, qui représente la fertilité. (*N.d.T.*)

pagné d'une fanfare et de mimes qui dansaient derrière lui. Un chat roux perché sur un mur du quai se frottait le museau et les regarda de ses yeux jaune pâle. Le vieux Thom Ellys passait et repassait la main sur ses lèvres, tandis que son épouse, accrochée à son bras, balbutiait d'une voix sans timbre : « Que se passe-t-il, où nous emmènent-ils, où allons-nous ? »

Où, en effet ? reprit Cat en elle-même. Quelqu'un lui donna une violente poussée dans le dos. Elle se retourna et se trouva face à un brigand qui lui cria des paroles mystérieuses.

Elle secoua la tête, confuse. Il la poussa de nouveau, avec un rire édenté que Cat trouva encore plus terrifiant que le reste.

Quand il aperçut les navires, le bourgmestre Maddern s'adressa soudain au chef des pirates :

— J'ai de l'argent, monsieur. Regardez, dit-il en décrochant une bourse de sa ceinture, cinq guinées et six couronnes, l'or le plus fin. Prenez tout et laissez-nous tranquilles.

— Payez-vous pour chacun d'entre nous, demanda quelqu'un, ou seulement pour vous et votre grasse épouse ?

Le maire rougit – de fureur ou de honte – et fit volte-face pour voir qui l'interpellait ainsi. Le chef des pirates émit un rire bref. Arrachant la bourse des mains du Cornouaillais, il en déversa le contenu dans sa paume. Puis il se tourna vers ses hommes et prononça quelques mots. Ils éclatèrent de rire.

L'étranger porta de nouveau son attention sur le premier magistrat.

— Merci pour ta contribution, le gros, je l'accepte comme acompte.

— Acompte ?

— De ta rédemption, bien sûr.

— Rédemption ?

Le pillard sourit.

— Il y a des oiseaux dans le palais du sultan qui jouent à ce petit jeu. On dit qu'ils sont intelligents, mais je crois qu'ils répètent seulement des bruits, sans comprendre le sens.

Il marqua une pause pour jouir pleinement du désarroi du maire, puis ajouta d'une voix douce :

— La rédemption de ta personne : ta rançon. Pour ta femme, elle est bien en chair, ça plaît aux hommes. On peut en tirer un bon prix. Disons quatre cents livres pour vous deux.

La somme énoncée sembla indigner John Maddern davantage que le concept de rançon.

— Quatre cents livres ? Mais vous êtes fou ! C'est une fortune !

— Moins un acompte de...

Le pirate observa les pièces qu'il avait en main et poursuivit, après un bref calcul :

— Deux livres et six shillings. Cela fera trois cent quatre-vingt-dix-sept livres et quatre shillings dans la monnaie de votre pays. Mais des doublons et des piastres espagnols m'iront aussi.

Il s'interrompit avant de conclure :

— Réfléchis à qui paiera, et comment. Sinon, la graisse de ton gros ventre fondra sur les bancs des galères d'esclaves !

Maîtresse Maddern se mit à sangloter, et son mari semblait se retenir.

La petite troupe était à présent au bord de l'eau. Pourquoi personne ne venait-il ? Les habitants avaient-ils vu les pirates, et se cachaient-ils comme des souris, ou bien priaient-ils dans la chapelle de Raphaël ou de Market-Jew, ignorant le drame qui se déroulait à quelques pas de là ? À Gulval, on chantait maintenant le dernier psaume, songea Cat avec amertume. Elle vit en pensée sir Arthur et sa famille, Rob, le reste de la maisonnée. Ils invoquaient Dieu, sans savoir que trois bateaux pirates s'apprêtaient à emmener soixante de leurs compatriotes.

Au bout de la jetée, des petites barques peintes en bleu oscillaient doucement sur les vagues. Elles n'étaient pas très différentes de celles des pêcheurs locaux. Les étrangers séparèrent la foule en petits groupes. La réalité de leur départ imminent – et sans doute définitif – atteignit alors les Cornouaillais de plein fouet. Un tumulte éclata soudain quand Jack Kellynch et quelques autres se mirent à distribuer des coups de poing. L'un des pirates tomba à l'eau avec un énorme plouf, tandis que son cimeterre volait. La réponse des étrangers fut fulgurante : ils laissèrent Thom Samuels dans son sang, les doigts tranchés, se desserrant lentement telle une fleur qui s'ouvre au soleil.

Les villageois s'entassèrent sans plus de résistance au fond des embarcations, qui s'éloignèrent aussitôt du quai.

Cat ne protesta pas quand on la poussa à bord de la barque, comme une simple marchandise. Elle s'accroupit à la proue, entre deux femmes en pleurs qu'elle ne connaissait pas. Aucun membre de sa famille ne se trouvait à bord avec elle. Elle garda les yeux fixés sur cette terre qu'elle avait tellement souhaité quitter. Elle n'avait jamais vu Penzance depuis la mer. Même si elle vivait au bord de l'océan, elle n'avait jamais mis le pied sur un bateau. L'eau remuait comme une matière vivante, ce qui acheva de la désorienter. Elle protégea ses yeux de sa main et continua à fixer la rive. Quelqu'un allait venir à leur secours ; comment ne pas apercevoir ces trois énormes bateaux ? Ils avaient dû passer devant St Michael's Mount, ses batteries et ses gardes ; pourquoi personne n'avait-il sonné l'alarme ? Ils étaient arrivés dans le brouillard, d'accord, mais à présent, ils étaient bien visibles ! Ils se dressaient au soleil, énormes, arrogants, bannières au vent et matelots sur le pont. La garnison était-elle occupée à prier ? Ou bien les soldats cuvaient-ils la bière dont ils avaient abusé pour célébrer l'absence du gouverneur ? C'était bien la peine de demander des fusils à la Couronne, si les sentinelles et les canonniers passaient leur temps à ronfler !

L'ombre du plus grand navire recouvrit la barque et Cat aperçut deux bannières qui flottaient au sommet. La première arborait trois croissants de lune. La seconde, vert sombre, montrait, au-dessous d'un bras brandissant un cimeterre, deux os en croix surmontés d'un crâne.

12

En moins d'une heure, ils furent embarqués puis entassés dans la cale. Les poignets cerclés de fer, attachés par groupes de huit à de longues barres qui s'étendaient sur la largeur de la soute, ils n'avaient pas beaucoup de place pour s'asseoir, encore moins pour s'allonger, dans ce réduit puant.

La congrégation de Penzance rejoignit une cinquantaine de pauvres captifs déjà détenus dans ces conditions ; des hommes aux visages décharnés, aux yeux fiévreux. Ils contemplaient en silence les nouveaux arrivants que les pirates menottaient à leur place avec force coups et imprécations, ayant appris depuis longtemps à ne pas exaspérer leurs geôliers.

Quand les trappes de la soute se refermèrent au-dessus d'eux, les plongeant dans les ténèbres, les questions fusèrent :

— Sur quel vaisseau vous ont-ils capturés ? demanda un homme dont l'accent indiquait qu'il venait de l'ouest du pays. Un gros, sans doute, puisque vous êtes accompagnés de femmes et enfants.

— À terre, à Penzance, répondit une voix d'homme, en qui Cat crut reconnaître Jack Kellynch.

— À terre ?

— Oui, ils ont envahi l'église et nous ont emmenés pendant la messe.

Un silence s'ensuivit.

— Je n'ai jamais entendu une chose pareille !

— Une cible facile, le dimanche matin.

Le bois du navire gronda et craqua tandis qu'il s'élançait sur l'eau. Quand le roulis leur indiqua qu'ils voguaient en pleine mer, beaucoup d'entre eux se mirent à pleurer. La situation leur semblait pire à présent que d'autres partageaient leur lot – des hommes robustes qui n'étaient pas parvenus à s'échapper, et que personne n'avait tenté de sauver.

Un peu plus tard, quelques ravisseurs pénétrèrent dans la cale. Ils étaient petits et sveltes pour la plupart, leurs yeux noirs brillaient dans la pénombre et ils avaient le crâne rasé à l'exception d'une fine touffe de cheveux sombres. Ils échangeaient des paroles dans leur langue gutturale. L'arrière de leur robe, passé entre les jambes, était attaché par une ceinture sur le devant. Avançant lentement, ils distribuèrent à chaque prisonnier un broc d'eau, un morceau de pain noir et une poignée de petits fruits brun foncé. Ils effectuèrent leur tâche sans adresser un mot aux captifs, qui reçurent tout cela en silence.

Une voix s'éleva :

— Mangez et buvez tout ce qu'ils vous donnent, ou vous ne survivrez pas au voyage.

Cat avala une gorgée d'eau. Elle était saumâtre et acidulée.

— Trempez votre pain si vous ne voulez pas vous casser les dents, intervint un autre homme. Faites pas attention à l'eau, elle est coupée au vinaigre. Enfin, c'est ce qu'ils disent.

Cat mit un des étranges fruits dans sa bouche et le recracha presque aussitôt. Avec un noyau au milieu, il avait un goût salé et amer à la fois : elle n'avait jamais rien goûté d'aussi mauvais.

— Tenez, proposa-t-elle à la femme à côté d'elle, prenez les miens. Je n'en veux pas.

Sa voisine mordit dans le fruit et mâcha longuement.

— J'ai mangé pire, déclara-t-elle enfin. Poisson séché, hareng mariné, fromage pourri... Ça, c'est pas si mauvais. Il faut que tu manges, petite ; déjà que tu n'es pas grasse...

— Qui sont ces monstres et qu'est-ce qu'ils nous veulent ? gémit une femme.

Cat réalisa que c'était sa mère, et elle essaya de percer l'obscurité, en vain. Elle ne semblait pas blessée, ce qui, d'une certaine façon, la réconforta.

— Des pirates de Salé. Ils nous mènent au diable !

Un brouhaha s'ensuivit, puis plusieurs voix demandèrent en même temps :

— Où est Salé ?

— Dick vous le dira, il y est déjà allé. Un vrai Jonas parti pour Tarsis, cet homme-là ! Mais il a pas eu de chance. Raconte-leur ton histoire, Dick Elwith.

À l'arrière, un homme toussa. Une voix grave s'éleva dans la cale.

— Quand j'étais enfant, mon père m'a dit que ceux qui allaient en mer, ils voyaient de leurs yeux les merveilles de Dieu. Dès que j'ai eu l'âge, je suis devenu matelot sur un navire de marchandises de Londres. Mais ce qui m'attirait vraiment, c'était l'argent, et peut-être que c'est pour ça que le Seigneur m'a puni, parce que j'avais plus que de la curiosité pour les merveilles de Dieu et plus que le simple désir de le prier. J'ai cru pouvoir modifier ma condition et m'élever par mes actions, mais ce n'était pas mon destin.

« Ils m'ont pris pour la première fois en 1618. Notre navire faisait cap vers les îles de Madère, avec à son bord une cargaison de bœuf et de sel. Tôt un matin, à environ une centaine de lieues[6] du cap de Roca, au large de Lisbonne, on a vu une voile qui nous pourchassait. On a hissé toute la toile possible, tenté de changer de cap, poussé la barre, mais rien à faire : ils gagnaient sur nous. Quand la lune s'est levée, ils se sont approchés et nous ont hélés : « D'où venez-vous ? – De Londres. » On leur a demandé la même chose : « De Salé », ils ont répondu dans un grand rire. Comprenant alors que c'était des pirates turcs, on leur a envoyé une bordée. Mais ces diables ont réussi à l'éviter. On a tenté de s'échapper, en vain : ils sont restés empoissés à

6. Lieue nautique = 5,5 km. (N.d.T.)

127

notre poupe tout le jour puis la nuit d'après. À l'aube, ils ont hissé le pavillon turc, on a hissé le pavillon anglais. Plus de poudre en magasin : on a dû se rendre. Les pirates ont lancé des grappins et une centaine de leurs hommes se sont élancés sur nos ponts. Ils ont alors taillé et tranché tout le gréement possible, nous forçant à nous soumettre, puis ils nous ont fait monter à bord avant d'envoyer notre navire par le fond. Ensuite, ils nous ont emmenés à Salé, un port mauresque sur la côte nord de l'Afrique…

— L'Afrique ? gémit une femme. Mais c'est un continent de sauvages, de l'autre côté du monde, ou presque ! Seigneur, est-ce que je reverrai mon pays ?

D'autres cris d'angoisse s'élevèrent.

— Laissez parler cet homme ! Visiblement, il a survécu à cette expérience, même si, par malheur, il a été capturé une seconde fois.

Ça, c'est Walter Truran, songea Cat. La voix du prédicateur remplissait le ventre du vaisseau comme la nef de l'église. Elle en eut aussitôt la confirmation lorsqu'il poursuivit :

— Le Seigneur n'afflige ni ne chagrine volontairement Ses enfants, mais nous Le forçons à prendre en Sa main Son bâton pour qu'Il l'applique sur notre dos, car la folie qui nous habite ne saurait autrement quitter nos corps.

« Ainsi apprit-Il à Judée le prix de la liberté de Canaan, avec le carcan de Babylone.

— Amen ! cria un homme, repris par d'autres.

— Mais je ne mérite pas Son bâton, se lamenta une voix, ni d'être emmené par ces païens qui…

— Silence, donc, âmes dissolues que vous êtes ! Continuez, Dick Elwith ; dites-nous quel sort nous attend chez ces Maures.

— Conduits sur la place du marché, nous y fûmes exhibés sans vêtements sur le dos. Mes quelques connaissances de la mer m'ont valu d'être vendu au patron d'un vaisseau pirate. Mais comme j'ai refusé de me faire turc en reniant Jésus-Christ, ils m'ont gardé aux rames. Je les ai poussées pendant trois ans, enchaîné comme un animal, appelant la mort de mes prières ! Mais Notre-Seigneur avait pour moi d'autres plans : un navire hollandais nous a attrapés un jour, armé de vingt canons. Son capitaine et ses braves se sont emparés du vaisseau pirate, et ils l'ont ramené chez eux. Je suis rentré chez moi, pas beaucoup plus riche mais plus avisé, jurant de ne jamais remettre les pieds sur un bateau.

— Comment vous êtes-vous retrouvé ici, alors ?

— Par ma faute, hélas. La cupidité l'a emporté sur mes hésitations. Manquer d'or et de fortune sur terre, c'est pas facile. Je voulais aussi me marier, donc il me fallait un peu d'argent. J'ai repris du service sur un vaisseau qui ne voguait qu'en Mer anglaise[7]. Stupidement, je m'y croyais en sûreté. Nous bourlinguions entre Plymouth et la France, jamais plus loin. Il y a deux semaines de cela, trois navires au pavillon hollandais sont apparus au loin, ce qui ne nous a pas alarmés : souvent, leurs marchands croisent dans nos eaux. Nous les avons laissés s'approcher un peu trop près. Mais j'ai fini par reconnaître l'équipage, et j'ai crié au capitaine : « Capitaine Goodridge – il est assis ici, à côté de moi –, hissez haut les voiles et fuyez, je connais les hommes qui voguent sur ces navires ; ils ne sont pas de Hollande mais de Salé, ils vont nous prendre comme esclaves ! » M. Goodridge ordonna de border. En vain, ils nous ont rattrapés avant. Dès qu'ils nous ont pris à leur bord, ils ont hissé leurs vraies couleurs : trois croissants de lune sur fond vert, et le pavillon de Salé qui montre un cimeterre brandi au-dessus d'un crâne et d'os croisés.

Une autre voix, sans doute celle du capitaine Goodridge, intervint :

— Un trait du diable que cette traîtrise ! Comment on aurait pu savoir qu'ils étaient turcs ?

---

7. La Manche. (N.d.T.)

— Le savoir ne vous aurait pas aidé, ni la fuite. Ces Ruffians de Salé sont de bons marins, sans pitié, et ils n'abandonnent jamais leur proie.

S'ensuivit une véritable explosion de voix qui toutes souhaitaient raconter leur histoire. La cale abritait des prisonniers venus de dizaines de vaisseaux et chacun parlait sa propre langue : Espagnols, Flamands, Anglais du Devon, deux Irlandais, et même un homme venu de Newfoundland qui avait vogué vers Hartland pour retrouver sa famille. Ils avaient été capturés sur des bateaux de pêche ou des vaisseaux marchands, alors que la congrégation du révérend Truran, pour la première fois, avait été enlevée à terre. De plus, elle était la seule à compter des femmes et des enfants.

— Pardonnez la puanteur et la crasse, ils nous traitent comme un troupeau de porcs et nous font manger, déféquer et dormir à notre place.

Plusieurs femmes poussèrent un cri d'horreur mais Dick Elwith ajouta :

— Non, l'ami, pas des porcs. Les Turcs ne supportent pas le cochon, qu'ils ne veulent ni manger ni élever. Les porcs sont mieux traités que ça.

— « Le porc a le sabot fourchu et fendu mais ne rumine pas : vous le tiendrez pour impur », cita le prêcheur. Deutéronome, chapitre onze. En priant de devenir un animal inférieur, l'ami, tu fais honte à la Création de Dieu et tu maudis ton âme éternelle.

Le vaisseau fit une embardée. Un grondement s'éleva du côté des marins qui reconnurent le nouveau rythme.

— Nous faisons cap au sud sur une voie maritime, à présent. Ils ne s'arrêteront pas avant de toucher terre. Jusqu'au Maroc.

— Combien de temps cela prendra-t-il ?

— Un mois, avec des vents et conditions favorables.

— Et si nous rencontrons une tempête ?

— Si le vaisseau coule, on coulera avec, ricana Dick Elwith sans aucune joie en faisant cliqueter ses chaînes.

Un concert de lamentations lui répondit.

Le révérend Truran appela au calme :

— Retenez vos peurs ; ne laissez pas nos ravisseurs voir qu'ils ont dompté nos espérances. Notre force est en Notre-Seigneur : Il nous apportera réconfort et nous protégera de ces démons qui se sont emparés de nous. Écoutez la parole de Dieu et rassemblez votre courage !

« Seigneur, entends la justice, réponds à mon cri, écoute ma prière, que je ne profère pas d'une bouche trompeuse. Décide de ma destinée, ô Dieu, en Ta divine équité ! Tu m'as visité la nuit et mis dans le creuset, éprouvant mon cœur : Tu ne trouvas rien, ô Seigneur, car ma bouche n'est pas en désaccord avec ma pensée. Je suis resté fidèle à Tes paroles, je me suis gardé de m'engager sur la voie des violents… »

Un rire éraillé l'interrompit, mais le ministre éleva la voix :

— « Permets-moi de suivre Ta voie sans trembler. Je T'invoque, car Tu m'exauces, ô Dieu ; incline vers moi Ton oreille, écoute ma prière. Donne-moi un signe de Ta bonté, Toi qui sauves ceux qui se réfugient à Ta droite pour lutter contre leurs adversaires… »

La seconde interruption fut plus difficile à ignorer. La cale fut soudain inondée de lumière et de bruit quand quatre hommes firent irruption, munis de lanternes et d'épées. Poussant des cris dans leur langue, ils se mirent à distribuer des coups de knout au hasard.

L'un d'eux arriva près de Walter Truran.

— Toi te taire, chien d'infidèle ! hurla-t-il dans un anglais approximatif avant de frapper le prisonnier au visage.

Stoïque, le révérend rugit :

— « Garde-moi comme la prunelle de Ton œil, protège-moi à l'ombre de Tes ailes ! Mets-moi à couvert des impies qui me persécutent, des ennemis mortels qui m'entourent… »

Une lame étincela soudain contre sa gorge. La voix du ministre s'éteignit.

L'un des pirates sortit une clef et déverrouilla la barre où le révérend Truran était menotté. La faisant coulisser, il fit signe aux quatre hommes qui y étaient attachés de se lever. Un autre corsaire déverrouilla la barre qui retenait Cat et trois autres femmes captives.

— Debout ! Debout !

Elles obtempérèrent tant bien que mal, malgré le roulis du bateau et la semi-pénombre. L'une des femmes – Cat l'avait déjà aperçue au marché du mardi mais ne connaissait pas son nom – s'accrocha à elle. Luttant pour regagner son équilibre, Cat enfonça son soulier dans une matière molle et visqueuse. Une odeur écœurante envahit l'air déjà saturé. De façon totalement incongrue, elle pensa qu'elle allait gâter ses plus beaux bas. Elle ne fut rappelée à la réalité que quand elle émergea sur le pont, le visage fouetté par les embruns.

Sur le tillac, le capitaine des pirates était assis sur une escabelle de bois sculpté, les pieds posés sur une boîte ornementée. À sa gauche avait pris place, jambes croisées, un homme vêtu d'une robe blanche et la tête couverte d'un turban. Il portait sur les genoux un plateau pâle et poli et, à la main, un nécessaire à écriture. De l'autre côté du chef des pillards se trouvait une sorte de jarre de verre à demi remplie d'un liquide transparent, dont le col et le pied étaient ciselés d'argent. Du milieu de cette étrange amphore sortait un long tuyau, enveloppé de soie pourpre et parsemé de petits glands de même couleur, qui se terminait par un bec d'argent que le pirate tenait entre ses lèvres. Sous les yeux curieux des captifs, le capitaine aspira longuement dans le bec, occasionnant des remous dans le liquide. Fermant les yeux, il inspira puis exhala un nuage parfumé. C'est Lucifer en personne, songea Cat. Avec son visage et cette drôle de peau foncée, il est assis sur sa chaise comme sur le trône de l'enfer.

Sur un signe de lui, les hommes qui les avaient sortis de la cale poussèrent les prisonniers devant eux. Piquée dans le dos,

Cat se retourna vivement. Stupéfaite, elle découvrit un homme aux yeux bleus et aux cheveux carotte, au visage constellé de taches de rousseur. Son geôlier lui adressa un sourire moqueur et un clin d'œil.

— Alors ma jolie, on s'attendait pas à voir un Anglais parmi cette compagnie ?

Cat demeura bouche bée avant de se reprendre.

— Un Anglais de l'ouest en plus, si j'en juge par votre accent. Pour l'amour de Dieu, vous ne pouvez pas parler en notre nom et nous sauver de ces brutes ?

L'autre éclata de rire puis cracha au sol.

— J'éprouve aussi peu d'amour pour ton dieu que notre raïs, ici : je suis devenu mahométan il y a deux ans. Will Martin est mort, on m'appelle maintenant Ashab Ibrahim – Ibrahim le Roux –, ce qui me va sacrément mieux. J'étais pauvre et méprisé à Plymouth. Tourneur de douelle et apprenti tonnelier. On m'a forcé à rejoindre les rangs de la marine de Sa Majesté, du moins ce qu'il en reste, que Dieu les fasse pourrir en enfer ! Et voilà que mon sauveur a surgi et coulé notre bateau avant de m'emporter, moi et mes compagnons. Alors je suis devenu renégat. Depuis, je vogue sur les mers en compagnie de ces braves gars de la flibuste. J'ai une belle maison à Salé, deux épouses plus aimables que toutes les femmes de Devonport réunies, et plus d'or que j'aurais jamais pu en amasser en trois existences. *Allah akbar*. Dieu est grand ! Et tu sais comment je me suis fait cette jolie petite fortune ?

Elle secoua la tête, même si elle avait sa petite idée.

L'homme se rapprocha d'elle et poursuivit sur un ton de conspirateur :

— Pour chaque esclave pris et vendu, je touche un centième de la part. Quand on arrivera à Salé, j'empocherai un bon paquet, c'est certain !

Il lui adressa un autre clin d'œil salace puis reprit :

— P'têt' même que je t'achèterai, beauté. Pour sûr que des cheveux comme ça, ils doivent réchauffer le lit d'un homme pendant l'hiver !

Cat le regarda fixement. Si les chrétiens se tournaient ainsi contre les leurs, il n'y avait de justice nulle part !

— Ibrahim ? appela l'homme assis.

Ashab Ibrahim, anciennement Will Martin, lui accorda aussitôt toute son attention.

— Oui, Al-Andalusi ?

— Silence ! C'est moi qui parle, maintenant.

Le renégat baissa la tête.

— Toi, là, avec la robe noire, dit Al-Andalusi en désignant le prédicateur à l'aide du bec argenté avec lequel il avait fumé, ton nom ?

— Mon nom ne sera entendu que de moi et de Dieu, répondit l'autre.

Le raïs soupira.

— Pas de nom, pas de rançon

Le révérend sembla plus indigné encore.

— Une rançon ? Monsieur, mon âme n'appartient qu'à moi ! Je ne soumettrai pas ma famille à ce chantage !

Une voix s'éleva alors :

— Monseigneur, heu, raïs, mon nom est John Polglaze, je suis échevin de la ville de Penzance. Rendez-nous aux bons soins de nos proches et je vous promets que vous serez royalement récompensé.

Al-Andalusi leva un sourcil.

— Écris, Amin. Toutes informations, utiles.

Son attention revint au prisonnier :

— Toi, pas pauvre, je vois ça à tes vêtements. Tourne les poches, montre les mains.

John Polglaze le regarda sans comprendre la requête.

— Ibrahim !

Le renégat s'approcha de Polglaze et explora ses poches d'une main experte. Il en sortit une poignée de pièces et quelques bagues. Puis il saisit la main de l'échevin dont il présenta la paume à l'inspection de son capitaine. Le raïs grogna.

— Tout blanc et mou, pas bon pour ramer ni travailler dans champs. Une semaine, pas plus ! Combien ta famille payera pour toi ?

L'échevin balbutia :

— Je... euh... je ne sais pas, heu... monsieur raïs.

— Quatre cents livres ?

— Impossible ! Jamais !

Al-Andalusi agita la main.

— Quatre cents livres, Amin ; cent cinquante pour John Poll Glèze et deux cent cinquante pour la femme. Elle est belle. Son nom ?

— Elizabeth, mais monseigneur...

— Ah, comme l'ancienne reine, excellent. Ennemie de bâtard espagnol, bonne amie de Maroc, donne beaucoup, le bois pour construire les bateaux, beaucoup de canons. Amin, écris deux cent vingt livres anglaises pour Elizabeth Poll Glèze : avec son nom, c'est moins cher.

Il répéta ses instructions dans sa propre langue pour le scribe, puis il fit un signe de la main.

— Suivant.

Le suivant était un pêcheur d'une trentaine d'années. Trapu, le visage presque aussi brun que celui du pirate, il avait des muscles durs et tendus comme les cordes d'un fouet. Ses poches contenaient un couteau, que le raïs soupesa avant de le rendre à Ibrahim, un mouchoir en lambeaux et deux piécettes de cuivre.

— Henry Symons, de Newlyn. Ma famille est pauvre ; vous ne recevrez rien d'eux pour moi.

Le raïs éclata de rire.

— Tu sais ramer ?

— Oui, bien sûr, et naviguer.

Le pirate prononça quelques paroles dans sa langue, que le clerc écrivit en souriant.

Le prisonnier qui s'avança ensuite était plus âgé. Cat reconnut le vieux Thomas Ellys. L'arthrite gonflait ses articulations et l'âge lui courbait le dos. Il avait trois piécettes dans la poche, et un peigne en os jauni. Le raïs inspecta sa main : calleuse et rêche, elle confirmait son statut de manouvrier et son manque de fortune. Il se tourna vers le clerc et ils débattirent quelques instants. Puis le chef appela un de ses hommes à qui il désigna du doigt le vieux pêcheur. Le matelot conduisit le Cornouaillais jusqu'au bastingage. Sans plus de cérémonie, il le poussa par-dessus bord. Il y eut un silence, un plouf, puis un autre silence.

— Espèces de barbares ! s'écria le révérend.

Il observa la mer qui s'étendait autour d'eux. Même un jeune homme en pleine santé n'avait aucune chance de rejoindre la terre à la nage.

— Que Notre-Seigneur Jésus-Christ le prenne en Sa divine pitié.

Le raïs haussa les épaules.

— Pas assez de provisions. Pas gaspiller pour vieil homme inutile. Si votre Jésus se soucie de son âme, il fera un miracle.

Il ajouta :

— Les Romains ont appelé en premier mon peuple « Barbares », et « incultes » ; mais eux étaient ignorants, tous les autres aussi. Mon peuple est Imazighen, « les hommes libres » ; fiers d'être berbères. Chez moi dans les montagnes, je parle le langage de mon peuple ; pour les affaires dans la *qasba*, je parle espagnol ; avec les autres corsaires, je parle arabe et la *lingua franca* des ports ; je connais aussi un peu anglais et hollandais. J'ai lu chaque page du Coran et, par curiosité, quelques-unes de votre Bible. Dans ma collection de livres, je possède le *Voyages* de Ibn Battuta, la poésie écrite par Mawlana Rumi, *Muqaddimah* de Ibn Khaldun, et *Cosmographia Dell'Africa* de al-Hassan ibn Muhammad al-Wazzani. J'ai lu tous ces livres. Dis-moi maintenant : qui est barbare ?

— Voler des innocents, femmes et enfants, pour les vendre en esclavage est l'acte d'un barbare.

— Alors les grandes nations du monde sont barbares aussi ; Espagne, France, Portugal, Sicile, Venise. J'ai ramé des années sur un bateau sicilien, j'ai beaucoup de cicatrices sur mon dos. Angleterre aussi : grands héros de vous, Drake et Hawkins, sont barbares aussi, et pires que les corsaires de Slâ (que les ignorants appellent Salé) car ils sont méchants avec les prisonniers et les gardent pour eux seulement.

— Ce qui n'est pas votre cas ?

— Je suis *al-ghuzat*, guerrier du prophète. Mes hommes et moi faisons le jihad – la guerre sainte – sur la mer et les terres de nos ennemis, et capturons les infidèles pour les vendre au marché. Argent gagné, investi dans le bien-être de notre peuple et la gloire de Dieu. Le Seigneur aime bien que les riches infidèles retournent à Allah.

— Alors vous n'êtes pas seulement barbares, mais aussi hérétiques !

Les yeux du ministre étincelaient à présent. Sa barbe volait dans le vent. Il ressemblait à un prophète de l'Ancien Testament, songea Cat : Moïse appelant l'orage de grêle sur l'Égypte.

Al-Andalusi bondit sur ses pieds, bousculant la *chicha* qui se renversa sur le pont.

— Pas de ce mot avec moi ! Espagnols ont appelé mon père hérétique : l'Inquisition a brisé ses os. Mais pas son esprit.

Il se tourna et cria un ordre. Trois de ses matelots s'éloignèrent aussitôt, puis revinrent quelques instants plus tard. L'un d'eux portait une barre en fer, aplatie au bout, et les deux autres, un petit brasier qu'ils posèrent à côté du raïs. Le premier homme y plongea aussitôt le bout de la barre jusqu'à ce qu'il prenne d'abord une teinte rouge, puis blanche. Walter Truran ne le quittait pas des yeux. Puis il se mit à prier.

Al-Andalusi émit un ordre, et ses hommes retirèrent ses bottes au révérend Truran.

— Toi, ta foi est si grande foi pour ton prophète crucifié ; maintenant tu es honoré à jamais en portant sa marque.

Il accompagna ses paroles d'un geste adressé à ses hommes ; l'un d'eux maintint le révérend au sol tandis que l'autre appliquait le fer sur les plantes blanches et ridées de ses pieds. Cat ferma les yeux, mais elle ne put éviter d'entendre le grésillement de la chair et de sentir l'odeur de brûlé.

Alors que le prédicateur se recroquevillait en gémissant sur le pont, Ashab Ibrahim lui fouilla les poches, en retira un petit couteau à manche d'ivoire, une poignée de piécettes et un psautier relié de cuir. Le raïs feuilleta le livre avec curiosité avant de le rejeter.

— Si toi me donnes pas ton nom, j'inscris toi comme imam.

— Ne me désigne pas d'un nom idolâtre ! Je m'appelle Walter Truran, tu peux ajouter « homme de Dieu ». Mais je te préviens : il n'y a personne auprès de qui tu pourras exiger une rançon.

Le raïs haussa les épaules.

— Ton âme est forte, ton corps est fort. Peut-être ton destin est les galères. Ou peut-être tu amuseras le sultan Moulay Zidane. Tes pieds ne seront pas bandés. Tout le monde verra ce qui arrive si on me défie.

Vint le tour de Cat d'être menée devant le chef des pirates. Effrayée par ce qu'elle venait de voir, elle n'osait lever les yeux sur son bourreau. Les genoux tremblants, elle pria en silence qu'il en termine au plus vite avec elle. Même les ténèbres puantes de la cale étaient préférables à cela !

— Ton nom ?

— Catherine, commença-t-elle d'une voix aiguë de souris. Catherine Anne Tregenna, reprit-elle plus distinctement.

— Tu as une robe verte, Cat'rin Anne Tregenna. Pourquoi ?

La remarque était tellement inattendue qu'elle leva la tête. Son regard croisa celui du raïs, qui lui fit l'effet d'une morsure de feu.

— Je… euh, c'est une vieille robe, monsieur.

— Vert, c'est la couleur du Prophète, pour les descendants du Prophète seulement. Tu es la fille du Prophète ?

Catherine secoua la tête, incapable de répondre.

— Retire la robe ! Insulte au Prophète !

— Je... Je ne peux pas... elle se lace dans le dos...

Al-Andalusi se pencha en avant.

— Une femme qui ne peut pas enlever sa robe seule, elle a un esclave. Tu es riche, Cat'rin Anne Tregenna ?

Quelle était la meilleure réponse ? Cat raisonna qu'il valait mieux qu'il croie nécessaire de la garder saine et sauve pour obtenir une rançon. Elle ne voulait pas terminer par-dessus bord, brûlée comme le révérend ou, pire, comme prostituée soumise au plaisir bestial de l'équipage. Elle se redressa.

— Je suis Catherine Tregenna du manoir de Kenegie, et non sans biens.

Le raïs traduisit à l'intention de son scribe.

— Tourne-toi, lui intima-t-il ensuite, tirant une dague courbe et délicatement ouvragée de sa ceinture.

Craignant le pire, Catherine s'exécuta et attendit le froid contact de la lame contre sa gorge. Au lieu de cela, elle se sentit bientôt libérée d'une pression et sa robe tomba soudain à ses pieds, la laissant tremblante, dans sa chemise. Instinctivement, elle croisa les bras sur sa poitrine.

Al-Andalusi se pencha et secoua la robe. La sacoche tomba et il s'en empara aussitôt.

— C'est quoi ? Des prières à ton dieu ? demanda-t-il en brandissant le petit livre.

Personne ne devait toucher son journal ! Il abritait ses secrets les plus intimes. Sans réfléchir, elle tendit la main. Un instant, ils s'affrontèrent du regard, puis le pirate lui rendit le petit ouvrage.

— C'est un livre de broderie, expliqua la jeune femme à voix basse. Là, regardez...

Elle l'ouvrit à une page où elle n'avait rien écrit et montra un motif de gerbe de fleurs stylisées qui aurait pu orner les manches d'une robe.

— Il contient des dessins à copier. Comme cela.

Enhardie, elle souleva son jupon d'un pouce ou deux pour exhiber la fine broderie de ses bas.

Il pencha la tête pour mieux l'examiner.

— Toi-même as fait ce travail ?

— Oui.

Le raïs s'adressa au scribe, qui ajouta quelque chose à sa liste. Puis il rendit la petite sacoche à Cat.

— Les femmes à la cour du sultan paient beaucoup pour le travail comme ça. Peut-être tu apprends à elles de nouveaux dessins. Et peut-être aussi sultan Moulay Zidane donnera à moi beaucoup d'or pour la nouvelle femme dans le harem, surtout une femme avec la peau claire et les cheveux comme le coucher du soleil. Prix huit cents livres pour une capture si rare.

Huit cents livres ? C'était énorme ! Cat serra sa bourse contre sa poitrine, le cœur battant. « Pauvre idiote ! Voilà ce que ça rapporte de chercher à te montrer plus fine mouche que cet homme ! À présent, tu es tellement chère que personne ne pourra te payer. Tu termineras ton existence en terre étrangère, regrettant jour après jour de ne point entendre une voix anglaise, de ne plus sentir la douce pluie cornouaillaise, de vivre éloignée de Rob et de toutes ces choses ordinaires que tu as rejetées par vanité ! » Un pirate lui jeta une robe de laine sur les épaules, puis la ramena à la cale. Elle trébucha et faillit tomber dans les escaliers, comme en proie à un rêve. Un rêve dont, peut-être, elle ne s'éveillerait jamais.

13

Ceux qui esgalement sont captifs des pirates les appellent Ruffians de Salé et affirment qu'ils proviennent du Maroc, sur la coste de Barbarie, en Afrique ; mais quand la vieille Ægyptienne, m'apprenant ma fortune, me dit que je ferais un lointain voyage pour, à la fin, trouver l'union entre la terre et le ciel, je ne songeai pas à si terrible destinée. Si Dieu me voye, certes, Il sourit de ma vanité, à présent…

J'eus du mal à m'endormir après la lecture de ces notes, dans le journal de Catherine. J'étais abasourdie. Je venais à peine de m'habituer aux descriptions qu'elle faisait de sa vie quotidienne à Kenegie et des jalousies ou frustrations mesquines qui régnaient dans la petite communauté. Je comprenais mieux son étrange orthographe, et j'évitais les mots qui me posaient problème. J'aimais bien ses commentaires amers au sujet de ses collègues, son angoisse à l'idée d'épouser son cousin qui me semblait cependant un brave garçon. J'avais même hâte de découvrir en quoi consistait un mariage au XVIIe siècle : la robe, les repas, et bien sûr les réactions de Cat à son statut d'épouse. J'étais totalement sous le charme de cette fille disparue depuis si longtemps. Je me sentais impliquée dans sa vie, ses espoirs, ses peurs. J'avais également espéré en apprendre davantage au sujet de cette nappe d'autel qu'elle avait entrepris de broder ; la comtesse de Salisbury avait-elle réapparu ? Je voulais lire la surprise de cette noble dame et de la maîtresse de Cat devant son Arbre de la Connaissance si travaillé. Autant l'admettre, j'avais entretenu l'espoir de retrouver cette nappe magnifique afin d'écrire un article assorti de photos. Dieu me pardonne, j'avais même songé à demander à Anna les noms de quelques contacts utiles pour placer mon papier !

La brève et sanglante rencontre avec les pillards m'avait stupéfiée. J'avais vécu en Cornouailles les dix-huit premières années de ma vie sans que quiconque, jamais, ne prononce les mots « Barbarie » ou « pirate ». Je ne savais que penser : l'histoire que j'avais apprise de cette région reposait-elle sur des fondements erronés ? Ou bien Cat, en proie à une fantaisie démesurée, puisait-elle dans la fiction de quoi tromper son angoisse et son ennui ? Si ma première hypothèse se révélait la bonne, il me fallait trouver des informations sur le sujet. Je décidai d'accompagner Alison et Michael au cottage de Mousehole, puis de m'éclipser pour me rendre à la bibliothèque de Penzance. Là, j'espérais dégoter, sur Internet et sur les étagères dédiées à l'histoire locale, tout ce qui avait trait à la Cornouailles des années 1620.

Une petite voix railla dans un coin de mon esprit : comment Catherine, enlevée par des marchands d'esclaves, serait-elle parvenue à garder son petit livre de broderie et à écrire ses notes dans ces terribles conditions ? Et si elle avait réussi, comment son journal serait-il revenu au pays, plus spécifiquement dans la maison d'Alison, si proche de l'endroit même où elle avait été enlevée ? Mais si, d'un autre côté, la jeune fille avait bien trouvé refuge dans la fiction pour échapper à la réalité, l'histoire qu'elle avait écrite faisait d'elle la première romancière d'Angleterre, avant Daniel Defoe, qu'elle précédait de presque un siècle. L'une ou l'autre possibilité rendait le petit ouvrage infiniment précieux et me poussait plus encore à le garder hors de portée de Michael.

Après nous être garés aux abords du village, Michael, Alison et moi descendîmes à pied la route principale. Je poussai une exclamation enthousiaste en émergeant, au sortir d'un dernier tournant, dans le port illuminé de soleil.

— Comme c'est beau ! s'exclama Michael à son tour.

Devant nous, des embarcations colorées, attachées sur toute la longueur du quai, formaient une longue ligne qui se balançait sur l'eau, tandis qu'autour de la baie les pentes des collines étaient recouvertes de charmants petits cottages.

Si l'on enlevait les voitures, les yachts, les lampadaires et les touristes, le décor ne différait guère de ce qu'il était quelques centaines d'années plus tôt, songeai-je avec nostalgie. Il ne restait plus beaucoup d'endroits au monde comme celui-ci, et encore, beaucoup avaient perdu leur âme. Mousehole gardait la convivialité des villages où l'on regardait les touristes aller et venir, comme la marée. Devant l'épicerie, quelqu'un avait attaché un grand tableau noir et écrit, en grosses lettres hésitantes : « Joyeux anniversaire, Alan, 73 ans aujourd'hui ! » Un groupe de vieilles femmes qui d'évidence partageaient le même coiffeur – lequel maîtrisait parfaitement le style du casque gris permanenté – discutaient avec animation à l'arrêt de bus. Alors que nous les dépassions, j'entendis l'une d'elles déclarer : « … Et il s'est levé pour monter à bord de son bateau, sans s'apercevoir qu'elle était morte… », ce qui déclencha les gloussements de son auditoire, comme si ce genre de méprises était monnaie courante parmi les hommes du village.

— C'est là-haut, déclara Michael après avoir consulté un plan griffonné.

Je vis de loin que le dessin était d'Anna. Mon amie était le genre de personne capable d'esquisser une carte propre, précise et minutieuse. Si elle avait composé des cartes marines avec Magellan, on n'y aurait pas distingué de monstres fantaisistes surgissant des profondeurs, ni de légende affirmant « Ci-gisent des dragons » ni aucune référence à des sirènes ou autres créatures inutiles, mais la simple mention : « Eaux profondes. » C'était probablement ce manque d'imagination qui avait permis à Michael de poursuivre, durant toutes ces années, sa liaison avec moi.

La rue était trop étroite pour y circuler en voiture. Les habitants l'avaient décorée avec une profusion de bacs où poussaient des fleurs ou des plantes à l'aspect parfois préhistorique, comme des choux géants. Devant une maison extravagante se trouvait une moitié de barque remplie de pots de géraniums. Le cottage d'Anna avait des murs blanchis à la chaux et des volets d'un joli bleu passé. Des déjections de mouettes tachaient les vitres et une mousse verdâtre envahissait le toit mais, même ainsi, il était charmant.

À l'intérieur, pourtant, le cottage n'avait rien d'une maison de poupée. Sombre, lugubre et crasseux, il exhala une forte odeur de moisi dès que Michael ouvrit la porte. Le plafond, très bas, était jauni par l'âge et le tabac ; le vieux locataire avait dû fumer la pipe. Les fauteuils étaient couverts de taches et les accoudoirs étaient élimés. Le tissu de l'un d'eux, au dos, avait même été arraché jusqu'à la bourre, là où un chat s'était fait les griffes.

— Le pauvre, dit Alison. Il a bien besoin de soins et d'attentions, n'est-ce pas ?

Un instant, je crus qu'elle avait aperçu l'animal de compagnie dans un coin, décharné depuis le départ de son maître. Puis je compris qu'elle parlait du cottage.

— C'est ce qu'a dit l'agent immobilier, mais j'ai cru sur le moment qu'elle voulait parler d'une couche de peinture et d'une nouvelle moquette.

— Ah, les agents immobiliers, soupira Alison en levant les yeux au ciel, qu'est-ce qu'ils en savent ?

Des cartons empilés contre un mur indiquaient « livres » et « vaisselle ». Michael se précipita vers la première pile aussitôt qu'il l'aperçut, s'empara du carton perché au sommet et en déversa le contenu au sol, qu'il se mit à fouiller d'un œil avide. Soupçonnait-il, cachées là, d'autres antiquités semblables à *La Gloire de la brodeuse* ? Je m'accroupis à côté de lui pour examiner ce qu'il avait sorti du carton : des éditions de poche aux couvertures souples et jaunies, des romans passés de mode sur la Seconde Guerre mondiale, de vieux romans d'espionnage américains.

— Depuis combien de temps cet endroit appartient-il à la famille d'Anna ? demandai-je d'un ton léger.

Michael ramassa un livre cartonné, l'ouvrit à la page de garde qu'il parcourut du regard, secoua ensuite l'ouvrage au cas où quelque feuillet s'y serait glissé, puis l'écarta.

— Oh, longtemps. Je ne sais pas...

— Le temps semble s'être arrêté, ici. Anna n'y est jamais venue ?

Il me regarda, mécontent.

— Je ne crois pas. Pourquoi serait-elle venue ?

— Eh bien, à sa place, j'aurais aimé jeter un œil à mon héritage. Ça semble un peu cavalier d'empocher le loyer et de le laisser sombrer dans la ruine. Quand je pense au pauvre vieux qui vivait ici...

— Écoute, je n'ai rien à voir avec ça. Je suis juste venu inspecter ce qui reste et m'assurer que les liquidateurs n'ont rien oublié.

— Comme le livre que tu m'as offert ?

Le journal de Catherine, dans mon sac, pesait de façon rassurante. Il émettait des signaux d'une telle force que j'étais presque surprise que Michael ne perçoive pas sa présence.

— Arrêtez de vous chamailler, tous les deux ! intervint Alison. Viens, Julia, on va jeter un coup d'œil aux alentours.

Elle me prit par le bras et me traîna presque hors du salon. Baissant la tête pour passer sous le linteau de la porte, je la suivis dans une minuscule cuisine.

— Vous ne pouvez pas essayer de vous comporter de façon civilisée l'un envers l'autre ?

Je fis une grimace, regrettant un peu plus d'être venue. La présence de Michael ravivait mon chagrin. De plus, le récit de Cat me hantait. J'éprouvai soudain le besoin impérieux de m'élancer au-dehors, à la lumière du soleil.

— Je crois que je vais marcher un peu, dis-je à Alison. J'ai mal à la tête.

Elle eut l'air surprise.

— Oh, d'accord. Ça te dérange si je reste un moment ?

— Vis ta vie.

La remarque était grossière, mais je ne me sentais pas d'humeur à faire des efforts. Je lui en voulais encore d'avoir encouragé Michael à venir.

Lorsque je revins au salon, mon ex fouillait son troisième carton.

— C'est intéressant ?

— Non, rien que des vieux déchets.

— C'est tout ce que tu mérites, marmonnai-je avant de quitter la pièce.

J'avais l'intention de chercher un endroit tranquille et ensoleillé où m'asseoir pour lire, mais à peine avais-je parcouru quelques mètres qu'une vieille femme me fit signe. En m'approchant, je réalisai qu'elle louchait. Embarrassée, je crus avoir réagi à un appel adressé à quelqu'un d'autre. Je me retournai, mais il n'y avait personne d'autre dans la rue.

— Bonjour, dis-je avec précaution.

— Vous cherchez quelque chose, ma chère.

— Non… Je me promène, j'apprécie la vue.

Son visage souriant était ridé comme le cuir d'un vieux sofa Chesterfield. Elle avait un œil dirigé derrière mon épaule, l'autre fixé sur mon menton : je ne savais lequel regarder. Elle s'approcha un peu plus.

— Je vois bien que vous cherchez quelque chose, insista-t-elle, puis elle me tapota la main. Tout ira bien, vous verrez.

De toute évidence, elle était un peu folle. Je souris.

— Merci, c'est bon de le savoir. Vous vivez dans un très joli village ; je m'en vais le visiter.

Je reculai d'un pas, mais elle agrippa mon bras.

— Pour trouver ce que vous cherchez, vous devrez voyager, et ce que vous trouverez ne sera pas ce que vous cherchiez. Ce sera – elle m'offrit alors un sourire éblouissant, comme si elle voulait attirer sur moi la bénédiction de tous les anges du ciel – bien plus merveilleux que tout ce que vous aurez imaginé.

Mais si vous demeurez ici, la mauvaise fortune vous rattrapera. Annie Badcock ne ment jamais.

Un nuage voila un instant le soleil et la vieille femme me lâcha.

— Ils étaient ici, poursuivit-elle en m'adressant un clin d'œil. Ils sont venus depuis l'autre côté de l'océan et les ont emmenés avec eux. Les gens ont oublié : ils ne se souviennent plus des choses importantes. Mais le passé est plus fort qu'on ne croit. C'est une énorme vague de ténèbres qui, à la fin, nous balayera tous.

Et elle s'éloigna en boitillant, sans même un au revoir ni un regard en arrière. Je la suivis du regard, perplexe. Avait-elle lu dans mes pensées ? Ou bien était-elle vraiment folle ? À moins, suggéra une petite voix dans un coin de mon esprit, à moins qu'elle ne sache vraiment quelque chose. *Annie Badcock...* Le nom me semblait vaguement familier, mais je n'arrivais pas à me souvenir de l'endroit où je l'avais entendu.

— Si tu abats le mur intérieur qui sépare le vieux garde-manger de la petite pièce attenante, tu ouvriras la cuisine, et elle sera beaucoup plus lumineuse.

Les yeux d'Alison brillaient. Elle paraissait sur le point d'éclater de rire comme une hystérique, ou de fondre en larmes. Fouiner dans le vieux cottage lui avait peut-être remis en mémoire le travail de restauration auquel Andrew et elle s'étaient livrés ? Elle avait besoin d'un projet, autant pour l'argent que pour se distraire. Nous avions pris place à la terrasse de l'hôtel du Garde-côte et terminions une bouteille de rosé, après avoir dégusté un poisson local suivi de fromages cornouaillais. Après que le serveur eut emporté nos assiettes, Alison se mit à couvrir la table de dessins et de notes.

Michael était suspendu à ses lèvres ; il hochait la tête, posait des questions.

— Et tu penses que ça coûterait combien ?

— Vingt-trois, vingt-quatre mille euros. Je connais de bons artisans locaux et tu pourrais me prendre comme directrice de projet. Je m'en chargerais avec plaisir.

— J'en parlerai à Anna pour voir ce qu'elle en dit. Ce serait logique, je m'en rends compte. Personne n'achètera ce cottage dans cet état.

— Pas s'il est plein de vieux déchets, ajoutai-je d'une voix douce.

Michael pinça les lèvres, ce qui lui donna un air prude et mauvais en même temps ; j'entrevis le vieil homme qu'il deviendrait bientôt s'il laissait le côté négatif de sa personnalité prendre le dessus. Lorsqu'il se tourna de nouveau vers Alison, il garda l'épaule gauche un peu relevée, comme pour m'exclure de la conversation. La douleur me serra le cœur, mais je parvins à m'exprimer d'un ton allègre :

— Je vais prendre le bus pour Penzance. À plus tard, Alison. Je rentrerai en taxi.

— D'accord, répondit-elle, puis elle fronça les sourcils d'un air interrogateur.

— J'ai besoin d'acheter un truc, expliquai-je, évasive.

Je me levai et jetai mon sac sur mon épaule.

— Tu ne me dis pas au revoir ? demanda Michael, l'air troublé.

— J'avais l'impression qu'on s'était déjà dit au revoir il y a quelque temps, répondis-je froidement.

Je sentis ses yeux fixés sur mon dos tandis que je m'éloignais.

Une demi-heure plus tard, je pris place au premier étage de la bibliothèque municipale, devant un vieux PC et une connexion Internet plutôt aléatoire. Je tapai « Barbarie pirates Cornouailles » et attendis. Quelques secondes plus tard, j'obtins un choix de douze mille liens contenant cette étrange combinaison de mots. J'en visitai quelques-uns au hasard et j'eus bientôt l'étrange sensation de vivre dans une sorte d'univers parallèle, où un pan entier d'histoire était enseveli juste au-dessous de la surface.

Selon diverses sources – académiciens, historiens amateurs, documents officiels, récits de survivants –, plus d'un million d'Européens avaient été kidnappés puis asservis par des pirates nord-africains, entre le début du XVIe et la fin du XVIIIe siècle. Une fraction des douze millions d'Africains vendus en esclavage aux Amériques, mais cependant une quantité non négligeable. Entre les années 1610 et 1630, les corsaires ôtèrent un cinquième de leur flottille de pêche à la Cornouailles et au Devon, tandis qu'en 1625 plus d'un millier de marins et pêcheurs de Plymouth, des côtes cornouaillaises et du Devon furent enlevés et vendus comme esclaves. Le maire de Bristol rapporta la capture de Lundy Island par une flotte des Barbaresques ; les pirates y hissèrent le drapeau de l'islam et firent de cette petite île dans la Manche une base fortifiée, depuis laquelle ils lancèrent des raids contre les villages sans protection situés sur la côte nord de la Cornouailles et du Devon. Les pillards en vinrent à être connus sous le nom de « Ruffians de Salé », car ils opéraient depuis cette forteresse musulmane, à Rabat, au Maroc. Ils comptaient parmi eux un vaste échantillon de corsaires rebelles venus de diverses nations maritimes d'Europe. Ces derniers s'intégraient aisément à une population déjà mixte constituée de Berbères, d'Arabes, de Juifs et de « Maures », musulmans expulsés de l'Espagne catholique où leur famille avait vécu pendant des générations. Ces renégats européens, dans les États de Barbarie, trouvaient des hommes assoiffés de vengeance à l'encontre du monde chrétien qui les avait persécutés. En outre, ils possédaient les ressources, l'audace et la volonté de mener jusque sur les côtes de l'ennemi une guerre religieuse et vandale, avec la bénédiction des pouvoirs en place.

L'un des pillards les plus célèbres avait été un Anglais du nom de John Ward. Il était devenu renégat peu après que Jacques Ier eut conclu un traité de paix avec l'Espagne, le privant ainsi de l'opportunité d'attaquer les convois espagnols. Ward devint l'amiral de la flotte de Salé et jura de « *se faire l'ennemi de tous les chrétiens, d'estre le persécuteur de leur commerce et celuy qui apporteraist pauvreté à leur fortune* ». Il atteignit l'Afrique du Nord, se convertit à l'islam, prit le nom de Yussuf Raïs et se mit à enseigner aux habitants à naviguer et à manœuvrer les bateaux rapides. Un autre corsaire particulièrement intrépide, Jan Jansz – un Hollandais qui écumait les mers sous le nom musulman de Murad Raïs –, parcourut la longue route depuis Salé jusqu'en Islande. Là, il enleva quatre cents habitants de la ville portuaire de Reykjavik, qu'il revendit à bon prix, avec leur peau laiteuse et leur chevelure blonde, au marché aux esclaves de Barbarie.

Je trouvai mention d'une lettre du maire de Plymouth, datée d'avril 1625, dans laquelle il avertissait le Conseil privé, après s'être entretenu avec un témoin oculaire ayant vu une flotte (« Trente voiles ») de pirates quitter Salé à destination de nos côtes pour capturer des esclaves. Visiblement, les autorités d'alors n'avaient pas réagi.

Le dernier lien que je visitai me donna la chair de poule. Citant des documents officiels de l'époque, un expert libanais spécialisé dans cette période décrivait comment, au cours de l'été 1625, des pirates de Salé avaient enlevé d'une église de la baie de St Michael's Mount « environ soixante hommes, femmes et enfants, qu'ils firent prisonniers ». Je demeurai un long moment les yeux fixés sur l'écran, le corps parcouru de tremblements. Je relus la page pour être sûre d'avoir bien compris. Puis je m'emparai du petit livre que Michael m'avait offert et le posai sur la table. C'était incroyable : j'étais assise dans la bibliothèque de Penzance, dans la baie de St Michael's Mount, une main posée sur la couverture d'un journal du XVIIᵉ siècle, l'autre sur une souris d'ordinateur en plastique. Un pont humain qui enjambait quatre cents ans d'histoire reliait ces deux technologies, l'ancienne et la moderne. Mon esprit se rendait enfin à ce que mon cœur avait déjà accepté : Catherine Anne Tregenna avait bel et bien été enlevée en pleine messe, un dimanche, par d'impitoyables pirates, pour être vendue sur un marché d'esclaves, deux mille cinq cents kilomètres plus loin.

À cet instant précis, mon téléphone portable sonna. C'était Michael.

J'aurais dû le laisser mijoter, mais à cause des regards désapprobateurs que me lancèrent les gens de la bibliothèque, je sortis pour répondre.

— Allô ?

— Pourquoi tu es partie si vite ? Et pourquoi tu m'as dit ça, « J'avais l'impression qu'on s'était déjà dit au revoir il y a quelque temps » ? C'était blessant.

Je faillis éclater de rire.

— Tu es blessé ? Et moi, alors ? C'est toi qui m'as plaquée, pas l'inverse. Tu n'as aucun droit de te sentir blessé.

— Je sais, je sais. J'ai eu tort. Je n'aurais pas dû.

— Pas dû quoi ?

— Je n'aurais jamais dû te quitter. Je n'arrive pas à vivre sans toi, Julia. Tu me manques.

Toute femme balancée aux oubliettes rêve d'entendre son ancien amant prononcer ces paroles. Et elle rêve de lui assener une remarque assassine pour écraser l'insecte qui ose revenir en rampant. Malheureusement, aucune ne me vint à l'esprit ; au lieu de cela, je m'entendis gémir : « Vraiment ? » d'une voix pleine de désir.

— Viens ce soir. Dînons ensemble à mon hôtel. Tu pourras rester dormir, si tu veux.

Puis il émit une allusion sexuelle qui me mit le feu au sang.

— Je ne crois pas que ce soit une bonne idée...

— Ce n'est peut-être pas une bonne idée, mais ça a toujours bien marché, entre nous. Allez, tu en as envie, et tu le sais. Ensuite, tu me liras ton petit livre de broderie, pour m'endormir.

Ses mots me refroidirent complètement.

— Je ne peux pas. C'est trop tôt, tu m'as fait trop mal. Je dois réfléchir à ce que je veux, à ce qui est bien pour moi. Et je ne pense pas qu'une nuit avec toi me soit bénéfique. Fais plutôt une longue balade, et puis prends une douche froide. À demain.

Je raccrochai, le corps parcouru de frissons, puis j'éteignis mon téléphone. Lorsque je revins à ma chaise, dans la bibliothèque, je m'aperçus que la connexion Internet avait expiré.

14

Catherine
1625

Nous naviguons depuis presque deux semaines à présent, mais si nous atteignons Salé en vie, ce sera un miracle, misérables créatures que nous sommes, appauvries par une mer tumultueuse, la faim qui nous tenaille, la maladie, et la violente attitude de nos ravisseurs. Déjà, nous déplorons la perte de quelques-uns de ceux que nous comptions au début : trois enfants, et deux hommes capturés avant nous, qui pâtissaient de blessures datant de leur enlèvement à Plymouth. Ce matin-mesme, madame Ellys expira enfin, succombant à son extrême faiblesse et au saisissement d'avoir perdu son pauvre espoux ; mais personne n'emporta son corps, aussi elle gist dans l'ordure, ajoutant à la puanteur. Ma mère se montre souffrante, il n'este rien que je puisse faire pour elle. Nulle lumière ni air pur ne nous conforte, nous vivons empestés par puces et vers, et j'ai entendu un trottinement de rats contre les planches du navire. Il n'este point si funeste que nos ravisseurs ne nous nourrissent davantage, car vermine et pourriture s'ajouteroient alors. Personne en nous voyant ne pourrait deviner que nous ne sommes pas tous du mesme état, car tous, nous apparaissons tels de pauvres mendiants vagabonds, enfermés ensemble comme des porcs à la porcherie.

Certains jours, quand elle ne supportait plus la puanteur, la captivité, les tiraillements de ses entrailles ou les poussées de désespoir qui s'abattaient sur la misérable cargaison humaine, Catherine voulait simplement poser la tête contre l'épaule de son compagnon de chaînes et mourir. Au début de leur captivité, le vent de l'insurrection avait soufflé. Ulcérés par le traitement qui leur était réservé, les prisonniers avaient envisagé de terrasser ceux qui venaient les nourrir – de les noyer dans la crotte et la pisse qui formaient une seconde mer dans le navire. Ils avaient projeté de voler les clefs de leurs menottes puis, s'armant de tout ce qui leur tombait sous la main, de prendre le contrôle du navire. Ils avaient enjolivé le fantasme de cette révolte de détails croustillants : ils s'empareraient du raïs, l'aveugleraient avec le fer qui avait brûlé les pieds du révérend, puis le jetteraient nu à la mer ; ils pendraient en bout de vergue le renégat anglais qui avait pris le nom d'Ashab Ibrahim en ayant pris soin, auparavant, de trancher l'appendice masculin qui avait dû subir la circoncision lorsqu'il s'était fait turc. Ils captureraient le reste de l'équipage qu'ils confineraient dans ce trou puant qu'était la cale, avant de faire route vers un port anglais pour les remettre aux mains des autorités comme otages destinés à être échangés contre les pauvres Anglais encore captifs à Salé.

Le capitaine Goodridge leur raconta le récit qu'il avait entendu d'une insurrection accomplie par les captifs d'un vaisseau algérien : les prisonniers étaient parvenus à soudoyer un membre d'équipage européen. Ils l'avaient convaincu de leur fournir des armes, avec lesquelles ils avaient tué le capitaine et ses marins, avant de ramener le bateau à Plymouth, sous les honneurs. Là, sur les quais, ils avaient rôti un cochon entier qu'ils avaient promené devant les pillards mahométans, les menaçant de leur en faire manger jusqu'à ce que l'idée les fasse pleurer.

Cat eut l'impression que le capitaine avait inventé cette histoire pour leur redonner du courage. Mais son récit fit long feu : à la mention du porc rôti, la plupart des prisonniers grognèrent et salivèrent, tandis que d'autres, pris de spasmes, vidèrent leurs tripes, ajoutant à la puanteur.

Quelques jours plus tard, une tempête les laissa contusionnés et affaiblis, et la mort soudaine du premier enfant – un petit garçon pris de fièvre et d'un flux de ventre – leur fit perdre définitivement espoir. La mère éplorée gémit sur le corps minuscule jusqu'à ce que les pirates viennent l'emporter. Elle hurla comme une hystérique qu'ils allaient le manger, et personne ne réussit à la réconforter ni à lui assurer qu'ils ne feraient rien de la sorte, parce que personne n'en était certain. Ses gémissements hantèrent leurs heures de veille et de sommeil.

Après cela, ils tombèrent malades les uns après les autres. Deux autres enfants succombèrent à la fièvre : une fillette de trois ans et un garçonnet de huit ans. Cat connaissait le petit garçon – elle avait joué aux quilles avec lui dans le jardin lorsqu'il avait accompagné sa mère au manoir, les jours de fête. Il souffrit plusieurs jours mais, quand il finit par mourir, Cat n'avait plus la force de pleurer, ni de prier. Elle se demanda si elle manquait soudain de sentiments ou si elle avait tellement soif qu'elle ne pouvait plus verser de larmes. Pour ce qui était des prières, elle savait qu'elle avait perdu la foi : comment croire en un dieu bienveillant qui laissait des enfants mourir comme ça ?

En une semaine, dix-neuf prisonniers furent à leur tour pris de flux de ventre ou d'autres maladies : des hommes forts, des jeunes gens solides, des femmes robustes et des enfants énergiques. Il y eut Thom Samuels, dont la blessure suppura jusqu'à ce que son bras devienne noir ; le capitaine Goodridge, dont le navire avait été capturé dans la Manche ; l'époux de Nell – William Chigwine – puis le petit Jordie Kellynch, qui avait toussé des jours entiers avant d'être enlevé à l'église ; Annie Hoskens, de Market-Jew, et le vieux Henry Johns de Lescudjack. Et son propre neveu, le jeune Jack Coode.

Walter Truran se remit à une vitesse remarquable, malgré les conditions. Certains croyaient que le symbole même de ses brûlures le protégeait, d'autres parlaient d'un miracle. Mais les femmes qui avaient perdu leurs enfants lui lançaient des regards qui en disaient long : elles auraient préféré voir Dieu épargner leur progéniture plutôt que le ministre puritain.

Enfin, le chirurgien du bateau fit son apparition, visiblement contre son gré. Grand et mince, le visage orné d'une longue barbe blanche, les yeux cachés par une large capuche et à peine éclairés par la lanterne qu'il portait, il arriva accompagné de deux pillards. L'un d'eux, Ashab Ibrahim, un mouchoir appuyé contre son nez et sa bouche, poussa le médecin devant lui.

— Qui est malade, ici ? cria le renégat.

Un brouhaha répondit à sa question. Le chirurgien prit un air effaré. Il adressa en hâte quelques paroles en arabe à l'Anglais, qui secoua la tête :

— Faites ce que vous pouvez.

Le praticien avança lentement entre les bancs, examinant au passage une langue ou un œil. Il refusa d'en toucher certains, visiblement au-delà de toute guérison. Il arriva devant une femme, deux rangs devant Cat, et recula à sa vue. La prisonnière tourna la tête en gémissant et Cat eut un choc : c'était Nell Chigwine. Des traces de vomissures maculaient ses joues flasques et sa robe répugnante. La sueur perlait à son front et elle respirait avec difficulté. Le médecin secoua la tête puis recula soudain en agitant les bras. Il se tourna vers le renégat, se campa devant lui et s'adressa à lui avec véhémence, l'air furieux, indiquant du doigt la pauvre malade, puis les immondices au sol. Il gesticula et cria tellement qu'Ibrahim finit par hausser les épaules et se pencher afin de détacher la barre qui maintenait les fers en place.

— Debout ! ordonna Ibrahim qui donna un coup de pied à l'homme en bout de rang, qui ne répondit pas. Lève-toi !

L'homme se mit péniblement sur ses pieds, puis il resta debout à se balancer au rythme du roulis. Un pêcheur, songea Cat en le voyant épouser d'instinct les mouvements du bateau. Nell trébucha et tomba.

— Lève-toi ! lui siffla le pêcheur. Ta vie en dépend.

Il la prit sous le bras et elle s'agrippa à lui. Elle sembla sur le point de s'effondrer de nouveau mais, comme mue par une force intérieure, elle parvint à se redresser, l'air plus morte que vive.

Le renégat aligna les captifs puis se tourna pour s'adresser au reste des prisonniers.

— Vous serez montés un groupe après l'autre sur le pont pour prendre l'air, ordre du chirurgien. Ceux qui ne peuvent pas grimper seuls sur leurs deux jambes, on les jette par-dessus bord. Une personne de chaque rangée nettoiera votre chierie. Et puis vous reviendrez avec un seau d'eau de mer pour récurer votre banc.

Il prit un récipient en fer des mains de l'autre matelot et le lança à la première femme de la rangée. Cat détourna le regard de l'infortunée qui ramassait la saleté et pria égoïstement pour que cette horrible tâche ne lui tombe pas dessus.

Elle observa trois caravanes de prisonniers en haillons suivre les instructions : ils se levaient, sortaient et, au bout d'un moment, revenaient nettoyer leur banc avant de reprendre leur place. Elle guetta fébrilement son tour, goûtant presque l'air frais qui l'attendait. Enfin, après ce qui sembla une éternité, Ashab Ibrahim détacha la barre qui retenait sa rangée.

— Debout !

Ils se levèrent en vacillant. Cat s'aperçut que ses jambes refusaient de la porter et elle s'effondra contre l'homme devant elle, qui jura.

Le renégat l'attrapa par le bras et la remit sur pied.

— On peut pas se permettre de t'passer par-dessus bord, ma jolie : t'es une cargaison de choix.

Cat força ses muscles à obéir et suivit la file dans la lourde robe de laine qu'on lui avait donnée, les chaînes cognant contre ses chevilles. Un autre fut chargé de nettoyer.

En haut des marches, le vent frais la heurta de plein fouet, comme un coup de poing. Elle se sentit un instant étourdie, désorientée. Elle plissa les yeux devant la lumière aveuglante et serra la rampe. Quelqu'un la poussa dans le dos.

— Avance !

Sur le pont, l'immensité la saisit : un ciel azur strié de nuages ressemblant à des volutes blanches, au-dessus d'un océan infini. Le chatoiement du soleil sur la mer et la blancheur des voiles lui faisaient mal aux yeux, elle baissa donc la tête vers le bois, sombre et solide, sous ses pieds. Deux semaines s'étaient déjà écoulées, songea-t-elle. Ils avaient compté le passage du temps grâce aux variations de l'obscurité qui régnait dans la cale. Deux semaines sans voir le monde, sans respirer l'air pur. Elle n'avait jamais réalisé sa chance de vivre à Kenegie ; elle avait été bien vaniteuse de désirer plus que cela.

Ils trébuchèrent sur le pont, embarrassés par leurs chaînes, jetèrent la saleté par-dessus bord (« Sous le vent, merci », leur ordonna le renégat avec un rire gras), puis tirèrent des seaux et des seaux d'eau de mer pour se nettoyer. Le sel mordit leurs plaies et des hommes robustes poussèrent des gémissements de douleur.

L'équipage les observait, échangeant des plaisanteries. Leurs regards étaient moqueurs et méchants. Cat se demanda ce qu'ils pensaient : est-ce qu'ils se moquaient de la faiblesse des prisonniers ? Est-ce qu'ils calculaient les sommes qu'allait leur rapporter leur petit butin d'esclaves ? Ou bien leurs pensées suivaient-elles un cours plus ténébreux ? Elle s'abrita sous sa robe, l'utilisant autant pour se laver que pour s'essuyer. Comme ils doivent nous mépriser, songea-t-elle, sales comme des animaux, infestés de poux, affaiblis et malades. Ils nous ont réduits à cet état qui nous enlève notre humanité, et c'est ainsi qu'ils nous voient, maintenant : comme une cargaison qu'il faut maintenir en vie afin d'en tirer un bon prix. Nous valons autant que des moutons.

Et elle se frotta le corps comme si la saleté n'allait jamais partir.

Elle était presque en transe quand quelqu'un cria. Un homme sur le pont avant se mit à psalmodier d'une voix chantante.

— « *Allah akbar. Allah akbar. Achehadou ana illah illallah. Achehadou ana mohammed rasoul allah. Achehadou ana mohammed rasoul allah. Haya rala salah. Haya rala salah. Haya rala falah. Haya rala falah. Qad qamatissaa. Qad qamatissaa. Allah akbar. Allah akbar. Laillah ilallah. Laillah ilallah…* »

L'équipage interrompit aussitôt ses activités et les hommes avancèrent en hâte vers des seaux de sable placés à intervalles réguliers sur le bateau. Chacun plongea les mains dans un

seau et les frotta avec le sable comme s'il s'agissait de savon.
Puis ils passèrent leurs mains sur leur visage, trois fois, comme
pour le nettoyer. Ils prirent ensuite une poignée de sable et se
« lavèrent » la main droite, puis la gauche, jusqu'au coude, là aussi trois fois. Cat interrompit ses ablutions et les observa. Regardant autour d'elle, elle vit que les autres prisonniers avaient agi
de même. La scène lui rappelait un spectacle avec des acteurs
masqués que son père l'avait emmenée voir à Truro lorsqu'elle
était enfant, quelque chose que l'on ne comprenait pas bien
mais dont on ne pouvait détacher les yeux. Elle se remémora les
mimes qui l'avaient effrayée avec leurs costumes fantastiques
et leurs grondements : le diable, la peau noircie au charbon, les
yeux rouges et des cornes de bélier sur la tête ; les anges drapés
de blanc qui se balançaient d'avant en arrière.

Les hommes d'équipage se tournèrent ensemble vers le côté
gauche du bateau, face à un homme plus âgé vêtu d'un caftan
blanc, une capuche relevée sur la tête. Ils gardaient le silence,
comme plongés dans leurs pensées, même les plus sauvages
d'entre eux, puis s'agenouillèrent et restèrent immobiles sans
prononcer un mot, une bonne minute ou deux. Enfin, ils se
prosternèrent une fois, puis une deuxième. Cat comprit soudain
qu'ils priaient, leur capitaine parmi eux, sans aucune distinction
de rang.

Ils se relevèrent, puis répétèrent le même rituel. Les prisonniers se balançaient d'un pied sur l'autre, ne sachant quoi faire.
Il n'y avait nulle part où se cacher à bord, nulle part où fuir, à
part la mer. L'un après l'autre, ils détournèrent le regard ; ce fut
alors que Henry Symons aperçut le navire.

— Un bateau ! chuchota-t-il d'une voix rauque.

Cat et les autres suivirent son regard, protégeant leurs
yeux du reflet éblouissant du soleil. Il était là, sur la ligne de
l'horizon, derrière eux ! Un gros vaisseau, mais encore trop loin
pour qu'ils distinguent son drapeau.

— Espagnol, déclara un homme qui s'était trouvé sur le
navire marchand capturé dans la Manche.

— Une caravelle, ça ne veut rien dire, grommela Dick Elwith. Ces Ruffians de Salé ont toutes sortes de bateaux — pinque, chebek, brigantine, cogue et caravelle. L'origine n'a pas d'importance, c'est l'homme aux commandes qui compte. Et vous user les yeux pour voir ses couleurs ne vous servira pas non plus, comme me l'a appris ma mauvaise fortune : ils vogueront sous tous les pavillons si ça les arrange, avant de hisser leur maudite bannière.

Mais malgré ces paroles, il scrutait de toutes ses forces le vaisseau qui approchait.

Quelle différence cela faisait-il qu'il s'agisse d'un bateau espagnol ? Cat se souvint des récits qui racontaient comment les Ibères avaient incendié les maisons de Mousehole, Newlyn et Penzance, ou l'église de Paul. Et s'ils attaquaient le vaisseau pirate, que se passerait-il alors ? Elle distinguait à présent les sabords sur le gros navire ; s'ils tournaient vers eux leurs canons, quelle chance avaient-ils de s'en sortir ? Valait-il mieux être réduits en miettes ou vendus comme esclaves ? Une nausée lui monta soudain aux lèvres. Elle s'approcha en trébuchant du bastingage et vomit par-dessus bord.

Ce fut peut-être ce mouvement qui attira l'attention du raïs ; il tourna la tête vers elle. Écarquillant les yeux, il bondit sur ses pieds et se mit à courir en criant des instructions. Un bourdonnement d'activités s'ensuivit soudain : les hommes d'équipage interrompirent leurs prières pour se précipiter à leur poste, certains aux voiles, d'autres aux canons. Deux matelots s'élancèrent vers le grand mât, qu'ils escaladèrent en toute hâte pour se poster sur la vigie. Depuis le pont, un autre amena les drapeaux pirates.

Les prisonniers demeuraient immobiles dans cette confusion, comme des arbres au milieu de la tempête. Le raïs les montra du doigt.

— Fais-les descendre ! hurla-t-il à Ashab Ibrahim et à ses subordonnés.

Dick Elwith lança un regard au renégat qui s'approchait, puis au vaisseau, comme calculant quelque chose. Cat le vit afficher un petit sourire triste, puis il lui adressa un clin d'œil.

— Je ne pourrai pas recommencer. J'préfère tenter ma chance avec l'Espagnol ou être envoyé par le fond que de recevoir le fouet sur leur maudite galère.

Aussitôt, il enjamba le plat-bord et se laissa tomber dans l'eau, comme une pierre.

Ibrahim courut au bordé mais arriva trop tard.

— Sombre crétin ! Il aurait fait un sacré bon pirate, s'il n'avait pas été aussi buté. Tout c'qu'il faut faire pour devenir turc, c'est dire quelques mots et perdre un peu d'peau. C'est pas grand-chose, pour une vie qu'est ben meilleure que cette chierie qu'on avait avant. Maint'nant, il va nourrir les poissons et pis c'est tout.

— Il va nager vers ce navire, s'écria Cat, furieuse.

— Il ira pas loin avec des chaînes aux pieds. Maint'nant, descends avec les autres, pendant qu'on s'occupe de ce gros rat.

De retour dans la cale, ils se serrèrent les uns contre les autres sur leur rangée, aux aguets. Lorsque retentit le premier coup de canon, ils comprirent que les bateaux engageaient le combat. La femme assise à la gauche de Cat, qui, jusqu'à présent, enfermée dans sa propre misère, ne lui avait pas adressé une parole, lui agrippa soudain le bras.

— Je m'appelle Harriet Shorte. Si je meurs et que vous survivez, je voudrais que vous avertissiez mon époux de ce qui m'est arrivé. Il s'appelle Nicolas Shorte, mais tout le monde l'appelle Petit Nick. On possède un petit cottage dans Market Street, à Penzance ; tout le monde nous connaît. On s'est disputés samedi soir, avant mon enlèvement. Il m'a dit qu'il était pas puritain et qu'il voulait pas voir ses fils élevés dans cette foi ; alors il les a emmenés à Saint-Raphaël et Saint-Gabriel.

Un « boum » retentit soudain et le navire trembla de la proue à la poupe, comme si Dieu l'avait frappé du poing. Des larmes se mirent à couler sur le visage de la femme ; Cat les distingua dans l'obscurité.

— J'aurais dû l'écouter. Si je ne m'étais montrée aussi acharnée, je ne serais pas ici aujourd'hui. J'aurais dû rester avec eux, au lieu de partir en colère. Je lui ai dit… je lui ai dit… d'aller au diable, et puis je suis sortie en claquant la porte. C'est Dieu qui me punit maintenant, je le sais…

Elle s'interrompit et se mit à sangloter.

Cat posa une main sur l'épaule de l'autre femme.

— Je vous promets, si quoi que ce soit vous arrive, de le dire à votre époux. Mais tout ira bien, vous verrez, mentit-elle.

Si leur navire recevait un boulet qui faisait voler la coque en éclats, comment survivraient-ils alors que l'eau s'engouffrerait dans la cale ? Enchaînés comme ils l'étaient, ils se noieraient tous.

Un grincement terrible retentit sur le côté droit du bateau, suivi d'une salve de mousquets, puis de cris étouffés. Une tempête de bruits s'éleva au-dessus d'eux. Puis le navire, tel un cheval libéré, s'élança soudain et l'eau contenue dans la cale s'écrasa contre ses flancs. Ils avançaient de nouveau, et à bonne allure, semblait-il.

D'autres explosions assourdies retentirent au loin, et le navire tressaillit lorsque ses propres canons lâchèrent des bordées. Enfin, le calme revint, rompu seulement par les craquements du bois et le ronflement de la mer.

— Les pirates essaient de s'échapper, dit une voix rauque. Ceux d'en face ont plus de canons, on doit fuir.

— Qu'est-ce que ça veut dire pour nous ? gémit Jane Tregenna. Si les autres nous rattrapent, est-ce qu'ils nous couleront ?

— Ils essaieront plutôt d'aborder. C'est un vieux navire, mais il reste en bon état et constituerait une belle prise pour un capitaine. Il existe certainement un prix pour la capture des pirates, qu'on peut en plus échanger contre des prisonniers. D'après ce qu'on m'a dit, on trouve quelques Espagnols dans les donjons de Barbarie, ou cloués sur les bancs des galères.

— Les Espagnols n'aiment pas trop les Anglais, grogna Walter Truran.

— Toi, ils t'aimeront pas trop, c'est sûr, railla avec un rire amer un autre homme doté d'un fort accent irlandais. Mais je dirai à personne que tu n'es pas un bon catholique, va.

Leur navigation se poursuivit encore de longues heures ; la nuit tomba sans que personne ne leur apporte à manger.

— Il se passe quelque chose, dit Isacke Kellynch.

L'écoutille s'ouvrit alors et Ashab Ibrahim apparut avec ses deux compagnons. L'un d'eux avait la tête entourée d'un turban taché de sang, l'autre portait un bras en écharpe. Les prisonniers échangèrent des regards sans rien dire : où était leur nourriture ?

— Vous n'apportez même pas un peu d'eau fraîche ? demanda Jane Tregenna.

— On vient pas pour vot' confort. J'ai les ordres du raïs à exécuter.

Un grand chahut accueillit ces paroles ; beaucoup de prisonniers se mirent à crier et à lancer des jurons.

— Bouclez-la ou j'vous y forcerai !

Il traversa la cale jusqu'à la rangée où se trouvait Cat. Là, il prit une grosse clef de fer pendue à sa ceinture et détacha la barre qui retenait les prisonniers. L'homme en bout de rangée commença à se lever mais le renégat le repoussa brutalement sur le banc.

— Pas toi, le merdeux ! J'veux la fille.

Cat, craignant le pire, resserra instinctivement les doigts sur l'axe de fer. Le renégat lut la crainte sur son visage et éclata de rire.

— Pauvre idiote, c'est pas c'que tu crois. Le raïs te demande.

— Pourquoi ?

Le chef des pirates l'effrayait, pas seulement à cause de la violence nonchalante dont il avait fait preuve envers le prêcheur. Le renégat lui assena un coup de bâton sur les mains.

— Lâche ça et fais ce qu'on te dit ! Il confie pas ses désirs à ma personne, le Djinn.

— Le Djinn ?

— C'est comme ça que certains d'entre nous l'appellent. Un djinn est créé par Dieu à partir d'un feu enchanté sans fumée. Ah ça, c'est un nom qui lui va bien ! Car les djinns sont des esprits coléreux, puissants et maléfiques. Mais l'appelle jamais comme ça devant lui, tu le regretteras.

Cat se leva lentement, hantée par la terrifiante impression qu'elle se rendait auprès du Malin en personne.

Sur le pont, la lune nimbait le navire d'une lumière surnaturelle. Une pâleur livide illuminait le bois déchiqueté à tribord. Un mât brisé gisait au sol avec son gréement entortillé en un amas de nœuds, et des petits tas de bois, ici et là, se consumaient doucement. Un groupe d'hommes s'appliquait à libérer une voile de la mâture effondrée, coupant et taillant autour, cherchant à sauver le plus de cordages possible.

Ils traversèrent le tillac au centre du bateau et se dirigèrent vers le château arrière. Sur le gaillard d'arrière, la jeune femme scruta l'océan sans voir de traces du bateau espagnol. Apparemment, ils étaient parvenus à lui échapper, ce que les pirates auraient dû célébrer comme une victoire. Pourtant, ils demeuraient silencieux, réservés. Un grand nombre étaient blessés, d'autres gémissaient, adossés contre les bords, ou se penchaient sur des chapelets de perles qu'ils serraient entre leurs mains, marmonnant des prières.

Ils empruntèrent une coursive ornée de panneaux de bois élégamment gravés. Des lanternes projetaient des halos de lumière dorée sur les pans de murs décorés de feuillages et de glands. Malgré les circonstances, Cat admira la délicatesse des motifs ; ils semblaient honorer les chênes centenaires qui avaient sacrifié leur bois pour donner vie au navire. Ils lui rappelaient des tapisseries d'origine flamande qu'elle avait observées dans la grand-salle du château, à St Michael's Mount. Elle trouvait surprenant de retrouver les mêmes dessins dans un bateau de pirates païens.

Parvenu au fond du couloir, Ibrahim s'arrêta devant une petite porte de bois et frappa. Un long moment s'écoula puis il échangea quelques mots en arabe avec l'homme de l'autre côté. Ashab Ibrahim poussa Cat à l'intérieur lorsque la porte s'ouvrit en grand, puis il la referma derrière elle.

Elle eut l'impression de pénétrer dans un autre monde, un univers extraordinaire sorti d'un rêve. Des lanternes de cuivre pendaient du plafond. Les festons ajourés dessinaient des motifs que le vacillement des flammes faisait danser sur des tapis rouges, bleus ou dorés ou sur les murs tendus de soieries. Posés sur des petites tables rondes délicatement ouvragées et recouvertes de plaques d'or ciselé se trouvaient d'incroyables objets : un flacon d'argent, une collection de verres perlés, des boîtes d'ivoire, des brûle-parfums, et la pipe à eau qu'elle avait aperçue sur le pont. Une petite cage se balançait doucement à un crochet, mais les oiseaux ne chantaient pas.

— Avance, ordonna une voix venue de l'ombre, et le cœur de Cat s'emballa.

Elle trébucha et tomba tête la première dans le noir. Elle poussa un cri et tendit les bras en avant, s'attendant à heurter le bois, mais une pile de coussins de laine et de soie amortit sa chute. Le souffle coupé, elle se releva doucement.

— C'est bon que tu te prosternes devant moi, car je suis le maître de ce navire, et donc le tien.

Quelqu'un l'attrapa par le bras et la remit sur pied.

— Apporte de la lumière, commanda le raïs, pour qu'elle voie ce qu'elle fait.

Cat se mit à lutter en comprenant ce qu'on attendait d'elle. Le raïs Al-Andalusi était allongé sur son lit, le corps à demi recouvert d'un drap.

— Non ! laissez-moi ! Il est déshonorant pour vous de traiter une jeune femme de cette manière et de la forcer contre sa volonté !

Un court silence s'ensuivit, puis le capitaine des corsaires émit un rire bref qui se transforma en une quinte de toux douloureuse.

— Ah, tu crois que j'ai l'intention de te violer.

Il changea de position afin que la lumière tombe sur son visage. Elle s'aperçut qu'il ne portait pas de turban. Son crâne, rasé peu de temps auparavant, était recouvert de duvet. Il semblait plus petit, plus vulnérable, sa fragilité accentuée par une pâleur funeste et des gouttelettes de sueur qui perlaient à son front.

— Hélas, reprit Al-Andalusi, accompagnant ses paroles d'un geste de la main plein de courtoisie, j'aurais bien aimé réaliser ce rêve, *maa elassaf*, mais je ne peux pas. Et puis, tu pues comme une chèvre ; pas très excitant, même si je suis plein d'ardeur. J'espère cela reviendra très bientôt, *inch'allah*. Non, tu es ici car je souffre d'une blessure et le chirurgien a quitté le monde des vivants.

— Je ne comprends pas. Je ne suis pas chirurgien.

Le raïs ferma les yeux.

— Je sais. Toi possèdes d'autres… talents.

Il adressa quelques paroles à l'homme qui la retenait. Ce dernier desserra sa prise et, avec plus de douceur, la poussa vers une autre partie de la cabine séparée de la chambre à coucher par un rideau de perles. De l'autre côté, elle trouva un brasero sur lequel chauffait un bol de métal plein d'eau, et à côté, une pile de linge.

— Tu nettoies ton corps, ordonna Al-Andalusi depuis son lit. Tu laves bien et tu changes ta robe. Je suis pas habitué de me confier à des mains d'infidèles, mais c'est la volonté d'Allah car Il a emporté Ibn Hassan et je n'ai pas de choix. Maintenant, donne tes vêtements à Abdullah.

Elle retira la djellaba souillée qu'elle tendit à travers le rideau. Elle se retrouva alors debout dans sa chemise de corps et ses bas crasseux.

Le capitaine des pirates sembla sentir ses hésitations.

— Enlève tout et donne à Abdullah. Il va laver et te rendre tout après. Tu auras des vêtements propres quand tu seras propre. Je te prie à être... quel est mot ? Exacte.

— Consciencieuse, rectifia-t-elle, sans y penser.

Elle mit sa main devant sa bouche. Qu'avait-elle donc à corriger ce sauvage ?

Aucune réaction de l'autre côté du rideau. Puis la voix du raïs s'éleva de nouveau.

— Consci... encieuse, répéta-t-il lentement, comme pour mémoriser le mot afin de l'utiliser plus tard. Consciencieuse, oui.

Cat enleva sa chemise et ses bas, ne gardant en main que son précieux petit sac contenant *La Gloire de la brodeuse* ainsi que sa mine de plomb : les derniers éléments qui la rattachaient à sa vie passée. Elle les posa avec soin, puis fouilla la pile de linge. Elle trouva un pantalon bouffant, une tunique sans manches et, au-dessous, une robe de laine blanche si douce et si finement tissée qu'elle ne put s'empêcher de la caresser de la main. Elle prit ensuite un carré de linge à laver, le déplia et le trempa dans le bol d'eau chaude, puis entreprit de se frotter le corps. Comme c'était bon ! Tellement meilleur que l'eau de mer qui, la veille, avait laissé une fine pellicule de sel sur sa peau. Elle savoura la sensation, oubliant presque que, à quelques pas d'elle, derrière le fin rideau, un homme à demi nu attendait ses services – un pirate doublé d'un idolâtre, ce qui le rendait deux fois abominable. Enfin, décrassée pour la première fois depuis deux semaines, vêtue de vêtements confortables, ses cheveux propres et encore mouillés drapés dans un linge de coton, elle sortit.

— Bien mieux, Cat'rin Anne. Maintenant tu ressembles à une Berbère.

— Catherine, le reprit-elle.

— Trop compliqué. Sois contente de Cat'rin. Tu es ici à cause de ton talent avec les aiguilles.

La jeune femme le regarda fixement.

— Vous m'avez fait venir pour broder quelque chose ?

— Broder ?

Cat indiqua du doigt l'un des coussins.

— Broderie.

Sans un mot, il écarta le drap qui recouvrait une partie de son corps. La chair de son flanc était tailladée sur une bonne trentaine de centimètres, depuis la poitrine jusqu'à la taille. La blessure béante offrait la vision obscène d'un muscle cramoisi et d'un filet de graisse jaunâtre. Du sang noir et épais suintait par saccades dès que le blessé bougeait.

— Pas seulement. Retire le linge sur ma jambe.

Cat s'agenouilla et s'exécuta. Sous un épais bandage, elle découvrit un trou qui avait déchiqueté la cuisse.

— Blessure de mousquet. L'autre : épée. Espagnols, tous deux. Le docteur est mort et personne sait coudre avec l'aiguille. Tu vas refermer mes blessures.

— Je... Je ne peux pas.

— Tu le fais. Sinon ta mère mourra, ordonna-t-il d'une voix dure.

— Ma mère ?

— Jane Tregenna, non ? Vous vous ressemblez pas, mais elle dit qu'elle est ta mère. On la jette par-dessus bord si tu refuses.

Il se tut, la laissant réfléchir à ses paroles, puis il ajouta :

— Et si je meurs, toi et elle à la mer.

On lui apporta une grosse aiguille destinée à réparer les voiles, ainsi que du fil. Cat fit aiguiser l'aiguille sur une meule et, pendant ce temps, cueillit sur les tapisseries quelques fils de soie qu'elle fit bouillir au-dessus du brasero.

— Apporte le pot et ouvre-le, lui ordonna le raïs en indiquant, sur l'une des petites tables rondes, un récipient de verre fermé par un bouchon.

Découvrant son contenu, elle fronça les sourcils.

— Du miel ?

Il hocha la tête.

— Pour la blessure.

Malgré elle, Cat sourit.

— Ma grand-mère faisait ça quand j'étais petite. Elle disait que cela empêchait la chair de s'infecter.

— Vraiment ? Ma *jeddah* m'apprit même chose. Mon *jaddhi* – grand-père – il gardait, comment vous disez... zzzzz ?

Ses mains tracèrent un mouvement.

— Des abeilles. Mon grand-père aussi ; il le fait encore.

Une vague de nostalgie s'abattit sur elle quand elle se remémora le petit cottage douillet de Veyran, où son grand-père entretenait un grand feu, où sa grand-mère fumait des jambons et embouteillait les fruits pour l'hiver. Elle ne les avait pas revus depuis la mort de son père, car sa mère avait refusé tout contact avec les membres de la famille de son époux. Elle les considérait de condition inférieure et les appelait, sans grande charité, des « paysans ». Pour la première fois de sa vie, Cat comprit que là-dessus, comme sur beaucoup d'autres choses, sa mère avait tort.

Le miel était épais, d'un brun foncé, plus solide que liquide ; il n'avait rien à voir avec le nectar jaune pâle avec lequel elle avait écrit son nom autrefois : un mince filet d'or coulant de sa cuiller de bois sur la tartine de pain fraîchement cuit par sa grand-mère. Elle le renifla puis s'écarta en hâte. L'odeur était puissante et enivrante.

— Les... abeilles qui fabriquent ce miel tirent la nourriture des plantes sauvages, dans la montagne, expliqua le raïs en voyant son expression. Il a une grande magie.

— Magie ? répéta Cat, haussant les épaules, incapable de se retenir. Ça n'existe pas.

— Tu es bien sûre de toi.

— Oui.

— Et les miracles, le destin ?

— Ma mère dit toujours que notre destin est entre nos mains et qu'on trace tout seul son chemin, car personne ne nous facilitera la tâche. Une vieille Égyptienne m'a prédit que je vivrais pour voir le ciel et la terre unifiés et que mes rêves se réaliseraient; mais me voici, prisonnière d'un navire pirate, promise à un horrible endroit où je ne trouverai que des ennuis et la mort. Alors non, je ne crois pas aux miracles, ni au destin !

— Seul Allah détient les clefs de notre *qaðar*. Il sait tout, trace toutes les lignes. Notre âme ne peut décider où on naît, où on meurt: Allah décide cela. Il commande la fortune de chacun, tout le monde doit accepter ce qu'Il envoie.

Cat le regarda fixement, la cuiller suspendue au-dessus du miel « magique ».

— Alors, ça n'a pas d'importance que je soigne votre plaie ni que je la recouse: si vous mourez, ce sera la décision de Dieu. Je ne comprends pas pourquoi vous prenez tant de soin à m'amener ici ou nous menacez, ma mère et moi, pour que j'exécute *votre* volonté.

Al-Andalusi remua, mal à l'aise, les yeux clos à cause de la douleur.

— C'est mauvais quand la femme discute comme l'homme; et pour la femme infidèle, c'est pire, car tu es incapable à comprendre la volonté de Dieu. Tu me rends impatient; peut-être je te jette par-dessus bord pour protéger ma tête du bruit de ta langue. Pourtant, Allah t'envoie à moi, Il doit avoir une raison. Maintenant mets le miel sur les blessures, recouds et on verra quel destin Il a pour toi. Et pour moi.

Cat retira de la jarre une cuillerée de miel qu'elle déposa dans la plaie qui s'ouvrait sur la jambe. Le muscle trembla lorsqu'elle pressa les lèvres de la blessure. Elle sentit la chair ferme se tendre sous ses doigts, comme un animal. Elle jeta un œil au raïs, mais celui-ci fixait sur la lanterne au-dessus d'eux un regard impénétrable. Elle accorda ensuite son attention à sa blessure. En cette partie de son corps, la peau était plus pâle que sur le visage ou les bras, et aussi douce que celle d'une femme – plus douce, sans nul doute, que celle de Matty. Elle semblait avoir la délicatesse de la soie. La meurtrissure, en revanche, était affreuse à regarder, et si horrible à toucher que, lorsque le miel s'y déversa, elle dut détourner le regard pour éviter un haut-le-cœur.

— Maintenant, couds avec des petits points, ordonna Al-Andalusi d'une voix rauque. Ce corps appartient à Dieu; il doit être capable d'exécuter Sa volonté.

Catherine enfila un fil de soie bouilli sur son aiguille et se mit à la tâche.

15

Ainsi je suis là, dans la cabine du capitaine de ces pirates, où je dois demeurer afin de prendre soin de luy, escrivant cecy à la lueur d'une lanterne, sujette à bien meilleur confort que mes pauvres mère, tante ou oncle, ou encore les autres, qui se trouvent en la cale au-dessous. Que doivent-ils penser de moi, seule en la compagnie du raïs turc, mesme s'il este en chaque instant menacé de trépas ? Rien de bon, sans doute. Beaucoup me diraient de ne point attendre que ses blessures l'emportent, de saisir ma chance et de le tuer en punition de toutes ces cruautés qu'il infligea à de bons chrétiens. Mais las ! Si le capitaine meurt, nostre fortune nous laisserait à la merci d'hommes tels que Ashab Ibrahim et icelle me semble plus funeste ; aussy je m'employerai à le garder en vie, et prierai le Seigneur de nous prendre en Sa sainte miséricorde.

Al-Andalusi était un homme robuste, un guerrier à qui ses activités de pirate avaient valu de nombreuses blessures. Mais celle que l'acier de Tolède infligea à son flanc semblait être la dernière. La chair enfla et suppura, malgré le miel de thym et l'habileté de Cat.

Trois jours durant, il résista à la fièvre. Il transpirait abondamment, poussait des jurons même dans son sommeil et refusait d'ingurgiter quoi que ce soit, à part de l'eau mêlée à du jus de citron. Puis la fièvre baissa, et il parvint à avaler un gruau épais de pois chiches et d'ail. Chaque matin, on lui apportait du pain dur trempé dans de l'huile d'olive, mais il en donnait toujours la moitié à Cat, et il la regardait en silence dévorer sa ration jusqu'à la dernière miette.

— Je protège l'investissement, dit-il lorsqu'elle protesta. Le sultan donnera une fortune pour ce trophée ; et lui n'aime pas les femmes maigres.

La cabine puait la sueur et l'ail. Puis la plaie s'infecta et l'odeur devint insoutenable. Dans ses moments de lucidité, le raïs s'adressait en arabe aux hommes qui lui rendaient visite, donnant des ordres, exigeant de connaître les prévisions du temps ou leur position. Ses yeux luisaient de façon surnaturelle dans son visage de plus en plus émacié. Catherine restait assise dans un coin, comme on le lui avait ordonné, et observait. La plupart des hommes qui entraient dans la cabine ne lui prêtaient aucune attention. Mais certains la dévisageaient d'un regard hostile puis touchaient une amulette qu'ils portaient au cou. D'autres la déshabillaient du regard et bientôt, elle apprit à redouter ce jour qui marquerait la défaite du raïs dans son combat contre la mort.

Lorsque Al-Andalusi perdit connaissance et se mit à délirer dans son sommeil, le second, un homme à l'aspect sévère nommé Rachid, envoya le renégat anglais au chevet du capitaine.

— Il te fait pas confiance, ma jolie, persifla Ibrahim. Il pense que tu l'empoisonnes, not' raïs.

— Et comment, exactement, je pourrais m'y prendre ?

— Seulement avec ta présence infidèle, que Rachid considère comme une provocation à Dieu.

— Alors renvoyez-moi à la cale, avec les miens.

Le renégat éclata d'un rire rauque.

— Oh, à mon avis, le *khodja* parlait pas seulement de ta présence ici qui agit comme un poison pour le raïs – même si tu peux être sûre qu'il le pense. Non, le fait que tous les chrétiens respirent le même air que nous, c'est ça l'affront, pour lui. Si ça ne tenait qu'à lui, vous auriez tous votre tête au bout d'une pique, à Penzance. D'ailleurs, quelle sorte d'accueil te feront les pauv' diables affamés du dessous, quand ils te verront toute proprette et pimpante, hein, ma jolie ?

Lorsqu'elle ouvrit la bouche pour répondre, il leva la main pour l'interrompre.

— J'vais te dire exactement c'qu'ils penseront, ma toute belle ; ils diront qu't'es la putain du Djinn. Ils diront qu'il t'a baisée tout son saoul, et qu'il te renvoie à présent dans ce trou puant parce qu'il est fatigué de ton petit cul blanc.

Des larmes montèrent aux yeux de Cat, non pas à la perspective de cette horrible scène mais à cause de la puanteur que dégageait l'homme qui se pressait maintenant contre elle. À l'odeur de sueur et d'urine s'ajoutait celle du tabac et d'une herbe âpre qui lui donna la nausée.

— Quand il s'ra parti, reprit le renégat en indiquant le raïs inconscient, j'te prendrai pour moi. Et j'te ferai toutes ces choses horribles qu'ils s'imaginent déjà qu'on te fait. Sauf que quand je serai fatigué de toi, j'te renverrai pas en cale. Oh non. J'te passerai à l'équipage pour que tu leur apportes un peu d'réconfort.

Cat releva soudain la tête, qui alla heurter Ibrahim sous le menton, avec une telle force qu'il se mordit la langue. Du sang envahit sa bouche et il lança un juron.

— Espèce de garce !

Un sifflement retentit dans l'air. Un éclair argenté brilla puis Ashab Ibrahim plongea en avant. Dans son omoplate droite était fichée une petite dague à la lame recourbée. Sur la poignée encore vibrante, les pompons rouges se balançaient sauvagement.

— Un peu de respect, renégat ! Bâtard sans foi, fils de truie, lâche qui choisit l'islam pour sa peau ! Tu ne maltraiteras aucune femme sur mon navire, ni sur un autre de la flotte de Slâ !

Le capitaine blessé émit un râle puis poursuivit ses invectives dans sa langue. Ibrahim se releva et s'enfuit, laissant derrière lui une traînée de sang.

Al-Andalusi s'effondra contre les coussins, essoufflé.

— Cat'rin, va à la porte, appelle Abdal-haqq. Va !

Elle obéit en hâte, mais dans le couloir on n'entendait pas ses cris. Elle appela de nouveau, plus fort. Seul l'écho lui répondit. Enfin, elle perçut un bruit de voix et de piétinement. Elle appela Abdal-haqq une troisième fois, puis revint en courant dans la cabine.

Mais lorsqu'elle pénétra dans la pièce, le raïs était mort.

Quelques instants plus tard, l'homme appelé Abdal-haqq se glissa dans la chambre.

Agenouillée auprès du corps sans vie du capitaine des pirates, le sang du renégat imbibant la douce laine blanche de sa robe, Cat semblait aussi coupable qu'elle s'imaginait l'être. Elle fit un bond de côté mais l'homme ne lui accorda presque aucune attention, et la congédia d'un petit signe de la main. Il secoua le raïs par l'épaule, toucha son front, son cou. Puis il aboya quelque chose à Cat.

— Quoi ? Quoi ? Je ne comprends pas.

L'homme murmura dans sa barbe, furieux ; puis il se releva et la repoussa brusquement pour aller au fond de la cabine. Il s'arrêta cependant devant la cage plongée dans l'ombre où dormaient les oiseaux. Il ouvrit la porte, glissa la main à l'intérieur et en retira quelque chose.

— Le feu, la pressa-t-il, le feu, où ?

Stupéfaite d'entendre un autre pirate s'exprimer dans sa langue, Cat cligna des yeux.

— J'y vais.

Elle tira le brasero du fond de la cabine et le posa devant Abdal-haqq. Il souffla sur les braises qui prirent une teinte rouge cerise. Puis il prit les pinces qui se trouvaient à côté du qanun. Avec les pinces, il saisit ce qu'il avait caché dans sa main et le jeta dans les braises.

Cat poussa un cri d'horreur. Ce qu'elle avait pris pour un oiseau était en réalité une sorte d'étrange reptile couvert d'écailles, comme un lézard ou un serpent. Elle n'avait jamais vu ce genre d'animal. La créature se tordit en touchant les braises et déroula une longue langue violette. Ses yeux se révulsèrent, sa peau crépita puis s'enflamma. Un instant plus tard, une petite explosion résonna dans les braises.

Abdal-haqq hocha la tête, satisfait.

— *Mezian, mezian.*

Il saisit la bête par une patte minuscule terminée par une griffe, l'emporta auprès du lit de son capitaine et la passa plusieurs fois sous le nez d'Al-Andalusi. Cat supposa qu'il s'agissait d'une forme de magie impénétrable. L'odeur de la créature brûlée – d'une âcreté répugnante – envahit la cabine et lui brûla les yeux. Quel effet un lézard calciné pouvait-il bien avoir sur les humeurs guerrières d'un homme, sans parler d'un homme mort ?! Mais alors qu'elle se posait la question, le raïs éternua et s'assit sur son séant.

Cat sentit ses jambes se dérober sous elle. Elle avait entendu parler de cadavres qui, sans crier gare, s'agitaient brusquement, et même de certains qui prononçaient quelques mots. Il était par exemple notoire que Marie d'Écosse avait bougé les lèvres un bon quart d'heure après avoir été décapitée. Mais elle n'avait jamais entendu parler d'un cadavre qui éternuait.

— *Labas aalik ?*

Al-Andalusi s'effondra contre les coussins. Il prit dans ses deux mains celles du vieil homme.

— *Labas, allhamdullah. Shokran, shokran, Abdal. Barakallaofik.*

Les deux hommes conversèrent doucement. Puis Abdal-haqq se tourna vers Cat.

— Le renégat anglais a mis un mauvais œil sur notre raïs. Le *al-boua*, le caméléon, il aide maintenant ; mais l'infidèle il doit mourir. *Après*, le raïs est guéri.

Il posa la main sur la dague passée sous sa ceinture de soie et conclut :

— Je serai très content.

Cat le regarda partir, avec plus que jamais l'impression d'être dans un autre monde. Un monde dans lequel la mort pouvait s'abattre sur un homme comme un faucon sur sa proie et où les règles normales étaient déformées, comme vues au travers d'une flaque d'eau. Un univers où la magie semblait à la fois plus tangible et plus puissante que la logique, les coutumes, ou l'équilibre mental.

Et maintenant, voilà qu'Ashab Ibrahim, qui dans une autre vie avait été un marin ordinaire, allait être exécuté. Il s'était cru en sécurité dans cet endroit étrange, avec son nouveau costume, sa nouvelle religion et une autre identité. Mais rien de cela ne le sauverait. Elle ne ressentit aucune pitié pour celui qui jadis se nommait Will Martin. Toutefois, elle sentait confusément que la colère du capitaine avait été déclenchée par une simple menace envers *elle*, et ce sentiment la hantait. Mais dans ce cas, pourquoi Al-Andalusi avait-il menti au vieil homme ? Pour éviter à Cat une quelconque honte ? D'un autre côté, si Ibrahim n'avait pas jeté de sort au raïs, comment la magie du lézard brûlé l'aurait-elle ressuscité ? Bouleversée, elle ne put contenir davantage ses larmes.

— Pourquoi pleures-tu ?

Elle se tourna et s'aperçut que le raïs l'observait. Il lui sembla que, sous ce regard, ses pensées les plus intimes étaient mises à nu. Elle détourna les yeux et essuya ses larmes du revers de la main.

— Tu pleures pour le renégat ?

— Sûrement pas !

— Alors, pourquoi ?

Elle tapa du pied, furieuse à présent.

— Je ne sais pas.

— Parce que tu me croyais mort ? demanda-t-il, un éclair malicieux dans l'œil.

— Non !

— Beaucoup de femmes pleureraient si je meurs… J'ai une grande famille.

— Combien d'enfants avez-vous ?

Son expression se durcit.

— Pas d'épouse, pas d'enfants. Les tantes et les cousins, et leurs enfants qui sont comme à moi, à Slâ et dans les villages des montagnes ; beaucoup de gens dépendent de moi, je travaille durement pour eux. Chaque printemps, je vais avec le bateau de Slâ, je fais la razzia, je prends des prisonniers nazaréens et si ils résistent je les tue. En été ou en automne, je rentre avec les captifs que je vends dans les *souks*, puis on partage l'or, avec l'équipage, le commanditaire, le *marabout*, la famille, la communauté. Tout le monde profite un peu, spirituellement et financièrement, de travail sacré de *ghuza*...

Une violente quinte de toux l'empêcha de continuer.

— Vous êtes affaibli, vous devriez dormir.

— Je dors quand je suis mort. Pas mort encore, malgré les efforts des bâtards espagnols.

Il cracha puis ordonna :

— Apporte la pipe.

— Je ne pense pas que cela soit une bonne idée.

Il claqua des doigts.

— Apporte !

Son ton péremptoire l'irrita. Elle alla prendre le narguilé, qu'elle posa violemment devant lui.

— Prenez donc, alors, et empoisonnez-vous le sang avec cette maudite fumée ! Vous n'êtes qu'un monstre et un fanatique ; je ne me soucierais pas de vous voir mourir maintenant !

Les doigts du raïs se refermèrent autour de l'embout de la pipe, mais ils manquaient de force. La *chicha* tomba au sol et le verre se brisa en mille morceaux tandis que l'eau et les herbes se répandaient sur le tapis.

Al-Andalusi jura dans sa langue, une explosion gutturale de sons, avant de retomber contre les coussins, le front couvert de sueur.

— Je voulais te garder pour tenir ma maison. Mais je vois, tu es... *kambo* et stupide. Tu casserais tout ce qui est beau et de grande valeur.

— Très bien, car je n'ai pas l'intention d'être esclave dans une porcherie païenne !

Il plissa les yeux.

— Tu m'insultes ?

Cat décida qu'il ne serait pas très sage de sa part de continuer sur ce ton. Elle se baissa et se mit à nettoyer le verre brisé, évitant de croiser le regard furieux de son ravisseur. Mais le raïs n'avait nullement l'intention de se laisser distraire.

— Quel est ce mot que tu as dit ? Quel est ce « … cherie » ?

Son œil sembla transpercer le crâne de Cat, qui à présent regrettait de s'être emportée.

— Une porcherie, dit-elle doucement, une maison pour les porcs.

— Alors tu me méprises, hein, petite infidèle ? Tu crois que je suis ignorant, « païen » qui vit comme un cochon sale, dans la poussière ? Tu crois peut-être que tout le monde est comme ça dans mon pays, pas mieux que les animaux ?

Il prononça chaque parole d'une voix aussi coupante qu'un rasoir et Cat les sentit qui s'enfonçaient comme des lames glacées dans son cerveau.

— Non…

Au-dessus d'eux s'éleva alors un cri d'agonie, un hurlement qui sembla durer une éternité avant d'être coupé net. Cat ferma les yeux. Ainsi prenait fin la vie de Will Martin, né à Plymouth. Si elle n'y prenait garde, Catherine Tregenna le suivrait bientôt.

La faiblesse du pirate la sauva, car peu après il sombra dans un sommeil agité qui dura toute la journée et la nuit suivante. Au matin, la fièvre se déclara de nouveau mais, au grand soulagement de Cat, le capitaine s'en remit sans l'aide d'un autre caméléon brûlé. Elle lui apporta la nourriture qu'un membre d'équipage avait déposée devant la porte à l'aube, et le regarda picorer. Après mûre réflexion, elle était parvenue à une décision.

— Hier vous m'avez demandé pourquoi je pleurais. Je vais vous répondre. Je pleurais parce que je ne comprends pas vos coutumes. Je ne comprends pas pourquoi vous avez fait tuer

Ashab Ibrahim, ni ce « mauvais œil » ni comment un lézard plongé dans le feu peut vous faire revenir d'entre les morts. Je ne comprends pas pourquoi vous nous avez enlevés, en quoi vous trouvez cela juste, ni pour quelles raisons vous haïssez autant les bons chrétiens. Je ne comprends rien à tout cela ! Et par-dessus tout, je ne sais pas pourquoi vous me gardez ici, dans votre cabine. J'ai pleuré car j'ai l'habitude de reconnaître le monde dans lequel je vis, mais maintenant, je ne comprends rien.

Le raïs ferma les yeux, comme en proie à la douleur.

— Les femmes... Pourquoi elles demandent autant ? Nous ne sommes pas là pour comprendre le monde ; mais pour *faire partie* du monde, et remercier. Et moi à peine réveillé, ajouta-t-il dans un profond soupir. Bon, j'explique pourquoi le renégat est tué : parce qu'il a agi comme si mon autorité sur le navire est finie, comme si je suis déjà mort. Personne n'a le droit à menacer les prisonniers sans mon ordre.

— Abdal-haqq a affirmé que le renégat vous avait jeté un sort et qu'il devait mourir pour cette raison.

Le capitaine eut un geste évasif.

— Abdal-haqq est sage. Quand il dit aux hommes pourquoi le renégat doit mourir, l'équipage ne questionne pas ma décision. Ils sont... quel est le mot ? effrayés par les sortilèges et les choses comme cela. Ils mettront un sac sur sa tête puis le jetteront dans la mer pour ne plus recevoir le mauvais œil.

— Mais c'est quoi, le mauvais œil ? Comment un œil peut-il faire du mal ?

— Il y a un vieux dicton berbère : le mauvais œil peut mener un homme à sa tombe, et un chameau dans la casserole.

— Je ne sais pas ce qu'est un chameau.

Al-Andalusi éclata de rire.

— Tout ton peuple est aussi ignorant ? Je ne peux pas expliquer le chameau : le chameau existe, chaque homme connaît sa valeur. Mais le mauvais œil est comme la lumière : tu peux le voir, le sentir, l'utiliser pour faire mal à d'autres personnes.

Il peut causer la douleur ou la mort, mais tu ne peux jamais le tenir entre tes mains ; seulement possible de l'écarter, par chance ou volonté d'Allah.

— Alors que représentait le lézard : la chance ou la volonté d'Allah ?

Al-Andalusi leva les yeux au ciel.

— Discuter avec la femme est mauvais pour la santé : je sens déjà mes forces moins grandes. Je suis sûr que les étoiles dans ciel sont femelles et chaque mois la pauvre lune est fatiguée par leurs discours. Le caméléon est une magie puissante, mais Allah seul dit si la magie fonctionne ou pas ; je ne peux pas expliquer plus à une infidèle.

— Pourquoi nous haïssez-vous autant, et nous appelez-vous « infidèles » ou « nazaréens » ?

— Tu ne sais rien du monde ? Chrétiens ont fait la guerre contre mon peuple pendant des milliers d'années. Ils nous persécutent avec cruauté et utilisent la religion comme excuse. Toute ma famille est morte des mains de nazaréens, et seul moi je suis vivant pour les venger.

— Oh… Et que s'est-il passé ?

Il détourna le regard.

— Pourquoi tu veux savoir ?

— Pour m'aider à comprendre… pourquoi vous agissez ainsi, pourquoi je suis là…

Le raïs la fixa droit dans les yeux.

— Je ne dois pas justifier mes actions. De plus, ce n'est pas une histoire pour les enfants, surtout une enfant nazaréenne.

— Je ne suis *pas* une enfant. Je ne sais même pas si je suis bien ce que vous appelez une nazaréenne.

— Tu es chrétienne, non ? Tu suis le prophète Jésus de Nazareth ?

Cat se mordit les lèvres. Nell et lady Harris lui reprochaient sans cesse son manque de valeurs chrétiennes. Elle ne savait plus ce qu'elle croyait ni qui elle était. Baptisée sur les fonts de Veyran, elle avait prié en silence l'Enfant Jésus, le Père, le

Fils et le Saint-Esprit en temps de crise. Mais c'était avant les pillards. Désormais, elle ne comprenait pas comment un dieu qui prenait soin de son peuple était capable d'autoriser que des pirates les enlèvent, en pleine prière, les abandonnent dans de si atroces conditions – hommes, femmes et enfants innocents. Elle n'était toutefois pas mahométane, aussi que pouvait-elle répondre ? Elle haussa les épaules.

— Oui, je suppose.

— Alors tu es mon ennemie et je te dis pourquoi : le père du grand-père de ma mère venait de Rabat, au Maroc, mais il part car il n'a pas de travail. Il rejoint une colonie de Maures en Estrémadure, montagnes d'Espagne. Le grand-père et le père de ma mère sont nés là-bas, et aussi ma mère : quatre générations de sa famille, tu comprends ? Eux vivent en Andalousie, travaillent, font commerce, apportent la richesse à la communauté. Mon père est marchand, voyage partout dans Maroc, rapporte le sel, l'or, l'ivoire du Sud-Ouest, de Trafraout, vers le nord de la côte, puis après vers l'Espagne. Ensuite, il revient avec l'acier espagnol, les épées et les canons. Une visite, il loge chez la famille de ma mère, la rencontre et la demande pour épouse. Le voyage suivant, ils se marient. Puis il la ramène au Maroc, dans les montagnes de l'Atlas, où je suis né. Mais elle veut retourner dans son foyer en Espagne, son pays lui manque, aussi sa famille. Elle ne parle pas berbère ni arabe, seulement espagnol. Quand j'ai cinq ans, nous allons en Estrémadure pour vivre avec sa famille. Puis le roi espagnol Philippe décide tous les Maures doivent quitter l'Espagne, même si ils sont installés depuis longtemps, même si ils parlent espagnol, sont espagnols. Quelques-uns de ma famille voient les persécutions très tôt et partent – mon oncle, des cousins –, ils emportent tout ce qu'ils peuvent et retournent au Maroc. Mais mon père est fâché. Il a tout déménagé pour vivre en Espagne, ses affaires sont bonnes ici : pourquoi il doit partir, seulement parce qu'il est musulman ? Il refuse de partir : ils le forcent à devenir catholique. C'est une honte pour lui, mais ma mère supplie, et il accepte. Ils restent, mais toujours, cela devient pire : mon père est traité comme un chien, sans respect, volé dans ses affaires. Finalement, l'Inquisition arrive. Ils prennent mon père une nuit ; le matin, ma mère me met sur une mule et m'envoie en bas de la montagne pour aller avec le cousin qui part pour Maroc. Toutes mes sœurs sont en larmes parce que je pars. Toutes des petites filles. « Nous venons te rejoindre là-bas », promet ma mère, mais moi je les ai jamais revues. Je pleure sur tout le chemin de la montagne. C'est dernière fois que je pleure.

— Les avez-vous revues ?

— Je ne connais pas le sort de ma famille pendant une année. Je pars avec le cousin à Slâ, où je trouve deux oncles, et d'autres cousins qui vivent là. J'attends mon père, ma mère, mes sœurs, mais ils n'arrivent pas. Enfin, mon oncle dit une nuit : « Viens avec moi. Il y a un homme, prisonnier espagnol. » Je vais dans la *qasba* de Slâ où le bateau est arrivé avec des prisonniers. Cet homme, forgeron de Hornachos, mais quand les Maures sont partis, il n'a plus de travail, il devient soldat. Il me dit l'Inquisition a torturé mon père jusqu'à la mort. Ils ont cassé ses bras, ils l'ont laissé pourrir dans la cellule de la prison.

Il ferma les yeux. Un petit muscle tressauta sur sa joue.

Cat baissa la tête vers ses mains serrées sur sa jupe, les jointures blanches. Elle n'osa pas poser la question qui lui brûlait les lèvres, de peur d'entendre la réponse.

— Les soldats viennent pour prendre le reste de ma famille, deux jours après mon père. Ils violent ma mère, tuent mes sœurs ; ma mère meurt à cause de la honte et du chagrin. J'ai dix ans. Mes sœurs ont deux, quatre et sept ans. J'aurais dû rester, pour les défendre…

« Le forgeron, il a vu. Il dit il a essayé d'arrêter les soldats, mais je sais qu'il ment. Mon oncle me donne un poignard pour le tuer. Il est le premier nazaréen que je tue. J'ai alors onze ans. Maintenant, j'ai perdu le compte.

« J'ai juré la vengeance, alors mes cousins me prennent

comme apprenti aux côtés du grand pirate : Yussuf Raïs, avant grand Anglais appelé John Ward. Les Anglais le traitent mal : ils disent que c'est un héros quand il prend les trophées pour la Couronne, puis un voleur quand il le fait pour lui. Alors il renonce à être chrétien, embrasse l'islam, il fait la guerre aux nazaréens. Il me dit un jour : « Si je rencontre mon père en mer, je le vole puis je le vends. » C'est un bon professeur. Je voyage cinq ans avec lui. Quand il va à Tunis, il me donne ce bateau, le *Little John*. Il est mort il y a trois ans ; que son nom soit béni. Maintenant je suis sous *usanza del mare*, le code des pirates : je rapporte beaucoup de l'argent, beaucoup des prisonniers à mon peuple, je tue des Espagnols, des nazaréens, *damara'hum Allah*, que Dieu les détruise. C'est la vengeance et aussi un travail sacré. Je ne peux pas casser le trône espagnol ou l'Inquisition, mais je peux faire la guerre contre sa religion et le plus de ravages possible.

Ses yeux brûlaient d'ardeur. Cat se souvint de cette même expression sur le visage de son grand-père, lorsqu'il évoquait la reine Marie la Sanglante, la demi-sœur de la grande Élisabeth, qui avait fait brûler trois cents protestants sur le bûcher et menacé de faire débarquer l'Inquisition espagnole sur les rives anglaises, afin de convertir le pays au catholicisme. Les Espagnols étaient haïs en Cornouailles : lui-même avait perdu une jambe en luttant contre un pirate de ce pays. Elle se souvint aussi quand, à peine deux années plus tôt, le roi Jacques avait envoyé une délégation, menée par son favori, George Villiers, duc de Buckingham, afin de négocier les fiançailles entre le prince de Galles et l'infante d'Espagne. Cela avait entraîné des discussions furieuses à Mazarion ; Thom Samuels avait menacé de prendre les armes si l'Angleterre devait compter une reine ibérique, et Jack Kellynch l'avait alors frappé car sa propre mère était native de ce pays. Cat trouvait extraordinaire que son propre peuple ait quelque chose de commun avec ces corsaires violents et fanatiques. Elle était également déconcertée par l'émotion que le récit du raïs avait fait naître en elle. Al-Andalusi lui semblait soudain moins un monstre qu'un homme possédant de bonnes raisons d'agir comme il le faisait.

Lorsqu'il releva brusquement la tête et croisa son regard, elle le trouva difficile à supporter et détourna les yeux.

— Mais je ne comprends toujours pas ce que vous avez contre les Anglais, déclara-t-elle enfin. Surtout après avoir navigué avec l'un d'eux, qui vous confia en plus son bateau. Les Espagnols ont assassiné votre famille, pas les Anglais. Et puis, l'Angleterre est de nouveau en guerre contre l'Espagne, comme au temps de la reine Élisabeth. Ce sont nos ennemis autant que les vôtres.

Elle marqua une courte pause puis ajouta :

— Vous savez, en plus, la Cornouailles est un pays à part et ne fait pas vraiment partie de l'Angleterre.

— J'ai tellement attaqué la côte espagnole que plus un seul village n'est maintenant sans fortifications ! Trop de canons. Alors je prends les nazaréens où je les trouve. Vous n'êtes pas préparés : pas de canons, ni défense. Très facile.

Voyant le visage de la jeune femme se décomposer, il ajouta avec douceur :

— Tiens, Cat'rin, prends le pain, mange. Si tu dois me garder jusqu'à ma guérison, tu dois prendre de la force.

Il lui tendit la moitié de la miche de pain et ajouta :

— Trempe dans huile pour mollir, sinon tes dents vont se casser. Avec des dents brisées, tu seras moins chère au marché. Et mange cela aussi, c'est bon pour la digestion.

Empilés sur un plat d'argile se trouvaient un grand nombre de ces petits fruits salés qu'elle n'aimait pas, ainsi que d'autres, un peu ventrus, écrasés, qui ressemblaient à de minuscules étrons.

Cat plissa le nez.

— Non merci.

— Prends. C'est bon.

Il prit l'un des fruits entre ses doigts, le lui tendit et, voyant qu'elle hésitait, insista.

— Pour mon peuple, l'hospitalité est importante : refuser c'est insulter.

Elle mordit précautionneusement dans le fruit. Une saveur douce et sucrée envahit son palais, qui lui rappela celle des nèfles, que la cuisinière mettait en pots chaque automne. La sensation était très inattendue.

— Oh…

Elle enfourna le reste du fruit dans sa bouche.

— La figue, expliqua le raïs. Dans certaines traditions, c'est le fruit de l'Arbre de Connaissance donné par Ève à Adam.

— Dans la Bible, il s'agit d'une pomme.

— Dans notre tradition, selon le Coran, c'était la pomme aussi. Et quand Adam a avalé, le morceau de fruit est resté coincé dans sa gorge et a fait la bosse que les hommes ont tous.

— La pomme d'Adam ! Nous l'appelons comme ça nous aussi !

— Peut-être nous ne sommes pas aussi étrangers l'un pour l'autre que tu le penses.

16

Le raïs assure que quand se seront escoulés deux jours, nostre navire parviendra au port de Salé, au Maroc. Après cela, je ne sçay ce qu'il adviendra de moy. Le raïs este à présent sur pied et je ne l'ai guère vu, ces jours passés. On ne me renvoya point en cale, mais je suis restée ici, dans la cabine. J'espérais qu'il autoriserait ma mère à se joindre à moy, mais il ne fit que de me fixer du regard et je n'ose plus demander. Je crains pour mon avenir, car par la faulte de mon mensonge il me croye issue de famille riche qui paiyera une belle rançon pour nostre retour. Mais il menace aussi de me vendre à un sultan, ce qui, je croye, ressemble à un roy en sa contrée, affirmant que ma toison rousse et mon teint laiteux feront un bon prix au marché de Salé. Comme je regrette de ne pas avoir suivi la recommandation d'Annie Badcock de rebrousser chemin vers Kenegie, avec Rob...

— Pourquoi es-tu partie comme ça, Julia ? C'était vraiment bizarre, tu sais ?

— Je ne peux vraiment pas me trouver dans la même pièce que lui.

Alison afficha un air désolé.

— Pardon. J'ai aggravé les choses, hein ? Écoute, si tu préfères que j'abandonne cette histoire de rénovation du cottage, je le ferai. Après tout, ce n'est que de l'argent.

— Andrew t'a-t-il laissé beaucoup de dettes ? demandai-je, un peu embarrassée. Je pourrais t'aider, tu sais ?

Elle sourit tristement et ses yeux se remplirent de larmes.

— C'est sans doute moins affreux que je ne l'imagine. Je n'ai pas encore osé consulter les relevés, je n'en ai pas la force. Mais travailler un peu ne me ferait pas de mal, ne serait-ce que pour me changer les idées.

— Je comprends, excuse-moi. Prends-le, ce boulot, ne t'en fais pas pour moi.

— C'est seulement que... commença-t-elle, mal à l'aise, je me suis laissé emporter, et Michael a semblé emballé... Il a appelé Anna. Elle arrive demain pour discuter des travaux envisageables.

— Quoi ?

J'étais horrifiée. À quel moment Michael avait-il suggéré la venue d'Anna ? S'il l'avait jointe avant de m'appeler, il avait dû se dire que c'était sa dernière chance de me voir avant qu'elle arrive. Sinon... La nausée me prit. Est-ce qu'il voulait, de cette manière, me punir de le rejeter ?

— Et Anna, elle sait que je suis là avec toi ?

— Oui, je suis désolée. Quand Michael a raccroché, il m'a transmis ses amitiés et a ajouté qu'elle avait hâte de te voir.

— Je ne peux pas rester. Je n'y arriverai pas.

Alison se frotta le front.

— Nom de Dieu, quel bordel ! Est-ce que ce n'est pas mieux de régler les choses une bonne fois pour toutes, pour que tout redevienne normal ?

— Non, c'est trop tôt. Je ne peux pas la voir. Je n'en ai pas la force.

Ma bouche se mit à trembler. Je sentis des larmes couler sur mes joues. Alison se mit elle aussi à pleurer et me prit dans ses bras.

— Seigneur, voilà les grandes eaux pour toutes les deux !

Je lui offris un sourire tremblant.

— Pardon, je suis ridicule. C'est une liaison stupide qui, en plus, n'aurait jamais dû commencer. Je suis seule responsable, mais...

Elle m'interrompit de la main.

— Ne dis pas cela, tu te fais du mal. Mais tu ne crois pas que cela serait l'occasion d'y mettre un point final ?

— Non, je ne suis pas prête, c'est aussi simple que ça.

— Pour être franche, j'ai le sentiment que Michael ne l'est pas non plus ; il parle sans arrêt de toi quand tu n'es pas là.

Mon cœur – ce traître ! – cessa un instant de battre.

— Oh, et il a aussi posé quelques questions au sujet de ce petit livre de broderie. Il voulait savoir si tu avais terminé de le lire et semble penser qu'il possède une certaine valeur.

— Si c'est le cas, Al, tu devrais le récupérer.

Elle secoua la tête.

— Il te l'a offert, il est à toi, Julia. Mais ne t'avise pas de le lui confier sans un reçu, d'accord ?

Je souris amèrement.

— Parce que nous savons combien il est honnête, n'est-ce pas ? Tu sais, Alison, je dois vraiment rentrer à Londres, ne serait-ce que pour voir si la boutique est encore debout.

— Comme tu le souhaites.

Elle posa une main sur mon bras et ajouta :

— C'était merveilleux de t'avoir auprès de moi, Julia, vraiment. Merci.

— Je suis heureuse d'être venue, répondis-je, sincère.

— Tout finira par s'arranger. Rien ne se fait sans raison, n'est-ce pas ? Tu sais, parfois, je pense qu'elle existe bel et bien, la tapisserie immense de la vie et de la mort. Nous autres, simples fils minuscules, nous faisons partie de la trame. Mais d'autres jours, il m'arrive de croire que nous sommes seuls dans l'univers et que nous ne devons qu'à nous de vivre dans ce bazar.

Elle poussa un profond soupir puis reprit :

— Mais il y a quand même des coïncidences incroyables : quelles chances y avait-il qu'Andrew envoie ces bouquins à Michael, dont un qui, justement, traite de la broderie, ta passion, et contient un journal intime ? Sans parler de Catherine qui a vécu en Cornouailles, ici même. Tu sais, on a trouvé beaucoup de vieilles choses de Kenegie, dans le grenier : des livres, des vieux meubles. On a dû les entreposer ici pendant qu'on restaurait le manoir.

— Hmm, grognai-je, mal à l'aise. Coïncidence, je suppose.

— Tu as poursuivi ta lecture ? Cat travaille toujours à la nappe d'autel pour la comtesse de Salisbury ? Est-ce qu'elle l'a terminée un jour, selon toi ?

— On ne le saura sans doute jamais.

— Et si nous allions faire un tour au vieux manoir, avant ton retour à Londres, pour jeter un œil à l'endroit où elle vivait ?

Avec réticence, j'acceptai.

Lorsque vint la fin de l'après-midi, je regrettais d'avoir cédé. Notre visite de Kenegie fut sinistre. Alison m'avait dit qu'on avait transformé le domaine en complexe hôtelier, mais je n'avais pas vraiment réfléchi à ce que cela impliquait. La vision d'une douzaine d'affreux petits bungalows et de chalets entassés dans ce qui, jadis, avait dû être le verger de lady Harris me déprima. Surtout que s'y ajoutaient les couleurs criardes d'un parc pour enfants, un horrible parking, et une annexe au modernisme tapageur qui abritait une piscine et des distributeurs de dépliants touristiques invitant les visiteurs à une foule d'activités artificielles : demeures anciennes où l'on pouvait admirer des collections de papillons exotiques ou d'ours en peluche, zoos d'animaux domestiques ou trains miniatures. L'héritage culturel de la Cornouailles semblait s'être prostitué au mauvais goût. À côté de l'annexe se dressait le manoir lui-même. Seules les hautes cheminées de style Tudor rappelaient son origine. Les murs de granit étaient refaits, des fenêtres et des portes modernes se substituaient aux anciennes, et à l'emplacement du jardin des simples s'étalait à présent une cour bétonnée. Un gros panneau publicitaire vantait les services d'un agent immobilier et annonçait que ce manoir classé, après rénovation, compterait quinze appartements contemporains. On y lisait aussi le numéro de téléphone à appeler pour organiser une visite.

— On devrait téléphoner en se faisant passer pour des acheteurs potentiels, suggéra Alison.

— Non merci.

J'étais déjà assez morose. Comment la municipalité avait-elle accepté que l'un des trésors de la région soit traité ainsi, dans un but purement commercial ? Je fis part de mes pensées à Alison.

— Peut-être que le manoir, souvent remanié au cours des siècles, ne comportait plus rien d'original ? proposa-t-elle en haussant les épaules.

Elle passa la tête à l'intérieur par la porte principale. Le bruit distant de coups de marteau nous parvint depuis le fond du couloir. Puis un homme coiffé d'un casque et vêtu d'une combinaison jaune vif apparut, un arrache-clou en main :

— Bonjour, vous venez faire une visite ?

Regardant par-dessus nos épaules, il ajouta :

— L'agent immobilier est avec vous ?

— Nous avons rendez-vous un peu plus tard, mentit Alison avec aplomb, mais on est venues en avance pour jeter un coup d'œil. Vous connaissez les agents immobiliers ; toujours à vous faire presser le pas devant les petits détails embarrassants !

Ils éclatèrent de rire, complices.

— Eh bien entrez, alors, et baladez-vous. Il ne reste plus rien à voler, de toute façon, sauf si vous êtes intéressées par des perceuses sans fil !

Il nous laissa et alla démolir une autre partie de la maison.

L'extérieur m'avait découragée, mais l'intérieur acheva de briser mes dernières illusions. Quelles traces de Cat et du XVIIe siècle auraient pu survivre au milieu de ces plaques de plâtre, de ces câbles électriques, de ces lignes téléphoniques et de ces pots de peinture d'un blanc éclatant ? Même mon imagination débridée ne serait pas parvenue à ressusciter les ombres de sir Arthur ou de lady Harris parmi les tapis en jonc de mer ou les doubles vitrages, à évoquer l'existence de Robert Bolitho et de Jack Kellynch dans les couloirs au sol de béton nu, ou à éveiller la présence de Matty et de Nell Chigwine dans le mélaminé et l'acier sans âme des quinze nouvelles cuisines absolument identiques. Aucune vieille gitane ne s'aventurerait à l'office à la recherche d'une piécette et d'un bol de porridge.

Alors que je suivais Alison d'une pièce à l'autre, il m'apparut de plus en plus évident que l'esprit de Catherine Anne Tregenna ne se trouvait pas ici.

Cette nuit-là, je rêvai. C'était inévitable, après les émotions de la journée. À l'aube, les images qui s'attardèrent dans mon esprit n'apportèrent aucune solution à mes problèmes, mais semblaient au contraire les souligner : Anna, vêtue d'un manteau à large capuche, un poignard recourbé dégoulinant de sang dans la main. Des gens qui me hurlaient des choses que je ne comprenais pas, dans une langue inconnue. Une odeur de brûlé. Et Michael, enfin, qui me suppliait d'épargner sa vie. Je m'assoupis de nouveau, replongeai dans mes rêves, refis surface une fois de plus puis me rendormis, pour m'éveiller enfin un peu plus tard, hantée par la conscience aiguë qu'une menace pesait sur moi.

Alison frappa à la porte.

— Ça va ? Il est tard, dix heures passées.

— Nom de Dieu !

J'avais eu l'intention de prendre le premier train pour Londres, mais quand finalement j'atteignis la gare, midi sonnait. Sur le quai, alors que nous regardions les passagers descendus du train venant de la capitale, Alison s'écria :

— C'est Anna, non ?

Mon cœur cessa de battre un court instant. Du wagon de première classe descendait une femme brune, vêtue d'une veste sur mesure et d'un jean droit qui disparaissait dans de très belles bottes de cuir à hauts talons. Malgré l'horreur de la situation, je ne pus m'empêcher d'admirer son style et son élégance nonchalante. Si j'avais essayé ce look, mon jean aurait à coup sûr été trop lâche, plein de plis, enflé comme deux ballons aux genoux et pendouillant lamentablement sur les fesses : en bref, j'aurais eu l'air d'une plouc.

Je me retournai et fis mine de m'enfuir.

Mais Alison m'attrapa le bras.

— Écoute, c'est le moment de crever l'abcès. Qu'est-ce qui est pire : un salut rapide sur un quai de gare, avec à la main un billet qui te permet de t'éclipser tête haute, ou jouer à cache-cache le restant de tes jours en essayant de l'éviter ?

Elle avait raison. Mais je pouvais très bien l'admettre tout en me réfugiant au café de la gare, laissant Anna nous dépasser sans nous voir. Je fis part de mes réflexions à Alison, qui grimaça.

— Ne sois pas idiote. Elle te verra, c'est sûr ; tu auras l'air de quoi quand elle comprendra que tu voulais l'éviter ? Et puis, si jamais elle me croit partie prenante dans ce petit jeu, je n'ai plus aucune chance qu'elle me confie la restauration de son cottage.

J'étais coincée. J'attendis mon exécution, tel l'agneau sacrificiel, les yeux fixés sur l'épouse de mon ancien amant, qui tirait derrière elle sa valise argentée, son visage parfaitement maquillé ne trahissant pas qu'elle avait décelé notre présence.

J'avais vu Anna par intermittence, ces sept dernières années, suffisamment pour être le témoin des changements de style qu'elle adoptait, et les envier. Mais alors qu'elle s'approchait, les yeux fixés sur le bitume, je constatai qu'elle avait vieilli. Des lignes creusaient chaque côté de sa bouche, au demeurant merveilleusement colorée, mais dont les coins tiraient vers le menton. Anna nous dépassa sans nous voir, et je compris qu'elle était profondément malheureuse.

Cette pensée occupa mon esprit une grande partie de mon trajet. Je savais au fond de moi que ce chagrin abyssal était celui d'une épouse qui connaissait depuis longtemps l'infidélité de son mari, qui supportait sa trahison en silence et n'ôtait le masque qu'en privé, ou quand elle ne se savait pas observée. Pendant trois heures, alors que le train dépassait Exeter, puis Taunton, tandis qu'il traversait la plaine de Salisbury, je me remémorai les moments passés avec Michael. Je visitai en pensée chaque pouce de son corps, habillé ou nu, au repos ou en proie au désir. Je pleurai doucement, le visage appuyé contre la vitre afin que personne ne me voie. Le train traversa Hungerford. Lorsque j'atteignis Reading, j'avais écarté mon amant de mes pensées. J'en enfermai le souvenir à double tour, dans une boîte que je rangeai dans un coin sombre de ma tête.

J'éprouvai du soulagement, après ces semaines passées dans la maison d'une autre, à retrouver les ombres et les contours familiers de mon intérieur.

Je déposai ma valise dans ma chambre et me préparai du thé. Tasse en main, je déambulai de pièce en pièce, reprenant contact avec mon chez-moi. Peut-être étais-je lasse et anxieuse, ou bien mon esprit me jouait-il des tours, mais d'infimes détails attirèrent mon attention. Avais-je quitté les lieux en laissant le journal par terre, sous la table ? Les livres sur les étagères, de part et d'autre de la cheminée, étaient-ils toujours entassés dans cette pagaïe ? Je ne me souvenais pas non plus d'avoir laissé mes boîtes de rangement et mon bureau ouverts.

Dans ma chambre, le tiroir de ma table de chevet était entrouvert. Le pêne, un peu défaillant, n'était pas engagé dans la gâche. Il fallait un coup de main pour y parvenir. L'évidence me sauta alors aux yeux : quelqu'un était entré par effraction dans mon appartement !

En proie à la panique, je me précipitai de nouveau dans le salon. Mais la chaîne hi-fi trônait encore à sa place, ainsi que les nombreuses petites enceintes qui y étaient connectées. Les tableaux pendaient aux murs, mon ancien ordinateur portable reposait sur le bureau et on ne s'était pas préoccupé de voler les quelques bijoux que ma mère m'avait laissés.

Je plissai les yeux, inquiète. Quel était donc cet étrange cambrioleur ?

Quand je finis par comprendre, mes genoux se dérobèrent sous moi.

Michael. Il était entré avec la clef que, six ans plus tôt, je lui avais donnée. Il était responsable de cette impardonnable invasion de ma vie privée. Et comme il n'avait pas trouvé ce qu'il cherchait, il m'avait ensuite suivie en Cornouailles. Le salaud !

J'avais la nausée. Si le livre de Catherine possédait une telle valeur, pourquoi me l'avait-il offert, alors ? Michael allait sous peu apprendre mon retour à Londres, me ferait-il du mal afin de s'en emparer ? À cet instant, je pris conscience que je ne connaissais pas l'homme avec qui j'avais entretenu une liaison pendant sept ans.

J'appelai Alison.

— Ne t'inquiète pas, me rassura-t-elle. Je les garde ici. Ils ont l'intention de rester deux semaines, de toute façon, ce qui te laisse le champ libre. Si Michael s'en va, je te préviendrai.

La quinzaine qui suivit, je m'appliquai, pour la première fois depuis que je l'avais acheté, à nettoyer mon appartement de fond en comble. Je jetai quinze grands sacs-poubelle noirs, ce qui me procura une étrange sensation de purification. Après cela, je le mis en vente et en donnai la clef à l'agent immobilier. Je ne voulais plus y vivre.

J'emménageai dans un appartement loué à Chiswick, vendis le droit au bail de la boutique à une fille qui venait d'obtenir son diplôme de St Martin et cherchait un endroit où vendre une ligne de vêtements délirants, et cédai mon stock (ou ce qu'il en restait) à une femme que j'avais rencontrée l'année précédente lors d'un séminaire ouvert aux artisans.

Avec l'impression de n'avoir ni racines ni attachements, je me rendis alors à la librairie Stanford's. Là, j'achetai tous les guides qu'ils possédaient sur le Maroc.

À la veille du départ, j'éprouvai quelques scrupules. J'appelai Alison.

— Je pars pour le Maroc demain. J'ai pensé que quelqu'un devait le savoir, au cas où il m'arriverait quelque chose.

Au bout de la ligne, un silence succéda à mes paroles.

— Tu y vas *seule* ? demanda enfin ma cousine, incrédule.

— Euh, oui. Mais je loge dans un très bel endroit, un *riad* – une ancienne maison de marchand – dans la capitale, à Rabat.

Je lui en communiquai les coordonnées. J'avais eu une longue conversation avec la femme qui dirigeait la maison d'hôtes. Elle parlait un excellent français, ce qui avait poussé mes connaissances scolaires de cette langue au-delà de leur limite. Mais Mme Rachidi s'était montrée rassurante et fort utile. Un guide local m'accompagnerait dans la ville, m'avait-elle appris, un cousin nommé Idris qui connaissait toute l'histoire des environs et parlait un anglais impeccable. Cela me préserverait de toute « attention indésirable », selon ses propres termes. Je n'avais aucune idée de ce qu'elle entendait par là.

— Mais, Julia, c'est un pays musulman. Tu ne peux pas y aller seule.

— Et pourquoi cela ?

— C'est dangereux ! Là-bas, les hommes qui voient une Européenne seule s'imaginent qu'elle est facile. Leur culture réprime le sexe. Les femmes sont couvertes des pieds à la tête et les relations sexuelles sont interdites avant le mariage, alors bien sûr, les Occidentales leur font l'effet de prostituées qui s'exhibent. En plus, tu es blonde...

— Oh, tais-toi donc ! On dirait un journal à scandale ! Les guides disent qu'il faut se couvrir un peu plus que d'habitude et faire preuve de bon sens. Mme Rachidi m'affirme que je n'aurai pas de problèmes.

— Évidemment, elle ne veut pas perdre l'occasion de mettre la main sur ton bon argent anglais !

— De toute façon, son cousin Idris m'accompagnera.

— Julia, tu n'es pas sérieuse ? Mais tu ne le connais pas – peut-être qu'il sera la source de plein de problèmes !

— Écoute, je téléphonais seulement pour t'avertir et te donner mon nouveau numéro de portable. Je t'appellerai dès mon arrivée au *riad*, d'accord ?

Je l'entendis soupirer.

— Très bien, puisque je ne peux pas t'en dissuader.

— Je m'envole demain à dix heures, je devrais être sur place en milieu d'après-midi.

— *Inch'allah.*

— Très drôle.

17

Août 1625

Les jours semblaient longs et vides depuis qu'Al-Andalusi était suffisamment remis pour vaquer de nouveau à ses devoirs de capitaine. Chaque matin, le raïs se levait à l'aube, au son des premiers appels du chef des prières, se lavait soigneusement à l'eau froide puis, à l'aide de béquilles fabriquées par ses hommes, remontait le couloir en boitillant jusqu'au pont. Cat ne le revoyait pas avant le coucher du soleil.

Dans les premiers temps, elle trouva difficile d'occuper ces longues heures de solitude. Allongée dans la demi-pénombre, elle attendait le coup frappé à la porte qui l'avertissait de l'arrivée du petit déjeuner – une miche de pain dur, de l'huile et un peu de miel moins acide que celui dont elle avait enduit les blessures du raïs. Parfois s'y ajoutait une étrange boisson chaude, très sucrée et parfumée d'une plante inconnue, qu'elle avalait avidement. L'appel à la prière retentissait encore en milieu de matinée puis une fois de plus alors que le soleil était au zénith, et le raïs ne revenait toujours pas. Au bout de quelques jours, elle s'aperçut que sa compagnie lui manquait, et cela l'inquiéta. Ne devait-elle pas haïr son ravisseur, et souhaiter sa mort ? Songeant à sa famille et à ses compatriotes dans la cale, à la stupéfaction qu'ils montreraient en la voyant logée dans un tel luxe, elle eut honte. Quelques jours plus tôt, elle avait rassemblé assez de courage pour demander à son geôlier qu'il autorise sa mère à la rejoindre dans la cabine. Il avait détourné son visage d'aigle, sans répondre, et elle ne savait pas s'il avait compris sa requête. Une tension silencieuse flottait entre eux, un sentiment qu'elle ne parvenait pas à nommer. Parfois, elle pensait qu'il avait honte de s'être montré faible et vulnérable devant elle. À d'autres moments, il semblait furieux. Il demeurait alors assis, morose, les yeux fixés sur la flamme d'une bougie, ou bien, plongé dans la lecture d'un petit livre à la couverture de cuir, il remuait les lèvres, comme si elle n'existait pas.

Elle erra dans la cabine, intriguée par les objets exotiques. Elle passa la main sur les petites tables marquetées avec des motifs de cuivre, de nacre ou d'ivoire, toucha les lanternes ajourées d'étoiles délicates, caressa les tapisseries aux couleurs magnifiques qui pendaient aux murs. Elle découvrit un bracelet d'argent ciselé, si large qu'elle pouvait l'enfiler sans en défaire le fermoir : elle le remonta sur son bras jusqu'au biceps, se souvenant l'avoir vu au poignet du raïs. Elle examina la substance cristalline qui recouvrait le fond d'un petit plat de cuivre posé sur du charbon, qu'Al-Andalusi chauffait souvent lors de ses prières du soir et qui exhalait une odeur entêtante. Ses vêtements et ses cheveux en restaient imprégnés même après qu'elle les eut lavés, ce qu'elle faisait à l'occasion pour tromper l'ennui de ces longues heures solitaires. Elle écrivit dans son journal, remplissant le moindre espace de caractères si minuscules qu'elle-même ne parvenait plus à les déchiffrer. Elle s'allongea sur les coussins en songeant à ce peuple étrange qui cousait des perles et des gemmes sur des objets destinés au simple confort. Elle goûta la viande fumée et les fruits secs qui lui étaient servis pour le déjeuner, développant même un goût pour les olives.

Un matin, lorsque retentit à la porte le coup qui annonçait son repas, elle eut la surprise de découvrir quelques aunes de tissu blanc sur le sol. Une pelote de fine laine noire et une aiguille étaient posées dessus.

Elle parcourut la coursive du regard, mais celui qui lui avait apporté ces trésors s'était déjà éclipsé, pieds nus, en hâte et en silence. Elle rapporta le tout dans la cabine puis passa l'après-midi à broder quelques motifs de son invention, dont une guirlande de zigzags et de cercles exécutés au point de croix. Avec la mine de plomb, elle dessina des feuillages, auxquels elle ajouta deux oiseaux. Elle achevait de les broder lorsque le raïs revint à sa cabine, mais, absorbée par sa tâche, elle ne l'entendit pas entrer. Levant les yeux, elle le vit sur le seuil ; la lumière des bougies accentuait sa stature et rehaussait ses hautes pommettes, ainsi que ses lèvres pleines. Son expression était mystérieuse. Depuis combien de temps se tenait-il appuyé là, les yeux fixés sur elle ? Embarrassée, elle écarta son travail, qu'elle utilisa pour couvrir *La Gloire de la brodeuse*.

— Puis-je voir ?

— Ce n'est pas terminé.

Il tendit une main impérieuse. Avec réticence, elle lui confia le carré de tissu. Il l'examina avec soin, à l'endroit comme à l'envers, avant de le lui rendre.

— Pour nous c'est mal de montrer une représentation réaliste des choses vivantes.

— Même les plantes et les oiseaux ?

— Même les plantes et les oiseaux.

Voyant sa déception, il poursuivit avec douceur :

— Il existe une histoire, une *hadith*. Au retour d'une expédition, le prophète Mohammed trouve dans un coin de chambre une tapisserie brodée par Ayesha, sa femme favorite, avec des figures humaines. Il décroche aussitôt la tapisserie et dit : « Quand viendra Jour de la Résurrection, pire punition sera réservée à ceux qui cherchent à imiter les créatures créées par Dieu. » Alors, Ayesha découpe les figures humaines des tentures et fait des coussins.

Cat eut pitié de cette femme : son époux semblait un homme épouvantablement pieux.

— Mais je ne cherche pas véritablement à recréer ces choses, seulement à en montrer une version plus simplifiée, interprétée à ma manière.

— Cela est présomptueux.

— Mais n'est-ce pas une autre manière d'apprécier le travail de Dieu que de l'étudier, de s'en pénétrer ?

Le raïs ferma les yeux, considérant la question. Quelques instants plus tard, il répondit :

— Dans le sud de mon pays, dans les montagnes d'où vient le peuple de mon père, les femmes tissent dans les tapis des images de chameaux et de moutons. Mais elles sont paysannes, elles ne savent rien.

— Je ne suis pas une paysanne ignorante ! D'où je viens, la faculté de représenter les belles choses de ce monde est considérée comme un don.

Al-Andalusi l'observa d'un air solennel.

— Dieu est beauté, Il aime la beauté. Les chameaux sont des animaux de grande beauté, c'est vrai. Et la femme en colère aussi. Je ne sais pas quel je préfère.

Il sourit et soutint son regard. La jeune fille détourna les yeux la première, mal à l'aise.

Ses mains tremblaient, mais elle ne savait pas pourquoi. Elle ramassa le tissu, la laine et son petit livre qu'elle pressa contre elle puis demanda :

— Quand arriverons-nous à Slâ ?

Elle avait appris à prononcer le nom du port barbaresque de la même façon que lui, bien que le son lui écorchât l'oreille.

— Nous avons dépassé le cap de Saint-Vincent, hier ; si le vent reste favorable, nous arriverons ce soir.

C'était plus tôt que ce qu'elle avait pensé, bien plus tôt. Cat entendit le sang battre à ses oreilles.

— Qu'adviendra-t-il de moi, après ?

Un long silence s'étira entre eux, comme une corde invisible. Que voulait-elle lui entendre dire ? Qu'il la gardait pour la rançonner auprès de sa famille ? Mais avec sa mère et son oncle à bord du navire, elle ne savait pas à qui adresser cette demande, et encore moins comment faire acheminer son courrier vers la Cornouailles. Son pays lui semblait, en cet instant, un autre monde à une autre époque. Seul son cousin Rob se soucierait suffisamment d'elle pour la faire revenir. Mais parviendrait-il à convaincre lady Harris et son époux ? Elle en doutait ; elle craignait que sa maîtresse ne se préoccupe guère de la santé de celle qu'elle considérait comme une simple servante, voire une coquette indisciplinée. Il lui semblait également improbable que sir Arthur accorde à des corsaires une somme aussi extravagante, surtout pour assurer à Cat un retour qui demeurait des plus incertains. Pourquoi, en effet, aurait-il contribué à la fortune de ses ennemis ? Les autres possibilités évoquées par le raïs (sa vente sur le marché aux esclaves dont Dick Elwith avait fait mention, au plus offrant ou bien à celui qu'il nommait le sultan) la terrifiaient trop pour qu'elle s'attarde à les considérer. En réalité, elle entretenait le maigre espoir qu'il la garderait pour sa propre maison, comme il le lui avait dit un jour, juste avant de la déclarer trop maladroite. Elle était consciente qu'appartenir à la maison d'un pirate barbaresque acharné à voler son peuple serait considéré par les gens civilisés comme une cruelle destinée. Mais si ses devoirs consistaient à enseigner la broderie à ses femmes, alors elle préférait œuvrer comme servante sur cette terre étrangère plutôt que d'être vendue à un étranger qui l'utiliserait de Dieu savait quelle façon ! Elle trembla, le courage lui manquant soudain.

— Je ne sais pas, retentit alors la voix grave du raïs, je n'ai pas encore décidé.

Elle leva la tête. Il la regardait fixement.

— Viens avec moi, Cat'rin. Viens voir les étoiles qui brillent sur l'Afrique, et la lune se lever sur la ville qui est mon foyer.

Il saisit un long carré de coton pour lui voiler le visage et couvrir sa chevelure, ne laissant découverts que ses yeux. Elle se demanda pourquoi, car jamais il ne l'avait couverte auparavant. Mais cette fois, au lieu de la dévisager avec curiosité ou hostilité, les hommes s'inclinèrent et personne ne l'ennuya. Ils émergèrent de la coursive et traversèrent le navire sur toute sa longueur. Au-dessus d'eux, les voiles craquaient doucement – de larges carrés blancs sur les mâts principaux, d'élégants pans triangulaires sur l'artimon – tandis que dans le ciel une lune jaune teintée de rouge, comme du sang, luisait. Chez nous, on l'appellerait la lune du chasseur, songea Cat, qui se demanda ce qu'elle présageait de son avenir. Des milliers d'étoiles étaient disséminées dans le ciel, dont une particulièrement scintillante qui brillait comme une balise d'argent au-dessus du bateau.

— Celle Qui Brille, énonça doucement Al-Andalusi, *Al Shi-ra*. Les Égyptiens l'appelaient étoile du Nil et prédisaient la crue en la voyant ; les Romains disaient : l'étoile du Chien. Dans les anciennes religions, elle garde le passage vers le ciel – tu vois les étoiles qui forment un pont en dessous ?

Elle regarda plus attentivement et aperçut un arc luminescent, comme une voûte entre la terre et le ciel.

— Et là, poursuivit le raïs en pointant au nord, brille *Al Qibla*. Sa position nous aide à déterminer la direction de La Mecque, ville sacrée du Prophète.

— Mais c'est l'étoile Polaire ! s'écria Cat, se souvenant que Rob la lui avait si souvent montrée qu'à présent elle parvenait à la retrouver toute seule. Je la connais, nous la nommons l'étoile du Pêcheur ; ils l'utilisent pour naviguer.

Il sourit.

— Les marins aussi, donc. J'ai voyagé vers beaucoup d'endroits avec l'aide de cette étoile. La Valette, Sardaigne, Constantinople, Cap-Vert, même Terre-Neuve.

Ces mots évoquaient à Cat des terres reculées et exotiques. Et elle qui ne s'était jamais rendue au-delà de la foire de Truro, qui avait rêvé d'horizons lointains, observait en cet instant la côte sauvage de l'Afrique !

L'étoile Polaire derrière eux, le vent les poussa vers une ligne noire et indistincte. Silencieux, ils gardèrent les yeux fixés sur le continent qui approchait.

— Voici le Maroc, *Jezirat al Maghrib* – l'île où se couche soleil, mon pays.

Un frémissement dans la voix d'Al-Andalusi la poussa à se retourner pour le regarder. Ses yeux brillaient, reflétant la lune ; mais ils brûlaient également d'un feu intérieur qui rendait sa ferveur presque démoniaque. Elle frissonna puis détourna le regard.

Bientôt, elle distingua les contours d'une falaise, puis des rochers où se brisaient les vagues. Apparut ensuite une tour fine et élancée dont le toit de tuiles luisait au clair de lune et, enfin, le large estuaire d'une rivière flanquée de part et d'autre d'impressionnantes fortifications.

— Slâ el Bali – Salé l'Ancienne, indiqua le raïs en pointant le doigt vers les fortifications de la rive gauche, et Slâ el Djedid – Salé la Nouvelle, de l'autre côté. Je possède de la famille dans les deux cités : parmi les Hornacheros de Salé la Nouvelle, et ceux qui ont suivi sidi Al-Ayyachi dans l'Ancienne. Cela me donne une excellente position, et des avantages inhabituels dans mes affaires. Ils seront heureux de ce que je ramène pour eux !

Il cria un ordre et l'un de ses hommes dévoila une lanterne par trois fois. Des réponses lumineuses apparurent du sommet de la forteresse et il éclata de rire.

— Ils savent déjà que nous sommes des leurs ; ils se souviennent de ce beau bateau et savent que personne n'oserait pénétrer dans rivière, la nuit. Elle est traîtresse même à la lumière du soleil, malgré son nom tranquille de Bou-Regreg.

Dans sa langue, le mot possédait la dureté du croassement d'un corbeau – *bu-rak-rak*.

— Qu'est-ce que ça veut dire, demanda Cat, regardant avec angoisse s'approcher la forteresse et la myriade de petites silhouettes vêtues de robes qui s'agitaient sur ses remparts et derrière ses canons.

Le capitaine réfléchit un instant.

— Yussuf Raïs m'a dit que, dans ta langue, le nom signifie « Père de Réflexion », car par une journée calme, quand la rivière est tranquille comme une feuille d'étain, elle reflète le ciel. Mais le marin doit naviguer avec grand soin quand il dirige son bateau en ses eaux, car sous la surface scintillante il y a les bancs de sable ; ils ont cassé le ventre de milliers de bateaux qui ont sombré ici.

Il marqua une pause puis conclut en souriant :

— C'est bon de revenir au foyer, triomphant.

Fermant les yeux, il se passa doucement les mains sur le visage, embrassa sa paume droite avec laquelle il toucha ensuite son cœur avant de prononcer :

— *Shokran li lah.*

Triomphant. Fort d'un beau succès. Rapportant un navire rempli d'esclaves chrétiens destinés pour la plupart, si l'on en croyait les histoires racontées en cale, aux galères ou au marché aux esclaves, à être battus, maltraités, torturés, forcés de se convertir avant, finalement, de mourir en sol étranger. Cat sentit son cœur se durcir face aux sentiments contradictoires qu'il faisait naître en elle. Les mots jaillirent sans qu'elle puisse les arrêter.

— Vous me parlez des choses effroyables que les Espagnols infligèrent à votre famille et vous affirmez mener cette guerre sainte contre les chrétiens comme une juste vengeance au nom du peuple de Mahomet. Mais si votre religion vous permet de traiter comme vous le faites dans la cale de ce navire des hommes, des femmes et des enfants innocents qui sont dans la crasse et périssent de vos brutalités, alors c'est une religion mauvaise et cruelle, et votre dieu n'est pas le mien !

Elle lut sa colère, vit son poing se refermer et trembler de l'effort qu'il dut faire pour ne pas la frapper. Le temps sembla s'arrêter. Elle le regarda fixement jusqu'à ce qu'elle sente ses genoux se dérober sous elle. Elle ne savait pas si ce qu'elle venait de dire lui vaudrait des regrets ou même la mort, ou si sa réflexion avait touché un point sensible qu'il voulait méditer. Elle eut vite la réponse : il cria un ordre et, quelques secondes plus tard, deux hommes d'équipage accoururent pour s'emparer d'elle.

— Je n'ai pas de temps pour discuter avec toi. J'ai Bou-Regreg à franchir, le navire à amarrer. Je n'ai pas l'habitude débattre avec les femmes. Tu retournes à ton peuple : leur destin sera ton destin. Personne n'insulte ma religion ni mon dieu. Personne ne fait injure à la mémoire de ma famille. Je croyais que tu possèdes de la valeur, pas seulement en or. Mais tu es comme les autres, ignorante, sans foi. Tu aurais pu vivre comme une reine dans une magnifique maison de la *qasba* ; maintenant, tu prends place comme les autres, dans la cale.

Et il tourna les talons.

18

L'aéroport de Casablanca me dérouta. Dès la descente d'avion, je fus prise dans un véritable tourbillon de gens. La foule compacte était formée de voyageurs vêtus de créations européennes onéreuses, d'hommes en costumes sévères, le nez chaussé de lunettes de soleil, ou bien flottant dans d'amples djellabas, ou encore de femmes d'Afrique de l'Ouest vêtues d'imprimés colorés, la tête enveloppée dans des turbans. J'aperçus aussi des familles avec une ribambelle d'enfants et de chariots qui pliaient sous le poids de sacs plastique débordants, de valises et de boîtes en carton. Je passai devant une pièce pleine d'hommes agenouillés sur des matelas de prière, croisai une équipe de footballeurs en survêtement, et distinguai un nombre incalculable d'agents de sécurité en uniforme militaire, une arme démesurée à la ceinture. Une multitude de langues résonnait à mes oreilles. Mon pauvre français ne me permettait pas de comprendre les annonces que diffusaient les haut-parleurs ou de déchiffrer les panneaux. Après avoir patienté une bonne heure dans la file d'attente de la douane, il me fallut répondre aux questions de l'officier en charge de l'immigration : « *Vous voyagez seule, sans votre mari ?* » Non, pas de mari. L'homme me transperça du regard. « *Et pourquoi visitez-vous le Maroc : vous avez de la famille ici, madame ?* » (Pas « *mademoiselle* », notai-je aigrement.) « *Ou vous faites le business ?* » Non, seulement du tourisme. « *Où logez-vous, qu'est-ce que c'est Dar el Beldi, c'est chez quelqu'un que vous* *connaissez* ?* » Puis je dus récupérer mes bagages. Enfin, toutes ces épreuves passées avec succès, j'émergeai à l'extérieur, dans une chaleur écrasante. Un seul taxi était libre. Il s'agissait d'une Mercedes ; pas n'importe laquelle toutefois, une ancienne limousine. Elle doit attendre une célébrité locale, songeai-je, mais à peine m'étais-je fait cette réflexion que le chauffeur sortit et tendit la main pour prendre mes bagages, que je gardai près de moi avec non moins de détermination.

— *Combien à la gare de Casa Port* ?*

— Pour toi, trois cents dirhams, madame, me répondit-il dans un anglais parfait.

— Je vous donne deux cents.

— Deux cent cinquante.

— Deux cents.

Il eut l'air peiné. Je crus qu'il allait me reprocher de mener ses enfants à la famine, mais il indiqua simplement la voiture de la main.

— Une si belle auto, comment payer l'entretien avec un si petit tarif ?

Il n'y avait rien à répondre à cela, aussi je haussai les épaules en souriant.

Il soupira.

— Très beaux yeux ; pour cela, je t'emmène pour deux cents.

— Mon train pour Rabat part à cinq heures ; arriverons-nous à temps ?

— *Inch'allah.* C'est entre les mains de Dieu.

Un peu nerveuse, je vis mes sacs et valises disparaître dans le coffre puis je me glissai à l'arrière. Lorsque deux hommes apparurent à un cri que lança mon chauffeur, je sortis fébrilement mon téléphone portable. Tous mes sens aux aguets, j'étais prête à appeler Mme Rachidi au *riad*, espérant qu'elle pourrait me prodiguer de bons conseils ou, au moins,

---

* Tous les passages suivis d'un astérisque sont en français dans le texte.

alerter pour moi la police locale. Le chauffeur prit place derrière le volant tandis que ses amis faisaient le tour de la voiture. En proie à une crise aiguë de paranoïa, je tournai la tête pour ne pas les perdre de vue. Ils posèrent les mains sur la vitre et entreprirent de pousser la voiture qui refusait de démarrer. À la troisième tentative, le moteur se mit à ronfler.

Génial, pensai-je. Je suis seule dans un pays étranger – vraiment étranger – avec un homme qui m'a déjà complimentée sur mes yeux et ses deux potes assis à l'avant à côté de lui, en route vers une ville dont je ne connais rien, dans une voiture qui pourrait tomber en panne d'un instant à l'autre.

Les doutes que je nourrissais se muèrent en panique quand la limousine atteignit les abords de la ville. Le chauffeur traversa brusquement trois voies de circulation et emprunta une sortie qui menait à la banlieue. L'autoroute, où nous avions roulé à une vitesse alarmante, n'avait offert aucune vision particulière du pays, mais là, soudain, nous nous retrouvions dans les *bidonvilles**.

Le conducteur dut apercevoir mon expression dans son rétroviseur car il se retourna vers moi. Une main nonchalamment posée sur le volant tandis qu'il poussait sa guimbarde, me sembla-t-il, à cent kilomètres à l'heure, il déclara d'un ton enjoué :

— Il y a les caméras et la police. Ils m'arrêtent toujours ; c'est très cher !

Évitant d'imaginer les choses qui pouvaient arriver à une femme seule dans les bas quartiers de Casablanca, j'observai le nouvel environnement qui défilait derrière la vitre. Les quartiers que nous traversions étaient faits de maisons branlantes en terre sèche et de masures de tôle, alignées le long d'allées de terre battue. Dans les ruelles se croisaient de petites chèvres noires, des poulets maigrelets, des chats décharnés et des enfants en haillons. Pour compléter le décor, des voitures se désintégraient sous le soleil brûlant, de l'herbe poussait parmi les carcasses rouillées de vélos abandonnés, du linge accroché séchait dans la brise poussiéreuse, des tapis aux couleurs vives pendaient par-dessus les murs des terrasses, et une forêt de paraboles jaillissait des toits de tôle ondulée. Deux hommes, près d'un poteau électrique, jouaient aux dames avec des capsules de bouteille colorées et des petites pierres, tandis que d'autres fumaient, assis devant des portes d'entrée, le regard dans le vide. Une femme vêtue de coton blanc des pieds à la tête lavait des vêtements dans un petit baquet d'étain. Elle leva machinalement la tête à notre passage puis retourna à sa tâche, sans changer d'expression : visiblement, la limousine traversait régulièrement ce quartier insalubre.

Et soudain, tout aussi brusquement qu'elle l'avait quittée, la voiture retrouva la surface d'asphalte de la route principale tandis que les bidonvilles s'évanouissaient dans un nuage de poussière. Nous roulions toujours à tombeau ouvert, mais cette fois dans une ville moderne dotée de bâtiments blancs, de vitrines commerciales, de panneaux publicitaires et de feux tricolores (qui ne faisaient par ailleurs guère l'objet d'une attention particulière). Le hurlement des klaxons était assourdissant : il semblait que chaque embouteillage, chaque file de voiture, chaque manœuvre délicate à effectuer soit la faute de quelqu'un. À toutes les intersections se rejoignaient dix voies surchargées ; le nœud de circulation qui en résultait était extrêmement dangereux. Outre leurs klaxons, dont ils usaient avec enthousiasme, les automobilistes passaient régulièrement leur tête par la portière et offraient à tout un chacun de précieux conseils de conduite. Des tricycles surchargés – de poissons, de légumes, de bouts de ferraille – se faufilaient au péril de leur vie entre voitures et autobus. J'aperçus même quelques piétons suicidaires qui évoluaient dans cette mêlée, mais la limousine les dépassa trop vite pour que je puisse voir s'ils survivaient à leur traversée. La route était jalonnée d'hôtels clinquants, de boutiques chics et de magasins où étaient exposés des voitures de luxe rutilantes, des cuisines sur mesure ou des écrans plats. Les trois hommes assis à l'avant de la limousine s'étaient joints à la conversation générale ; ils poussaient des jurons sonores, lançaient des insultes et remuaient le poing, tandis que les amulettes attachées au rétroviseur s'agitaient en tous sens.

Par la grâce d'Allah, j'arrivai à la gare de Casa Port en un seul morceau, juste à temps pour attraper mon train vers Rabat. Mon chauffeur, Hassan, me fut d'une aide précieuse ; il joua des coudes pour devancer la file d'attente devant le guichet afin de m'acheter mon *billet simple**, persuada l'agent de sécurité de le laisser passer, porta mes bagages jusqu'au wagon où il trouva la place qui m'était réservée et rangea mes sacs au-dessus de ma tête. Il me serra vigoureusement la main sur un « *Bes'salama. Allah ihf'dek. Dieu vous protège** », refusa le pourboire que je voulais lui donner et m'abandonna, bouche bée.

Mon wagon était en grande partie occupé par des hommes d'affaires, si j'en jugeais par le nombre de serviettes et d'ordinateurs portables. Je m'aperçus que beaucoup d'entre eux étaient des femmes, certaines entièrement vêtues à l'européenne, d'autres en robes longues aux couleurs pastel, complétées ou non par un *hijab*. Elles arboraient toutes un maquillage aussi complet que raffiné : fond de teint, poudre, rouge et crayon à lèvres, blush, épais trait noir d'eye-liner, ombre à paupières, crayon à sourcils, appliqués avec soin et d'une main experte. Toutes, également, portaient d'élégantes chaussures à talons. Les yeux noircis au khôl m'observèrent à la dérobée : « Pauvre femme, qui voyage seule ; pas d'enfants, pas d'alliance, vêtue avec si peu d'élégance. Est-elle si peu fière d'elle-même pour porter ce vieux jean et ces horribles baskets, sans la moindre trace de cosmétique ? » Elles pouvaient toujours esquiver mon regard, je lisais en elles comme dans un livre ouvert. Les hommes m'accordèrent d'aimables sourires ; peut-être qu'eux aussi me trouvaient digne de pitié. Un jeune homme, désireux de montrer son anglais, me demanda si je visitais son pays pour la première fois, ce que j'en pensais jusqu'à présent, et si je savais déjà où j'allais résider à Rabat car sa famille se ferait une joie de m'accueillir. Je lui répondis qu'il s'agissait de ma première visite, que le peu que j'avais aperçu du Maroc me semblait fascinant, que j'avais hâte d'en voir davantage et que oui, merci, j'avais déjà un logement arrangé à Rabat. Je vis la déception se peindre sur son visage.

— Vous faut-il un guide ?

— C'est arrangé également.

— Vous devez faire très attention avec les guides au Maroc ; parfois, ils ne sont pas ce qu'ils prétendent être. Il ne faut pas vous fier à eux, car ils peuvent raconter des mensonges. Cela peut être dangereux pour une femme qui voyage seule.

La femme assise en face de moi croisa mon regard puis détourna la tête.

— Je vous remercie de votre aimable conseil.

Pour signaler que notre conversation arrivait à sa fin, je sortis un guide touristique de mon sac et l'étudiai avec application, les nerfs à fleur de peau. J'éprouvais comme un contact physique le regard du jeune homme posé sur moi. Il se montre seulement aimable, me raisonnai-je, il se préoccupe de ton bien-être.

Je sortis dans le couloir et appelai Alison.

— Salut ! Ça y est, j'y suis.

— Où cela ?

— Dans le train pour Rabat. On arrive dans vingt minutes environ.

— Ça va ?

J'étais rassurée d'entendre sa voix. Je réfléchis un instant à sa question. Ma paranoïa me sembla soudain stupide. Je souris, puis répondis :

— Oui, tout va bien. Les gens sont très gentils et serviables. Et toi, comment vas-tu ?

— Génial. J'allais t'appeler un peu plus tard. Il est arrivé une chose incroyable. On a trouvé un truc – tu ne devineras jamais, lié au livre de Catherine.

J'attendis. Alison émit un bruit incompréhensible.

— Quoi ? Répète ?

— Pardon, je parlais à Michael. Je te le passe.

Un instant s'écoula.

— Julia ?

La voix de Michael, sur un autre continent. Je fermai les yeux, me souvenant de notre dernière conversation.

— Va-t'en, répondis-je doucement.

— Quoi ? Julia, je ne t'entends pas. Écoute, tu dois absolument rentrer ! Prends un vol demain, Anna et moi on te le paie. Il nous faut vraiment ce livre, tu ne croiras jamais ce que nous avons trouvé…

— Va-t'en, répétai-je, puis je raccrochai, le cœur battant la chamade.

Un quadragénaire corpulent vêtu d'une tunique et de pantalons bouffants m'attendait dans le hall de la gare principale de Rabat, avec un panneau de carton sur lequel avait été griffonné « Mme LOVEIT ». Je passai à côté de lui sans réagir. Lorsque je compris, je me mis à rire et revins sur mes pas.

— Bonjour, je suis Julia Lovat.

Il afficha aussitôt un large sourire édenté.

— *Enchanté, madame. Bienvenue**. Bienvenue au Maroc.

Il attrapa ma main, qu'il serra vigoureusement avant de me débarrasser de mes valises.

— Êtes-vous Idris el-Kharkouri ? demandai-je.

Il ne ressemblait pas à l'homme que j'avais imaginé. La voix raffinée de Mme Rachidi m'avait induite à me représenter son cousin comme un être élégant, cultivé, capable de me promener dans la ville tout en me faisant bénéficier de ses connaissances. Cet Idris ne semblait guère habité par la passion de la marche à pied.

Il eut l'air perplexe, aussi répétai-je ma question, ajoutant :

— *Idris, le cousin de Mme Rachidi, mon guide** ?

Il secoua la tête avec vigueur.

— *Ah, non, non, non, désolé, madame ; Idris ne pouvait pas m'accompagner. Il est occupé ce soir. Moi, je suis Saïd el-Omari, un autre cousin de Mme Rachidi**.

Un autre cousin de Mme Rachidi, répétai-je mentalement en lui emboîtant le pas tandis qu'il titubait sous le poids de mes valises, ne réalisant pas – ou peut-être dédaignant – l'efficacité des poignées et des roulettes. Il ouvrit le coffre d'une petite Peugeot bleue attaquée par la rouille qui portait sur son toit un panneau officiel de taxi, y déposa mes bagages, m'aida à prendre place à l'arrière, effectua un demi-tour totalement interdit puis s'élança à toute vitesse sur une route qui nous mena dans une ville d'aspect aussi européen que le centre de Casablanca. J'aperçus des bâtiments publics monumentaux, un énorme bureau de poste, des rangées de boutiques modernes, des jardins municipaux aux couleurs vives, des bureaux et des parkings.

Je repensai à ma courte conversation avec Alison et Michael. Qu'avaient-ils trouvé de si important ? Et qu'est-ce que Michael avait pu avouer à Anna ? Avant de quitter Londres, consciente des nombreux périls qui guettent tout voyageur, j'avais emporté le livre dans un magasin de photocopies. L'opération m'avait coûté quelques faux départs, un soin infini, plus d'une heure de travail et pas loin de dix livres, mais la paix de mon esprit valait bien cela. La prudence me dictait de laisser l'original pour partir avec la copie. Toutefois, incapable de me défaire du petit livre, je l'avais emporté dans mes bagages en abandonnant la reproduction chez mon avoué.

Mes mains se glissèrent dans mon sac, posé sur mes genoux, et caressèrent le doux cuir de *La Gloire de la brodeuse*. Je m'étais souvent demandé si les propriétaires d'animaux domestiques les caressaient pour leur propre plaisir ou celui de l'animal. Sous mes doigts, le cuir soyeux, solide et rassurant, me calma les nerfs, apportant une réponse à ma question. Je serrai le livre de Catherine contre mon cœur tandis que nous quittions la cité moderne et franchissions les murs de la vieille médina.

Aussitôt, j'oubliai l'Angleterre. Une foule hétéroclite encombrait les rues : des hommes âgés en robes à capuche, des femmes voilées, des jeunes gens vêtus dans des styles qui allaient du moyenâgeux aux jeans baggy. La musique vibrait dans l'atmosphère, rythmée, insistante, des voix africaines se mêlant aux occasionnelles pulsations des basses. Le taxi avançait à une allure d'escargot parmi le flot de vélos, de motos ou de carrioles tirées par des ânes. J'avais le temps de me repaître du spectacle des petits étals croulant sous les produits ou des minuscules allées bordées de hautes demeures sans fenêtres, avec des portes de bois séculaires, des tours élégantes, des grilles de fer forgé qui laissaient deviner des cours pleines d'orangers et de bougainvilliers. Au détour d'un virage, une voix puissante s'éleva dans l'air : le muezzin, l'appel à la prière. Mon corps y répondit physiquement, mes épaules se soulevant au rythme des paroles. Je fermai les yeux pour mieux entendre : « *Allah akbar. Allah akbar. Achehadou ana illah illallah. Achehadou ana mohammed rasoul allah. Achehadou ana mohammed rasoul allah. Haya rala salah. Haya rala salah…* » Je me trouvais au cœur de l'Islam occidental.

Un moment plus tard, le charme fut rompu quand Saïd lança le taxi sur un trottoir ; le moteur toussa puis s'éteignit. Je regardai aux alentours. La nuit était tombée à présent. La seule lumière qui nous éclairait provenait d'un arc de soudure, de l'autre côté de la rue : un homme travaillait sur sa voiture. Les étincelles créaient des ombres inquiétantes qui tressautaient et dansaient comme des derviches. Quelque chose, au ras du sol, s'approcha de moi. Je fis volte-face et m'immobilisai devant un chat noir, maigre comme un bambou. Il fixa sur moi ses prunelles qui reflétaient les éclairs du soudeur, puis remua la queue et disparut dans la nuit.

— *Allez madame**, venez avec moi. Dar el Beldi, par ici.

Je suivis mon guide dans une allée si étroite que je pouvais en toucher chaque côté en écartant les bras. Les murs des maisons étaient en terre cuite, percés de hautes portes. Devant l'une d'elles, une vieille femme était assise en tailleur. Alors que nous approchions, elle adressa un sourire à Saïd. Ses yeux d'un blanc laiteux à cause de la cataracte étincelèrent tels ceux du chat. Elle tendit une main brune, crochue comme la serre d'un oiseau.

— *Sadaka all-allah.*

Malgré le poids de mes bagages, Saïd s'arrêta, plongea la main dans une petite poche de sa tunique et en sortit deux pièces, qu'il déposa au creux de la paume tendue.

— *Shokran, shokran, sidi. Barakallaofik.*

Il avait déjà repris sa marche. Il avança dans l'ombre et frappa à une large porte de fer ouvragée. Une ouverture percée au centre de celle-ci s'ouvrit vers l'intérieur, et la lumière inonda l'allée. Une tempête d'exclamations en arabe éclata, puis mon chauffeur me fit signe d'avancer. Esquivant la vieille mendiante avec un sourire nerveux, je courus vers la lumière accueillante du *riad*.

19

À Sir Arthur Harris, écuyer
   Maistre de St Michael's Mount
   Manoir de Kenegie, Gulval Hillas, Cornouailles
   24ᵉ jour d'aoust, anno 1625
   Salé, en Barbarie

   Mes devoirs vous sont rappelés, que Dieu veille sur votre santé. Je supplie en la bonté de vostre cœur de payer la personne qui vous porte de nostre part le présent message ; pauvres captifs de Salé, nous sommes entre les mains de cruels tyrans qui m'ont demandé d'écrire cette lettre si je tiens à la vie.

   Ma personne et toutes les autres dont j'arreste cy la liste représentent ceux qui furent enlevés lors de l'attaque de Pen Sants et qui à ce jour ont survescu, ceux n'ayant point péri lors du voyage ni de maltraictement et cruauté, ou qui ne furent emmenés en lieu que je ne connois. Sir, je supplie vostre bénignité et secours, car il n'este d'autre personne envers qui il nous este possible de nous tourner pour nostre délivrance, et je vous connois comme bon chrétien qui en nul lieu ne souhaisteroit voir abandonnés ses compatriotes à l'apostasie. Chaque jour que Dieu fait, ils font menaces et basses flatteries pour que nous tournions turcs et mahométans et je crains que certains, par peur des galères et bastonnades, ne soyent à la fin persuadés d'accepter. J'écrys cy la seule liste des personnes dont je connois la mauvaise fortune, mais certes, davantage furent enlevés dont je ne sçay point la destinée, ni ce qu'il adviendra de nous en ces longues semaines qui s'écouleront avant que vous ne receviez ce message.

   De vostre maisonnée :

Catherine Anne Tregenna, servante – £800

Éléonore Chigwine, gouvernante (vostre serviteur William Chigwine périt lors du voyage) – £120

Matilda Pengelly, servante – £250

Autres, pris de l'église de Pen Sants :

Jane Tregenna, ma mère, veuve – £156

Edward Coode, drapier (£100), et son espouse Mary (mes oncle et tante) – £140. Je crains que mes deux cousins ne soyent perdus.

Jack Kellynch, pêcheur de Market-Jew (£96), sa sœur Henrietta (£125) et mère Maria Kellynch (£140)

Walter Truran, prêcheur – £96

Jack Fellowes, fermier d'Averton (£96), et son espouse Ann (£180) puis enfants Peter et Mary, douze et huit ans (£280 la paire)

Alys Johns (£250) et son fils James, âgé de cinq ans (£104)

Ephraim Pengelly, pêcheur de Pen Sants – £96

Anne Samuels, vieille fille de Pen Sants – £80

Nan Tippet, veuve de Pen Sants – £85

Je ne sçay pourquoi le prix qui me fut attribué este si eslevé, me sachant indigne, Sir, de si haute somme.

De monsieur le bourgmestre et Ann Maddern, ainsi que de monsieur l'échevin Polglaze et Elizabeth, son espouse, je ne connois la fortune, mais fus informée qu'ils feront l'objet de rançonnement séparé.

Avec nous se trouvent d'austres prisonniers enlevés en divers endroits ; marins de navires et ports du Pays de l'Ouest, mais ils escrivirent leur propre tesmoignage aussi ne vous importunerai-je point de leur mention.

Plaise à vous, Sir Arthur, d'ouïr que le corsaire mahométan qui nous retient captifs exige rançonnement de trois mille quatrecent et quatre-vingt-quinze livres anglaises (ou sept mille doublons d'Espagne) pour le retour de tous ceux dont j'escrivis les noms. La somme este bien effroyable et je ne sçay comment elle se pourroit estre levée, mais je vous supplie que soye trouvé par quelque entremise de nous relever de nostre terrible fortune, priant que nos soupirs parviennent à vous et esmeuvent vostre pitié et compassion. Ne refusez point de nous bailler prières si icelles demeurent seules en vostre pouvoir à nostre endroit, et plaise à vous de rappeler mon affectionné souvenir à Lady Harris, laquelle reçoit mon immuable gratitude pour sa bénignité et m'avoir appris mes lettres. Je prie aussi vostre seigneurie de tesmoigner de mon affection à mon cousin Robert. Comme l'asserte le révérend Truran, il appert que jamais nostre entendement du psaume qui parle de ces pauvres Hébreux retenus en captivité à Babylone ne se montra si pénétrant que de présent : « Au bord des fleuves de Babylone nous nous sommes assis, et nous avons pleuré en nous souvenant de toy, ô Sion ! » Cornouailles ! Comme nous pleurons les tiennes collines et verdoyantes vallées, ton air pur et la libre existence dont jadis nous jouissions, à présent que nous sommes confinés dans les ténèbres et la crasse, craignant pour nos vies et nos corps.

L'on me dit qu'il existe à Londres quelque navire marchand possédant contact de commerce avec ceste région. S'il vous en échoit la possibilité, je vous supplie de nous envoyer notice d'iceluy en ce mois qui s'en va escouler ou bien à six semaines, sous peine et grand danger de certes périr en cet horrible endroit.

Cessant sur ce de vous importuner, je demeure,
Vostre plus obéissante et dévouée servante,
Catherine Anne Tregenna

20

Catherine
Septembre 1625

Cat posa sa plume et soupira. Elle espérait à peine que son ancien maître reçoive cette lettre, encore moins qu'il lui réponde. Trois mille quatre cent quatre-vingt-quinze livres anglaises, dont huit cents destinées uniquement à son rachat, à elle : une véritable fortune. À Kenegie, elle avait reçu un traitement de huit livres par an, logée et nourrie. Matty en gagnait à peine quatre. La Cornouailles était un pays pauvre : il n'y avait jamais assez d'argent. Il fallait gratter les fonds de tiroir pour réunir les impôts et la dîme. Le médecin était un luxe et beaucoup d'enfants mouraient car les parents n'avaient pas les moyens de le payer. Vu le coût des obsèques, les familles demandaient souvent à la paroisse le plus simple service. Cat avait vu des linceuls en toile de jute et, une fois, elle avait même assisté à la bénédiction d'un corps par un moine mendiant contre un bol de gruau.

— Terminé ?

La femme corpulente qui surveillait Cat attendait, mains sur les hanches.

Cat hocha la tête.

— Oui.

— Donne.

Elle tendit la feuille de papier. La matrone l'étudia, la tournant et retournant entre ses mains calleuses. Elle ne savait pas lire, comprit aussitôt Cat, qui l'entendit émettre un grognement satisfait avant de rouler le parchemin.

— J'emporte à Djinn.

— Al-Andalusi ?

Elle eut un sifflement pour toute réponse, et la femme s'en alla. Cat s'abandonna contre les coussins puis leva le visage vers la lumière du soleil qui traversait la guirlande de jasmin parfumée. Elle était assise dans une alcôve carrelée. Au-dessus chantaient des petits oiseaux bruns et rouges. Ils étaient perchés dans la vigne qui couvrait toute la façade de la cour intérieure. Il y avait un oranger dans un coin, et un petit tapis décoloré par le soleil recouvrait le sol. Une fontaine s'élevait au centre ; l'eau coulait doucement dans une vasque de marbre où flottaient des pétales de rose. Le calme, la lumière et le raffinement de cet endroit étaient si différents de ce donjon qui puait l'urine où on l'avait jetée avec les autres. Elle aurait voulu rester là, quitte à écrire cette maudite lettre une centaine de fois.

Elle avait passé trois nuits dans le *mazmorra* (compte qu'elle avait tenu grâce aux appels du muezzin, car la lumière ne pénétrait pas dans la cellule) mais déjà l'endroit surpassait toute vision de l'enfer qu'elle avait jamais imaginée. Hommes, femmes et enfants étaient entassés dans des conditions telles qu'il était clair que leurs ravisseurs ne se souciaient pas de leur survie.

Plus tôt ce matin, deux hommes étaient venus la chercher. Ils crièrent son nom avec un accent si prononcé qu'il fallut dix bonnes minutes avant que quiconque le reconnaisse. Ils la couvrirent d'une robe et d'un voile noirs, puis lui lièrent les mains avant de l'entraîner dans les ruelles étroites, trébuchant et clignant des yeux, en direction de cette maison. Le contraste entre le soleil et la lumière tamisée qui régnait dans la pièce était déconcertant. Lorsque la voix familière brisa le silence, elle bondit.

« Alors, Cat'rin Anne Tregenna, comment vous trouvez vos nouveaux quartiers ? »

Il éclata alors d'un rire si cruel qu'elle faillit pleurer. Il claqua des doigts et un enfant à la peau noire, qui, jusqu'à cet instant, était demeuré dans l'ombre, s'élança pour ouvrir une persienne. La lumière du soleil se déversa dans la pièce et éclaira les murs et les meubles délicats, ainsi que l'homme confortablement installé contre les coussins d'un sofa.

Al-Andalusi portait une robe bleue brodée de fils d'or, et était coiffé d'un turban blanc. Par contraste, Cat avait l'impression d'être une sauvageonne crasseuse et infestée de poux.

« Tu écriras une lettre pour demander une rançon au nom de tes concitoyens », poursuivit-il.

Il indiqua alors quelle forme le message devait prendre et la somme qui était exigée. Ignorant sa stupeur, il précisa ensuite :

« Tu décriras les terribles conditions où on vous garde ; et aussi que nous battons tout le monde sans pitié, et menaçons chacun pour que les infidèles se convertissent à notre foi...

— Mais depuis notre départ du bateau personne ne nous a frappés ni forcés à adopter votre religion.

— B-a-s-t-o-n-n-a-d-e, épela-t-il avant de lui faire répéter le mot. Sais-tu ce que cela signifie ? »

Cat secoua la tête.

« La personne est allongée au sol, pieds au ciel. Les plantes des pieds sont battues jusqu'à ce qu'elles deviennent noires. Douleur insoutenable. Personne ne supporte ; ils renient vite la croyance dans le faux fils et embrassent la véritable foi en Allah. Tu écriras cela dans ta lettre.

— Je ne comprends pas pourquoi vous voulez que j'écrive cela. »

Le raïs éclata de rire.

« Pourquoi votre peuple payerait, si eux ne croient pas que votre vie et votre âme sont en grand danger ?

— Ils ne payeront pas. »

Cat releva le menton, furieuse de ce mensonge, de cette cruauté, du plaisir visible qu'il prenait à cette situation.

Il la regarda sans passion. Puis il haussa les épaules.

« Alors vous vivrez et mourrez au Maroc. »

Bien entendu, elle écrivit la lettre, lui obéissant en tout point. Les deux hommes qui l'avaient tirée du *mazmorra* revinrent et elle les accompagna sans résister. Quelque chose s'était brisé en Catherine Anne Tregenna. Un bref instant, il lui avait été donné d'entrevoir le paradis, avant que cette vision ne disparaisse comme par magie, la laissant plus accablée qu'elle ne l'avait été auparavant. Devant la porte, ils lui ôtèrent la robe qu'elle portait, dont la couleur noire illustrait si bien son désespoir, puis la poussèrent de nouveau en enfer.

— Il en a déjà assez de toi, c'est ça ? railla un homme dont elle ne put voir le visage dans les ténèbres.

— Il a un grand choix de putains, ce Turc, c'est certain.

— Cat n'est pas une putain, Jack Fellowes ; que ton corps pourrisse en enfer pour tes paroles !

Était-ce sa mère qui prenait ainsi sa défense ? Non, jamais elle n'aurait parlé comme ça. Il s'agissait de quelqu'un d'autre. L'indignation contenue dans cette voix l'attrista : Matty ! Chère, chère Matty ; petit étourneau loyal, toujours en vie malgré ces horreurs et encore pleine de vigueur, au point de se soucier de ce que l'on disait de son amie.

Cat se mit à pleurer pour la première fois depuis leur enlèvement. Des exclamations fusèrent aussitôt, certaines cherchant à la calmer, à la consoler, d'autres moqueuses et cruelles. Elle se laissa tomber par terre, releva les genoux contre sa poitrine, plaqua ses mains sur ses oreilles et se balança d'avant en arrière, essayant de faire abstraction du bruit. Elle consacra toutes ses forces à se remémorer chaque détail de la cour et de la maison : les pétales de rose dans l'eau, les carreaux qui dessinaient des motifs bleus, blancs et or, les fruits dans les branches de l'oranger, le treillis et sa cascade de fleurs odorantes et de minuscules oiseaux, le plafond de cèdre délicatement travaillé dans la chambre du raïs, les épais tapis et les meubles de bois, le costume raffiné du petit garçon noir ainsi que sa chevelure crépue, le riche tissu de la robe du raïs, et l'éclat de ses yeux dans la pénombre… Dans un coin de sa tête, une petite voix lui demanda pourquoi elle ne puisait pas de réconfort dans les souvenirs de sa vie en Cornouailles ? Elle avait déjà oublié son pays, répondit-elle en silence. Mais elle savait, alors même qu'elle formulait cette pensée, que c'était un mensonge.

Deux jours plus tard, la matrone revint à la prison, escortée de deux gardes. Pour la première fois, les prisonniers furent triés par sexe. Ils emmenèrent d'abord les femmes et les enfants ; dehors, les captives titubèrent à la lumière du soleil. Les gardes les attachèrent en caravane d'une main experte. Ils évitaient soigneusement de les toucher, sauf avec le métal qui encerclait leurs chevilles, aussi indifférents envers ces infidèles que devant un troupeau de chèvres menées au marché.

Cat se tenait derrière Nan Tippet. La veuve, de petite taille, marchait tête baissée, ce qui permit à Cat d'admirer la cité connue sous le nom de Salé l'Ancienne. Avait-elle réellement parcouru ces rues le jour précédent ? Elle ne reconnaissait rien. Mais, à la vérité, son voile l'avait gênée et puis elle était tellement sous le choc qu'elle n'avait rien regardé. À présent, la ville l'intéressait ; elle l'attirait par son exotisme, comme une gitane qui aurait secoué son tambourin sous ses yeux. Les rues que parcoururent les prisonnières étaient bondées. Elle vit des hommes qui tiraient derrière eux des ânes décharnés ployant sous leur charge suivis d'enfants crasseux qui frappaient les animaux d'un bâton et criaient d'une voix rauque, des vendeurs d'eau, la tête couverte d'un chapeau aux couleurs criardes et les épaules d'une peau de bête, des hommes aux yeux perçants arborant une longue barbe, des mendiants aveugles, des infirmes qui avançaient en boitant, des femmes entièrement couvertes portant d'énormes paniers sur leur tête ou leur dos et qui observaient, à travers la fente pratiquée dans leur voile, ces sauvages à la peau et aux cheveux clairs vêtus de haillons et de chiffons crasseux.

— *Imshi !* Avance !

De son bâton, l'un des gardes piqua Cat qui s'était arrêtée. Au coin d'une rue, un homme jouait de la flûte devant un serpent qui dodelinait dans un pot. Son compère en tenait un autre entre les mains. Il tentait de persuader la foule qu'il ne mordrait personne, mais personne ne voulait toucher l'animal.

L'air saturé de chaleur, de mouches, de bruit et d'épices résonnait de cris, de musique, du braiment d'un âne ou du caquètement des poulets. Elle aperçut des chèvres qui s'éloignaient dans une allée bordée de maisons sans fenêtres, poursuivies par une bande d'enfants à la peau brune. Cat trébucha, tous ses sens en éveil.

Enfin, les prisonnières tournèrent dans une ruelle étroite et s'arrêtèrent devant une énorme porte cloutée de cuivre. Une femme mince leur ouvrit, drapée dans une robe bleu nuit brodée de motifs géométriques. Cat fixa la seule chose familière de ce monde étrange. Un enfant de sept ans aurait pu exécuter un dessin aussi simple. Si on lui avait confié un carré de tissu de cette qualité ainsi qu'un choix de fils de soie, elle aurait facilement fabriqué une robe aussi exquise que celle-ci.

La matrone embrassa l'autre femme quatre fois sur les joues et elles se mirent à discuter amicalement. Les captives avaient dû avancer en hâte dans les rues, poussées ou frappées dès qu'elles hésitaient ou s'arrêtaient mais, à présent, il semblait que rien ne pressait. Les salutations enfin finies, les détenues furent introduites dans une salle au plafond élevé ; au fond, une femme encapuchonnée trônait derrière un bureau, un encrier devant elle et une plume à la main. Elle tapotait impatiemment sur la table avec sa plume, en battant le rythme de son pied chaussé de souliers écarlates.

Les fers ôtés de leurs chevilles, les prisonnières s'avancèrent. L'une après l'autre, elles déclinèrent leurs nom, âge et statut marital, aidées par la matrone qui traduisait pour la copiste. Cette dernière transcrivait les appellations étrangères d'une orthographe imprécise. Bientôt, les captives furent séparées en deux groupes. D'un côté de la pièce se tenaient Jane Tregenna et sa belle-sœur Mary Coode, ainsi que Maria Kellynch, Ann Fellowes, Alice Johns, Nell Chigwine et Nan Tippet. De l'autre se trouvaient Cat, Matty, Anne Samuels et les deux enfants : James Johns, âgé de cinq ans, et la petite Henrietta Kellynch que tout le monde appelait Poulette. Cette dernière s'accrochait désespérément à Matty.

La virago et l'autre femme inspectèrent les détenues. La plus mince des gardiennes, qui portait à la main une fine baguette, pointa celle-ci sur Alice Johns. La matrone aboya :

— Enlève ta robe !

Elle empoigna la jupe répugnante d'Alice, qui ne bougea pas, et accompagna ses paroles du geste.

— Enlève ! Enlève ta robe ! répéta-t-elle en essayant de remonter le vêtement.

Alice plaqua sa jupe contre elle et se mit à crier ; la geôlière éleva sa baguette et l'abattit avec un claquement sec sur le dos de la Cornouaillaise, qui poussa un hurlement.

Les captives échangèrent des regards horrifiés.

— Enlève !

Sous la pluie de coups et les cris, la prisonnière s'exécuta. Elle passa sa robe par-dessus sa tête et demeura debout comme une enfant punie, vêtue de sa chemise sale. Alice Johns, à vingt-cinq ans, n'avait eu qu'un seul enfant. Elle était très jolie malgré la crasse. Les deux femmes examinèrent ses mains, ses pieds, ses dents et palpèrent sa chair en échangeant des commentaires dans leur étrange langage. De temps à autre, la copiste consultait un large livre sur le bureau. Elle posait alors une question que la matrone traduisait sommairement. Comme Alice ne comprenait pas ce qu'on lui disait, elle reçut un coup, derrière les cuisses cette fois.

Puis elles tirèrent sur sa chemise. La jeune Cornouaillaise se mit à pleurer.

— Non ! Non, non !

En vain. Sa chemise ôtée, Alice se retrouva nue. Elle tenta de se couvrir de la main et se recroquevilla, comme cherchant à disparaître. Les captives gardèrent les yeux baissés, partageant la honte de leur compagne, sachant que bientôt leur tour viendrait de se voir humiliées ainsi. Cat sentait la mince sacoche où elle gardait son petit livre et son crayon, pressée contre sa peau, sous sa robe. Si ces femmes la déshabillaient, elles découvriraient son petit journal et ne manqueraient pas de le lui prendre.

— *Murtafa-at*, déclara la femme mince en frappant les mains d'Alice, croisées sur sa poitrine.

La matrone hocha vigoureusement la tête tandis que la copiste écrivait.

Vint ensuite le tour de Maria Kellynch. Lorsqu'elle la vit s'avancer, sa fille se détacha de Matty, traversa la salle en courant et s'accrocha comme une tique à la jambe de sa mère.

— Lâche ! cria la matrone, qui essaya de faire lâcher prise à l'enfant.

Mais Poulette hurla et se cramponna encore plus fort. L'autre femme s'avança alors. Avec une bienveillance étonnante pour quelqu'un qui, un instant plus tôt, avait fouetté une prisonnière, elle passa la main dans les cheveux de la petite fille et s'adressa à elle d'une voix douce. Henrietta fut tellement surprise qu'elle dévisagea la Marocaine avec de grands yeux.

— *Eh-ðaa, a benti. Shhh.*

La femme détacha le voile de son visage et Cat s'aperçut qu'elle était très jolie, avec de grands yeux noirs, des sourcils bien dessinés, un nez droit et une peau d'un brun lumineux. D'un geste vif, elle remit soudain son voile en place, comme gênée par le regard des autres.

Elles soumirent Maria au même examen que la pauvre Alice Johns et touchèrent du bâton les plis que faisait sa peau sur son ventre, ou ses seins légèrement tombants. La matrone secoua la tête et prononça un mot que la copiste ajouta sur une colonne, de l'autre côté de la page.

Puis ce fut le tour de Nell Chigwine. La tête haute, elle regarda la matrone dans les yeux.

— Je dévêtirai sans honte ce corps que m'a donné le Seigneur. J'ôterai mes habits et les jetterai au sol pour les fouler aux pieds, comme le fit Jésus, et vous verrez ainsi une bonne chrétienne qui ne craint pas vos intimidations d'idolâtres.

Elle retira sa robe souillée puis sa chemise et ses sous-vêtements. Debout devant les gardiennes, son corps nu ressemblait à un étrange assemblage d'os et d'angles.

Quelqu'un émit un petit rire nerveux. La matrone se mit à hurler d'un ton furieux à l'encontre de Nell, qu'elle frappa à plusieurs reprises. Elle se baissa enfin et, furieuse, ramassa les habits qu'elle jeta à la prisonnière.

— Je ne t'ai pas dit d'enlever ta robe ! Tu n'es pas *murtafa-at*, pas bonne, tu es maigre comme un bâton !

Ann Fellowes, Nan Tippet et la tante de Cat, Mary Coode, subirent à leur tour l'examen humiliant. Puis Cat reçut l'ordre de s'avancer. La femme vêtue de bleu considéra avec intérêt la djellaba qu'elle portait, tirant sur la manche et tâtant l'étoffe. Elle se tourna alors vers la matrone et s'adressa à elle avec animation. La plus âgée, l'air entendu, hocha la tête avant de répondre. Le cœur de Cat se mit à battre la chamade. « Mon livre, il ne faut pas qu'elles me le prennent ! » Il lui semblait soudain crucial de protéger son pauvre bien, comme si son journal contenait la dernière trace de son identité.

— Enlève ! ordonna la matrone d'un ton sec.

Comment cacher le précieux ouvrage ? La jeune Cornouaillaise fouilla désespérément son esprit, cherchant à gagner du temps. Elle ôta sa robe avec soin et parvint à agripper la petite sacoche qu'elle laissa tomber doucement derrière elle, après avoir enjambé le vêtement mis en tas.

La femme mince s'empara de la robe qu'elle remua devant la matrone, comme exhibant une preuve.

— Où tu as eu la djellaba ? demanda la vieille.

— On me l'a donnée, répondit Cat, qui se cachait le plus possible à l'aide de ses mains et de sa longue chevelure rousse.

Elle se sentait comme Ève, dans le Jardin, honteuse pour la première fois de son corps.

— Par le raïs, Al-Andalusi, ajouta-t-elle.

Les deux femmes échangèrent des regards outrés. La plus jeune lâcha alors la djellaba et frappa à plusieurs reprises la prisonnière. La baguette qui lui fouettait la peau lui causa d'atroces brûlures. L'autre observait la scène, surprise, mais n'osa venir à son secours. Affaiblie par les mauvais traitements qu'elle recevait depuis de longues semaines, Cat fut lente à réagir. Mais la colère la submergea soudain. Plus grande et malgré tout plus forte que la Marocaine, elle s'élança contre son assaillante, lui arrachant son voile. Mais sa rébellion ne dura qu'un instant : les deux femmes ne tardèrent pas à l'immobiliser au sol où elles la frappèrent sans pitié, ajoutant d'autres hématomes aux rougeurs qui marbraient sa peau.

La femme en robe bleue se releva puis cracha sur le dos de Cat, avant de hurler une série d'invectives.

Ce qui arriva ensuite allait rester dans la mémoire de Catherine comme la pire humiliation qu'elle ait connue : les deux femmes la forcèrent à écarter les jambes et examinèrent soigneusement son intimité. S'ensuivit une âpre dispute et, enfin, la matrone retourna la captive sur le dos.

— Tu es vierge ou non ?

Les yeux écarquillés, la jeune Cornouaillaise hocha la tête, ce qui déclencha un autre échange enflammé. Elle se mit péniblement debout. Sa petite sacoche gisait au sol. Certaines des prisonnières avaient les yeux fixés dessus, comme si elles s'attendaient à en voir jaillir un monstre. Cat aurait voulu qu'elles ne la fixent pas ainsi : elles allaient attirer l'attention de leurs gardiennes ! D'une main agile, elle la ramassa et se tourna pour rejoindre ses compagnes.

Un instant, elle crut avoir réussi. Mais la jeune Marocaine avait l'œil. Cat entendit le sifflement de la baguette avant que celle-ci ne s'abatte sur elle. D'instinct, elle se retourna pour parer le coup, qui la fouetta au visage. La douleur lui fit lâcher son petit sac. En un éclair, la gardienne le ramassa, puis elle le brandit devant le visage de la captive.

— C'est quoi ?

Des larmes coulaient sur les joues de Cat, des larmes de douleur, de colère et de honte. Elle secoua la tête, incapable de parler. La Marocaine ouvrit le livre. La matrone et la copiste se joignirent à elle. Ensemble, elles examinèrent les étranges diagrammes, les marques au crayon.

— C'est mon livre de prières, s'écria Cat, inspirée.

La matrone fronça les sourcils.

— Prières ?

La Cornouaillaise joignit les mains : « Prières. »

Les trois femmes se concertèrent.

— Pour ta religion ?

Cat hocha la tête tandis que Nell Chigwine, derrière, lâchait une exclamation indignée. La jeune femme en robe bleue feuilleta les pages, indiqua du doigt l'un des dessins et s'adressa d'un ton pressant à la copiste, qui hocha la tête.

— Khadija dit c'est du blasphème. Elle se fiche de ta religion, car ta religion est aussi blasphème. La robe que tu as volée et ton livre brûleront en enfer comme ton âme.

La suite fut un cauchemar. Au bout d'un moment interminable, après que la pauvre Matty Pengelly (mais curieusement pas la vieille Anne Samuels) fut inspectée de la même manière, les détenues suivirent la matrone dans un labyrinthe de corridors froids et sombres jusqu'à une porte qui laissait s'échapper des volutes de vapeur.

Jane Tregenna s'arrêta et s'écria :

— Est-ce qu'elles veulent nous ébouillanter vivantes ?

— *Imʃhi* – avance, entre !

Comparée à la Cornouaillaise, la vieille était énorme. La maigreur de sa mère frappa soudain Cat. Jusqu'à présent, elle avait prétendu ne pas s'en apercevoir, mais un seul regard suffisait à constater les pommettes et côtes saillantes, le ventre tombant, les membres amaigris. Sa mère avait toujours cultivé une silhouette mince et élancée grâce à des jupons légers et à des corsets serrés qui soulignaient ses courbes délicates. Mais maintenant, elle semblait vieille et défaite, comme une femme qui avait déjà un pied dans la tombe. Je suis bien la seule que ce voyage n'a pas anéantie, songea Cat. J'ai mangé quand les autres étaient privés de nourriture, j'ai dormi dans des draps fins tandis qu'ils pourrissaient dans leur crasse. Mon corps montre encore quelques formes ; ce n'est pas étonnant qu'ils m'aient prise pour la putain du raïs.

Résister était inutile. En outre, elles n'avaient nulle part où s'enfuir. L'une après l'autre, elles pénétrèrent dans un brouillard de vapeur où elles furent accueillies par quatre jeunes filles vêtues de blanc qui leur astiquèrent la peau jusqu'à ce qu'elle devienne rouge. Cat aurait aimé se voir frottée jusqu'au sang ; mais même cela lui aurait semblé insuffisant.

— Jamais je ne me vêtirai de vos horribles vêtements turcs !

Nell Chigwine, les cheveux attachés, la peau livide parsemée de taches écarlates, se tenait droite, les bras croisés, et défiait la matrone. Elle ajouta :

— Apportez-moi des vêtements chrétiens ou pas d'habits du tout !

Les prisonnières ne la quittaient pas des yeux. Certaines la dévisageaient avec admiration et d'autres avec frayeur, comme si elles redoutaient que son attitude n'attire sur elles une terrible punition.

La matrone en avait vu d'autres, et avait entendu des refus dans une dizaine de langues différentes. Les prisonnières qui lui étaient passées entre les mains étaient venues d'Espagne, des Canaries, de Malte, de France ou du Portugal. Elle avait adopté à leur endroit la même attitude qu'envers les captives échangées lors de disputes tribales ou de guerres locales, ces Berbères à la peau noire capturées dans les villages de montagne, amenées par chameaux jusqu'au Sud depuis les terres brûlantes. Sa communauté vivait de la vente de ces prisonnières, qui finançait non seulement la guerre sainte menée par les corsaires comme son maître – que certains nommaient le Djinn – mais aussi la construction de la *qasba*, de leurs maisons et du souk. L'argent de ces ventes garantissait également l'éducation de leurs enfants dans les *medersas* et l'entretien de leurs sanctuaires. Il payait les aumônes accordées aux pauvres, aux veuves et aux infirmes. Il les maintenait tous en vie, entre les mains d'Allah. Son travail était sacré. Elle l'effectuait avec tout le respect nécessaire.

Tout cela transparut clairement dans le ton qu'elle employa pour s'adresser à Nell Chigwine. Mais cette dernière éprouvait elle aussi une colère justifiée, qui l'enflamma. Elle poussa la matrone contre le chambranle de la porte. La grosse femme avait bien déjeuné, non seulement ce matin-là, de pain frais, de miel de Meknès, d'œufs, de tomates, d'oignons et de cumin, mais toute sa vie durant. Outre la santé dont elle jouissait grâce à une bonne alimentation, elle avait lavé du linge et soulevé un grand nombre de paniers, de pots et d'enfants. Lorsqu'elle poussa Nell à son tour, la Cornouaillaise perdit l'équilibre, glissa sur le carrelage mouillé puis s'effondra sur le sol. Sa tête heurta les carreaux de zellige et une tache écarlate se répandit sur le dallage bleu et blanc.

Depuis la plate-forme, cet après-midi-là, Cat examina la foule rassemblée dans le souk d'el Ghezel. Le marché débordait d'acheteurs et de curieux désireux de voir ces esclaves que le Djinn avait rapportés des territoires ennemis. La plupart des hommes, barbus et enturbannés, portaient de longues djellabas. D'autres ressemblaient toutefois au renégat de Plymouth, celui qui avait pris le nom d'Ashab Ibrahim. Vêtus à l'européenne, la peau plus pâle, tels des seigneurs invités à ripailler, ils jouaient des coudes pour prendre place au premier rang. Les traîtres ! songea-t-elle amèrement. La colère monta en elle. Comment osaient-ils rire de chrétiens maltraités ou chercher à acquérir une femme qu'ils n'auraient jamais pu avoir dans leur pays ?

Les femmes de Penzance n'étaient pas les seules à être vendues aux enchères sur le marché aux esclaves, ce jour-là. Des prisonniers enchaînés arrivaient de l'autre côté de la place, exhibés comme des étalons lors d'une foire aux bestiaux. Ils ne portaient rien d'autre qu'un chiffon de coton autour de la taille et leur prix était écrit au charbon sur leur torse. Cat n'en reconnut aucun ; à l'évidence, d'autres pirates avaient ramené leur propre cargaison de captifs chrétiens.

Les marchands vantaient les qualités de leur marchandise. Ils encourageaient les acheteurs rassemblés devant eux à faire monter les enchères afin d'acquérir l'esclave qui convenait le mieux au banc des galères, à une armée privée ou au travail des champs. Parfois, ils désignaient certains prisonniers en disant qu'ils étaient charpentiers navals, voiliers-selliers ou canonniers ; ceux-ci obtenaient les prix les plus élevés. Mais la plupart étaient des pêcheurs, des hommes vigoureux au visage buriné et aux bras puissants. Les acheteurs tâtaient les muscles, les ventres, les torses et examinaient les dents de ces hommes afin de s'assurer que le vendeur ne leur avait pas menti sur leur âge. Lorsque le marchand eut vendu son cheptel masculin, il fit venir des femmes. Leur peau était presque aussi sombre que leurs robes. Cat observa un homme qui relevait la jupe d'une femme pour lui tâter les jambes. Elle n'avait jamais vu une peau aussi noire, mais l'acheteur potentiel, indifférent à l'exotisme, cherchait seulement à s'assurer qu'elle était saine et vigoureuse. Portait-elle un enfant ? Il lui toucha alors le ventre et aurait poursuivi ses palpations plus avant si le marchand ne l'avait pas écarté, non pas avec colère, mais par plaisanterie.

— Nous ne valons pas plus que des animaux à leurs yeux, remarqua Jane Tregenna avec dégoût. Ils nous choisiront pour la reproduction, ou pour nous faire travailler jusqu'à la mort.

— Peut-être la lettre de Cat nous sauvera-t-elle et sir Arthur enverra-t-il l'or nécessaire à notre rachat ? suggéra Matty.

La mère de Cat répliqua :

— Tu es aussi stupide qu'une souris des champs, Matilda Pengelly ! Crois-tu sincèrement que le maître de Kenegie possède assez d'or pour des gens comme nous ? Et même s'il parvenait à rassembler la somme, tu ne crois pas que ces sauvages l'empocheraient et nous garderaient malgré tout ? Nous serons peut-être vendues en différents endroits, et j'imagine mal que ces païens se soucieront de nous rechercher pour nous renvoyer chez nous ! Et puis d'ailleurs, cette lettre lui est-elle seulement parvenue ?

Un silence lui répondit. La mort de Nell Chigwine avait plongé les femmes dans une stupeur accentuée par la crainte de leur avenir. Vendues au premier venu, elles devraient obéir au moindre de ses désirs. Peut-être seraient-elles obligées de le suivre, Dieu savait où, pour vivre parmi ces païens qui ne parlaient pas un mot d'anglais.

Ce fut leur tour d'être exhibées pour la vente. Elles émergèrent du dais et le négociant qui les présentait vérifia la liste établie au matin par la copiste, avant d'interpeller la foule dans sa langue. Maria Kellynch et Poulette furent vendues les premières, en un seul lot, rapidement suivies de Ann Fellowes et de sa petite fille, Mary. Personne ne s'intéressa à Anne Samuels ni à Nan Tippet. Matty, Alice Johns et son fils James furent achetés par un seul acquéreur, un homme corpulent richement vêtu, à la longue barbe noire huilée et frisée, aux poignets et aux oreilles parés d'or. Il brandissait un bâton ouvragé et était escorté par deux garçons en livrée, comme les valets d'une riche maison européenne.

Quand arriva le tour de Cat, le marchand marqua une pause. Puis il la présenta d'une voix forte avant de retirer son voile d'un geste théâtral pour exposer sa chevelure rousse à la vue de tous. Aussitôt, un mouvement se fit dans la foule, et les enchères grimpèrent. Cat serrait les dents, les genoux tremblants. Elle préférait encore la noirceur sordide du *mazmorra* à cette effroyable incertitude. Qui l'achèterait ? Ce gros marchand avide au visage gras ? Cet autre qui était maigre, au nez crochu, à l'air cruel ? Il portait une djellaba blanche, ne disait pas un mot, mais remuait discrètement la main pour accompagner les enchères qui montaient. Ces deux jeunes gens, devant, qui la dévoraient des yeux ? Ce renégat aux traits grossiers, l'air saoul, qui s'appuyait contre un compagnon tout aussi ivre ? Elle l'avait cru anglais, mais il cria dans une langue qu'elle ne connaissait pas, aussi perdit-elle tout espoir de persuader son acheteur de la garder saine et sauve jusqu'à l'arrivée de sa rançon. Son regard se posa sur un enchérisseur, puis l'autre, et elle sentit la nausée la gagner.

Soudain, elle aperçut près d'elle une petite dague à la lame recourbée. Elle poussa un cri et chercha à s'enfuir mais, entravée par les fers et les chaînes qu'elle portait aux pieds, elle trébucha et s'effondra, tête la première, entraînant Matty et Nan Tippet avec elle. Un désordre indescriptible s'ensuivit : des hurlements retentirent, des hommes se mirent à jouer des coudes tandis qu'une femme poussait des cris qui n'en finissaient pas. Cat s'agenouilla péniblement. Comme dans un rêve, elle vit le négociant se jeter sur le jeune homme qui avait voulu la poignarder. La dague vola dans les airs, la lame brillant au soleil. Lorsque Cat parvint à se redresser, le jeune homme et son ami avaient disparu.

Le marchand reprit les enchères, comme si rien ne s'était passé. La foule se pressa de nouveau autour de l'estrade, tandis que le négociant pointait son bâton vers l'un ou l'autre des acheteurs potentiels, saluant les offres d'un petit geste. Il y eut une accalmie, et Cat comprit qu'elle avait été vendue. Puis une haute silhouette coiffée d'un turban bleu nuit, à l'écart, leva la main et le vendeur baissa la tête, comme en signe d'assentiment. La foule retint son souffle ; chacun se retourna afin de voir qui avait remporté les enchères, mais le mystérieux acheteur avait déjà disparu. L'assistance se dispersa en grommelant.

— Il a essayé de te tuer, murmura Matty. Pourquoi ?

Elles attendaient derrière l'estrade que l'or ait fini de changer de mains.

— Ils nous haïssent, déclara Jane Tregenna, livide. Ils nous haïssent et souhaitent notre mort à tous.

D'un geste d'une douceur inhabituelle, elle caressa alors la joue de sa fille. Puis elle ajouta :

— Peut-être qu'on ne se reverra jamais, Catherine. Souviens-toi que tu es bien née. Ton sang est plus noble que tu ne le crois. Sois fière et défends ton honneur devant Dieu, dans cette terre païenne.

21

— Vous devez être madame Lovat?

La personne qui me posait cette question était une toute petite femme vêtue d'une élégante robe sombre, les cheveux couverts d'un *hijab* de soie pâle.

— Julia, oui. Êtes-vous madame Rachidi?

— Je vous en prie, appelez-moi Naima. Permettez-moi de vous montrer votre chambre; laissez ici vos bagages, Aziz les montera. Votre voyage s'est-il bien passé?

Je la suivis le long d'une série de couloirs qui débouchèrent dans une cour intérieure. Des tables et chaises de fer forgé étaient disposées autour d'une fontaine où flottaient des pétales de rose. Des lanternes ouvragées projetaient des motifs de lumière dans chaque coin de la cour; une galerie d'arcades la bordait, et au-dessus courait un balcon de cèdre recouvert de jasmins et de bougainvilliers. Comme pour parfaire ce tableau, un croissant de lune brillait dans le ciel noir, juste au-dessus de nous. Je soupirai.

— Comme c'est beau, Naima.

— *Barakallaofik*, madame Lovat.

Elle détourna le regard, un petit sourire au coin des lèvres, puis traversa la cour en direction d'une double porte dont elle ouvrit les battants. Derrière se trouvait une chambre des *Mille et Une Nuits* : un immense lit à baldaquin recouvert de couvertures d'un blanc neigeux et de coussins de soie trônait contre un mur. Le sol de pierre polie était recouvert de tapis luxueux.

Des verres de couleur et une carafe d'eau étaient posés sur une table au plateau de cuivre. Des lanternes, des chandelles et deux chaises basses ajoutaient au charme magique du lieu. Une banquette moelleuse s'étendait sur la longueur d'un mur, lui-même percé d'une fenêtre donnant sur la cour. Un parfum de roses et d'encens flottait à travers la grille finement ouvragée. À l'autre extrémité de la pièce, une arche ouvrait sur une salle d'eau dont les murs scintillaient de mosaïques complexes. Deux bassins d'or martelé, une baignoire en marbre et une cabine de douche séparée luisaient dans la lumière des bougies. J'étais bouche bée. Si j'avais possédé une telle salle de bains, j'y aurais passé ma vie !

— Milouda a préparé un tajine, au cas où vous seriez fatiguée et préféreriez dîner ici ce soir, dit Naima Rachidi depuis le seuil.

Je me retournai, interrompue dans ma rêverie.

— C'est très aimable à vous.

— Je vais dresser une table pour vous dans la cour. Le repas sera prêt dans une demi-heure, si cela vous convient ? Vous aurez le temps de défaire votre valise et de prendre un bain avant le repas.

— Merci infiniment.

— *Tanmirt.* Elle inclina la tête. *Marhaban.* Avec plaisir.

Je lui souris.

— Votre anglais est excellent. J'ai peur que mon arabe soit mauvais.

— J'ai appris l'anglais à l'université, ici même ; mais ma famille est berbère, nous préférons parler notre propre langue. Je suis certaine qu'Idris vous en apprendra quelques mots, si vous le désirez.

Idris... Je l'avais presque oublié. Je défis mes bagages, me douchai, puis sortis dans la cour intérieure m'asseoir à l'une des tables. Naima me servit un tajine ; je fus saisie par les épices et les aromates inhabituels de ce plat raffiné. L'agneau, qui fondait dans la bouche, alluma un petit feu d'artifice sur mon palais : une explosion de citron, de piment, d'ail et, me sembla-t-il, d'une dizaine d'autres arômes plus subtils. Lorsque Milouda – une femme âgée et énergique, vêtue d'un pantalon blanc, d'une tunique lui arrivant aux genoux, et la tête couverte d'une écharpe – vint débarrasser mon assiette, je lui demandai quels ingrédients composaient son plat. Elle me confia le nom de certaines épices que j'avais déjà reconnues puis toucha le côté de son nez, dans ce geste universel de secrète complicité.

— *C'est magie**, dit-elle en français, refusant de dévoiler ses secrets.

Je dormis bien cette nuit-là, visitée cependant par d'étranges rêves que le muezzin, à l'aube, enveloppa de ses notes langoureuses. Je demeurai immobile, à demi assoupie encore, tremblante de l'excitation de me trouver seule sur ce continent étranger. Je m'y sentais toutefois en sécurité et, peu après, plongeai de nouveau dans un sommeil profond et réparateur qui dura quatre heures de plus. À mon réveil, j'entendis des oiseaux qui chantaient dans la cour et la fontaine qui coulait doucement.

J'avais terminé mon petit déjeuner et m'installais devant un café serré avec mon guide touristique, bercée par les paroles de deux touristes français à la table voisine, lorsqu'une ombre s'abattit sur moi.

— Bonjour.

Un anglais marqué par un léger accent qui aurait pu être américain. Je levai les yeux. L'homme était à contre-jour, aussi ne pouvais-je voir son visage ; quand il se déplaça, la lumière m'éblouit et je dus détourner le regard.

— Que lisez-vous ?

Je posai le guide touristique ouvert sur la table.

— « L'exode vers l'Afrique des Maures exilés d'Espagne, citai-je, se poursuivit tout au long du XVIᵉ siècle jusqu'à la fin de 1609, lorsque Philippe III décida de les renvoyer définitivement du sol espagnol. Son édit de janvier 1610, aussi général qu'impératif, exigea que tous les musulmans, convertis ou non au catholicisme, quittent le pays à l'instant. Cette décision allait avoir de terribles conséquences. Les premières expulsions au siècle précédent avaient déjà causé le développement de la piraterie dans la Méditerranée ; cette nouvelle mesure radicale allait augmenter l'insécurité sur les mers, impliquant l'installation à Salé de ces Maures qui, pendant deux siècles, allaient devenir les plus actifs des pirates de Barbarie. »

L'inconnu prit une chaise pour s'asseoir à côté de moi pendant que je lisais le passage, croisant ses longues jambes gainées de lin. Je le sentais qui écoutait attentivement. Lorsque je m'interrompis et levai les yeux, il hocha la tête.

— Un bon résumé, quoique dépourvu de détails et pas tout à fait exact.

Il avait un visage sombre aux traits anguleux et énergiques. Il aurait pu avoir trente ans ou bien cinquante, car il portait des cheveux très courts et son regard était profond. Son nez droit et ses hautes pommettes cuivrées lui conféraient un air de chasseur, moins imposant qu'un lion, mais plus dangereux qu'un loup. Lorsqu'il sourit, cependant, cette impression disparut aussitôt.

— Vous logez ici ? demandai-je.

— On peut dire ça comme ça. Je viens tellement souvent que cet endroit est presque devenu mon second foyer.

— Vous semblez être un expert du Maroc.

Il inclina la tête.

— On pourrait dire cela aussi.

Ses yeux noirs pétillèrent. Je réalisai soudain pourquoi.

— Seigneur ! Je suis désolée. Vous devez être Idris. Je vous ai pris pour un… visiteur qui occupait l'une des autres chambres. Vous êtes apparu avec tant de nonchalance à la table du petit déjeuner, et vous parlez si bien anglais…

Je me sentis rougir. Je l'avais pris pour un touriste parce qu'il parlait bien anglais, supposant dès lors qu'il ne pouvait pas être marocain ; par ailleurs, j'avais blasphémé devant un musulman.

Il s'inclina à nouveau.

— C'est moi qui devrais m'excuser ; j'ai interrompu *petit déjeuner** sans même me présenter. Permettez-moi…

Il me tendit la main par-dessus la table. Je la pris et il secoua doucement la mienne.

— *La bes.* Je m'appelle Idris el-Kharkouri. *Marhaban.*

Puis il posa la main sur son cœur et termina :

— Bienvenue au Maroc.

La conversation se poursuivit quelques instants, puis il se leva pour traverser la cour et revint un instant plus tard, un pot de café frais et un cendrier à la main.

— Vous permettez ? Une habitude certes détestable, mais partagée par un grand nombre de Marocains. Nous devrions tous mourir d'un cancer des poumons, mais d'habitude, c'est le diabète qui nous emporte.

— Je vous en prie, dis-je avant de refuser la cigarette qu'il m'offrait. Pourquoi le diabète ?

— Avez-vous essayé notre whisky ?

— Je croyais que l'islam interdisait l'alcool, répondis-je naïvement.

Il sourit.

— Nous appelons le thé à la menthe « le whisky marocain ». Cela nous permet de ne pas ressentir aussi fortement la privation.

— Milouda m'a fait du thé hier soir. Il était… plutôt sucré.

Il éclata de rire.

— Attendez de voir combien de sucre contient la théière, vous n'en boirez plus jamais. Les Françaises ont une attaque lorsqu'elles découvrent la teneur en sucre de ce qu'elles ont siroté pendant leurs vacances. Pour nous, le sucre est plus qu'un ingrédient ; il s'agit d'un symbole d'hospitalité, de bonne fortune et de bonheur. Un couple qui s'unit se verra offrir un cône de sucre lors du mariage, c'est la tradition. Notre économie fut fondée sur le sucre et le sel – le premier venu du Sud, le second de Taghaza, dans le Sahara, sur la route caravanière principale entre le Maroc et Tombouctou. On envoyait ces denrées par bateaux depuis les ports de la côte nord – Essaouira, Safi et Anfa – et d'ici, Rabat-Salé, vers tous les pays d'Europe. Votre reine anglaise, qui défia les Espagnols, établit de bonnes relations commerciales avec le Maroc. Elle importa non seulement du sucre, mais aussi du salpêtre pour la poudre à fusil, de l'ivoire, de l'argent, de l'or, de l'ambre, du miel de Meknès et de la cire d'abeille. En échange, l'Angleterre nous fournit des armes afin de lutter contre l'Espagnol.

J'allais aimer être guidée à travers la ville par Idris, pensai-je. Il était une véritable mine d'informations.

— Pourquoi les pirates se sont-ils mis à attaquer les côtes anglaises si nous avions un ennemi commun en Espagne ?

— Les ennemis de mes ennemis sont mes amis, voulez-vous dire ?

J'acquiesçai.

— Un ancien dicton arabe... commença-t-il, avant de s'interrompre. Vous vous intéressez aux corsaires de Salé – puis-je demander pourquoi ? Même dans notre pays, ce n'est pas un sujet dont on parle beaucoup.

— Une légende familiale parle d'une ancêtre enlevée par des pirates de Barbarie et vendue comme esclave, d'après ce que j'ai entendu.

— Des corsaires, pas des pirates.

— Quelle est la différence ?

— Les pirates étaient libres de toute entrave, ils n'opéraient que pour leur gain personnel. Les corsaires rapportaient leur butin chez eux et divisaient l'argent entre l'équipage, l'armateur et la communauté. Il s'agissait d'un commerce parfaitement réglementé, vous savez. Les corsaires de Salé chassaient, mandatés par leur État ; ils étaient appelés les *al-ghuzat*, un titre jadis réservé aux soldats qui combattaient aux côtés du prophète Mohammed. On considérait qu'ils menaient une guerre sainte sur les mers contre les infidèles.

— Mais ils commerçaient malgré tout avec nous, les « infidèles » ? Cela semble un peu hypocrite !

— Regardez autour de vous, lisez entre les lignes des articles de vos journaux ou écoutez ce qui n'est pas dit dans les émissions de télévision ; les choses sont-elles véritablement différentes, de nos jours ? Pendant des décennies, l'Europe et l'Amérique ont vendu des armes, officiellement ou bien au marché noir, à ces mêmes gens que vous nommez à présent des « terroristes ». La guerre et les affaires vont toujours main dans la main, c'est la *realpolitik*. Rien ne change jamais vraiment, la nature humaine est ainsi faite.

— Dès lors, l'histoire se répète en un cercle de cupidité, de corruption et d'idéaux pervertis ?

— Venez, dit-il en se levant. Laissez-moi vous montrer ce que vous êtes venue voir, et abandonnons la politique derrière nous pour en discuter au dîner.

Au dîner ? Cela semblait un peu présomptueux, mais il emportait déjà les restes du café avec une aisance qui trahissait des années d'aide aux tâches domestiques. Pourtant, il ne portait pas d'alliance ; cette coutume n'existait-elle pas pour les hommes musulmans ? Il était sans doute marié et devait avoir une ribambelle d'enfants, peut-être même plusieurs épouses. Sa culture n'acceptait-elle pas la polygamie ? Je réalisai combien ma connaissance du monde musulman était limitée.

Au dehors, le soleil me fit l'effet d'un véritable coup de marteau sur la tête ; je m'abritai aussitôt sous un large chapeau et derrière des lunettes teintées.

— Nous nous trouvons dans l'ancienne médina, la partie ancienne de la cité, m'apprit Idris tandis que nous remontions la petite allée qui menait au *riad*. Une colonie s'établit ici dès l'époque des Carthaginois et des Romains. Peu de choses ont changé pendant des centaines d'années : nous sommes un peuple conservateur qui aime maintenir les traditions.

Des femmes vêtues de longues robes, tête voilée et panier au bras, discutaient, claquaient des mains et riaient bruyamment au bout de la rue. Elles nous lancèrent un regard mais le rythme de leurs paroles ne s'altéra pas un instant. Nous empruntâmes un nouveau labyrinthe qui déboucha sur une grande artère de circulation à six voies qui résonnait de klaxons. De l'autre côté du périurbain s'élevait une haute muraille de pierre rouge crénelée. Grêlée par l'érosion et les fissures laissées par les flèches, elle était percée d'arcades à intervalles réguliers.

— La Qasba des Oudaias, m'expliqua Idris. Commencée par le sultan almohade Abd el-Moumen, au XII

— La Qasba des Oudaias, m'expliqua Idris. Commencée par le sultan almohade Abd el-Moumen, au XIIᵉ siècle, pour défendre la région contre les attaques venues de la mer. Son fils, Yacoub el-Mansour, poursuivit son travail et éleva ces énormes remparts autour d'un couvent existant, ce qui donna son nom à Rabat, puisque le mot signifie « monastère fortifié ». C'est d'ici que partirent les moines soldats pour la guerre sainte d'Espagne, au Moyen Âge. Plus tard, au XVIIᵉ siècle, la cité abrita la république corsaire de Salé, d'où partit une autre guerre sainte, contre la chrétienté.

— Vous commencez à ressembler à mon professeur d'histoire, à l'école. Il passait toutes ses leçons à nous faire écrire des listes interminables de dates, et personne n'a appris quoi que ce soit.

— Je ferai de mon mieux pour vous rendre les choses plus excitantes.

Il parut blessé. Embarrassée, je le laissai me prendre le bras et m'emmener de l'autre côté de la route, à l'ombre des hautes murailles.

Alors que nous nous enfoncions sous l'imposante arcade, un jeune homme se précipita vers moi.

— *Vous voulez un guide, madame ? Moins cher**…

Idris lui aboya quelque chose et le jeune homme prit la fuite.

— Je suis certaine qu'il ne voulait pas faire de mal, dis-je, interloquée.

— Les guides non officiels donnent au Maroc sa mauvaise réputation. Ils harcèlent les touristes, et certains ont pour cible de choix les femmes non accompagnées. Il ne faut en aucun cas les encourager.

— J'ai seulement demandé un guide, pas un chien de garde, remarquai-je en souriant.

Il me dévisagea froidement.

— Les chiens sont de vils animaux que le Coran n'approuve pas. J'aimerais que vous cessiez de m'appeler ainsi.

Je faillis lui dire que je n'avais pas l'intention de l'insulter, mais je n'aurais fait que creuser un peu plus le fossé qui nous séparait. Le silence s'installa entre nous jusqu'à ce que, au détour d'une ruelle, surgisse un jardin magnifique derrière de hauts murs de pierre. Un lacis de sentiers séparait des carrés où poussaient, bien en ordre, herbes aromatiques et lauriers-roses, fleurs et palmiers. Des treillis de bois bordaient d'autres carrés de plantes grimpantes dont les feuillages serrés faisaient de l'ombre. Des oranges tranchaient par leur couleur sur le feuillage des arbres tandis que des arcades, sur le côté, offraient un refuge de fraîcheur aux promeneurs qui souhaitaient lire ou jouir de la sérénité des lieux.

— C'est merveilleux, on dirait une Alhambra miniature.

— On l'appelle le jardin Andalou, mais en réalité, quand les Français le plantèrent à l'époque coloniale, ils avaient l'Alhambra présent à l'esprit.

— Ah !

— En revanche, le palais derrière, qui abrite à présent le musée, fut construit au XVIIe siècle par le sultan Moulay Ismaïl : votre ancêtre l'a peut-être vu, car le sultan possédait un grand nombre d'esclaves européens. Quand a-t-il été capturé ?

— Elle. Et d'après la… l'histoire de la famille, ce fut l'été 1625, répondis-je sans mentionner le livre de broderie.

— C'est plus tôt que je ne l'aurais cru. La république corsaire n'a été fondée qu'en 1626, et les raids et pillages n'ont atteint leur apogée que plus tard au cours du siècle.

— Oh, mais peut-être n'est-ce qu'une légende ; ou alors, les dates ne sont pas exactes.

— J'ai un ami à l'université à qui nous pourrions demander, si vous voulez vraiment des réponses.

Je ris nerveusement.

— Oh, je suis juste curieuse, rien de plus.

— Vous venez de bien loin, et seule, par simple curiosité.

Quittant la route principale, notre chemin nous mena dans une petite allée bordée de hautes maisons entourées de jardins. J'aperçus un groupe d'enfants rassemblés autour de quelque chose qui brillait au soleil. Je me penchai pour voir ce qui les fascinait et ils s'écartèrent avec de larges sourires. Au centre du cercle, des poussins d'une semaine grattaient et grappillaient des graines que les gamins avaient éparpillées au sol.

Idris s'agenouilla à côté de moi. Il s'adressa à l'un des garçons qui, dans un éclat de rire, exhiba une dentition clair-semée avant de répondre sur le même ton. Puis, sans aucune formalité, le gamin m'attrapa la main, la retourna et y déposa l'un des poussins. La petite bête demeura dans ma paume, indécise, se balançant sur ses pattes minuscules pour garder l'équilibre. Elle ne pesait presque rien et son pâle duvet scintillait au soleil comme l'akène du pissenlit. Je sentais son cœur qui battait plus fort que le mien. Puis Idris posa une main sur mon bras ; j'eus l'impression qu'un courant électrique parcourait mon corps.

— Abdel dit que vous pouvez le garder.

Comment devais-je répondre à une telle générosité, venue d'un enfant ? Mon guide sourit de ma confusion. Il s'empara du poussin qu'il reposa au sol parmi ses congénères, fouilla dans sa poche et en sortit quelques pièces qu'il jeta au garçon. Il posa ensuite ses mains en coupe au-dessus de la tête de l'enfant et prononça :

— *Tanmirt, Abdellatif. Bes salama.*

Cet épisode transforma le reste de la matinée. Je cessai de me soucier du livre, de son authenticité, de Michael, pour me donner corps et âme au Maroc, m'abandonnant à sa chaleur, à sa générosité, à son exotisme et à sa fascinante histoire qui surgissait à chaque pas.

À un moment, nos pas nous menèrent devant une magnifique mosquée flanquée d'un minaret, où Idris s'arrêta.

— Voici la Jamaa el Atiq, construite au XIIe siècle par le sultan abd el-Moumen. Je ne voudrais pas vous ennuyer avec de simples faits ni des dates, mais il est intéressant de mentionner qu'il s'agit de la plus ancienne mosquée de Rabat.

Il leva les yeux et le soleil adoucit les traits de son visage, éclaircit ses prunelles.

— Pouvons-nous entrer ?

Idris baissa les yeux vers moi.

— Bien sûr que non.

— Pourquoi pas ? Parce que je suis une femme ?

— Parce que vous n'êtes pas musulmane.

— Oh, répondis-je avec un petit rire dépourvu d'humour, une infidèle.

— En effet.

— Charmant.

— Venez, poursuivit-il en me prenant le bras, laissez-moi vous montrer où mes ancêtres ont mené votre aïeule infidèle.

— En réalité, les chrétiens traitaient également les musulmans d'infidèles.

Il sourit.

En haut de la *qasba* s'élevait la plate-forme du sémaphore, un immense emplacement pour les canons, qui offrait une vue imprenable sur l'océan et, de l'autre côté d'une large étendue d'eau, sur une tour d'un blanc éclatant.

— Notre rivière se nomme le Bou-Regreg – le Père de la Réflexion, m'expliqua Idris, assis sur le mur. C'est un joli nom, n'est-ce pas ? Trois villes-États se sont développées sur ses rives. Là-bas, de l'autre côté, se trouvait Slâ el Bali – Salé l'Ancienne, le port qui servait l'opulent royaume de Fez. Au XVIIe siècle, la cité est devenue le centre de la traite d'esclaves, et le cœur de l'Islam radical. Derrière nous s'élevait Rabat, où se sont installés les riches marchands juifs et maures. Enfin là où nous nous tenons, se dressait Slâ el Djedid, Salé la Nouvelle. Quand Philippe d'Espagne a expulsé les Maures d'Andalousie, au début du XVIIe siècle, beaucoup d'entre eux sont revenus ici et se sont attelés à la reconstruction de la cité abandonnée. Ils ont été accueillis à bras ouverts ; ils apportaient une richesse considérable, et haïssaient les chrétiens qui les avaient persécutés. Le chef de cette région, le sultan Moulay Zidane, leur a offert de l'or pour élever des remparts et installer une garnison destinée à garder la forteresse qui allait prendre le nom de « Qasba Andalous ».

« Ils le remercièrent en lui payant une dîme, prélevée sur chaque cargaison dont ils s'emparaient, mais ils arrêtèrent rapidement. Ils n'avaient pas besoin du sultan, de sa protection ou de son aide. Salé a un avantage stratégique : le détroit de Gibraltar est tout proche. Il s'agit d'un véritable goulet d'étranglement ; tout ce que les corsaires avaient à faire, c'était de fondre sur les navires qui en sortaient. Comme ils étaient plus rapides et connaissaient mieux la côte, ils voguaient toutes voiles dehors vers leur port. Vous voyez les remous dans l'eau, là ?

J'aperçus une ligne causée par un ressac, à l'embouchure de la rivière.

— Oui.

— Un banc de sable se cache sous la surface. Seul un petit bateau doté d'un faible tirant d'eau pouvait passer. Si cela n'arrêtait pas les poursuivants, le chenal étroit s'en chargeait. Il fallait être un expert pour parvenir à remonter ce passage. Les épaves de nombreux navires étrangers jalonnent les fonds, ici.

— Pourquoi, alors, les corsaires se sont-ils mis à kidnapper les gens ?

— Parce qu'ils ont réalisé qu'ils pouvaient gagner beaucoup d'or en s'emparant des équipages afin de les vendre sur le marché aux esclaves. De plus, quand on sillonne la Méditerranée dans des galères, on a besoin de rameurs.

— Mais pourquoi des femmes ?

— À votre avis ? Pour ce que les hommes ont toujours voulu en faire.

Je rougis. Pauvre Catherine !

— J'ai faim, dis-je pour changer de sujet, quittant le mur où nous étions assis. Que pouvons-nous manger ?

Il réfléchit un instant en fronçant les sourcils.

— Aimez-vous le poisson ?

— Oui.

— Alors j'ai une idée.

Il me mena sur la rive droite de la rivière. Sur les berges, on avait tiré un grand nombre de bateaux bleus, dont la proue formait comme un bec relevé. Une foule bigarrée, alignée sur une petite jetée fabriquée de bric et de broc, attendait de monter à bord de l'un d'eux. Idris donna deux pièces au patron du ferry, m'aida à franchir le plat-bord, puis me rejoignit. Le capitaine, un homme à la peau très brune qui arborait une longue barbe et m'observait avec hostilité, nous conduisit à travers le chenal vers Salé l'Ancienne. Là, je pénétrai dans un autre monde.

Les rues grouillaient d'hommes en djellabas, le visage caché par une capuche, et de femmes dont on n'apercevait que les yeux. Pas un Européen en vue. Consciente de mon apparence dès l'instant où je posai le pied sur la rive gauche, j'entortillai ma chevelure en un chignon que je cachai sous mon chapeau. Aux côtés d'Idris, je passai devant une suite d'étals exhibant la pêche du jour. Des hommes vidaient et taillaient des filets, leur tunique maculée de sang et d'écailles, tandis qu'au-dessus des nuées de mouettes poussaient des cris perçants. J'avançai avec soin entre des flaques fétides, légèrement inquiète. Mais Idris me prit le coude et me guida vers la terrasse d'un café installé sur la berge. J'y déjeunai comme une reine de poisson frais accompagné d'un pain à peine sorti du four, de belles tranches de citron, de beurre et d'huile. Quand j'eus terminé, léchant mes doigts pleins de graisse, je comptai les arêtes qui s'amoncelaient dans la feuille de papier posée devant moi.

Quinze ! J'avais avalé quinze poissons, dont certains d'une belle taille ! Idris, quant à lui, montrait une pile plus imposante encore que la mienne. Concentré, il mangeait avec un soin extrême afin de ne rien gaspiller, comme un homme qui ne savait pas quand viendrait son prochain repas.

— Parlez-moi donc de votre famille, lui demandai-je.

— Que voulez-vous savoir ?

— Avez-vous des frères, des sœurs, des parents, beaux-parents ?

— Beaux-parents ?

Au temps pour ma subtilité...

— Êtes-vous marié ?

Idris secoua la tête.

— Non.

— Jamais ?

— Jamais.

Il ne m'aidait guère.

— Pourquoi ?

Il reposa son poisson.

— Cela n'est... jamais arrivé.

Il y eut un silence tandis que je cherchais quoi ajouter, et il demanda :

— Et vous ?

— Euh, non. Mêmes raisons.

Je serrai les lèvres, comme pour empêcher la déplaisante vérité de sortir de ma bouche.

— Cela me surprend.

Il me dévisagea avant d'ajouter :

— Ici, nous avons pour dicton : « Une femme sans époux est comme un oiseau sans nid. »

La serveuse passa. Je lui fis signe mais lorsqu'elle atteignit notre table, elle s'adressa à Idris. Ce dernier fouilla dans sa poche. Je poussai aussitôt un billet de deux cents dirhams sur la table.

— C'est pour moi, s'il vous plaît.

Le regard de la serveuse passa de l'un à l'autre et je me figurai exactement les pensées qui lui traversèrent l'esprit. Mais à cet instant, je voulais par-dessus tout retourner à l'extérieur.

L'aspect sordide et moyenâgeux de la rive gauche laissa place tout à coup à des rues modernes, bordées de villas coloniales françaises, puis aux murailles ocre de l'ancienne cité.

Idris nous fit pénétrer dans la médina par la porte Bab Bou Haja et nous mena ensuite vers une esplanade où se dressaient de jolis jardins. De l'autre côté s'ouvrait une rue, tellement étroite que les maisons qui la bordaient se touchaient presque. De minuscules échoppes débordaient d'outils, de chaussures, de bijoux, de fruits et de légumes, de téléphones portables ou de composants d'ordinateur. Je trouvais étranges ces objets du monde moderne dans cet écrin médiéval. De nombreux arômes parvenaient à mes narines : poisson, épices, friture, et d'autres odeurs moins identifiables. Une autre allée nous offrit une ombre bienvenue : je vis qu'elle était couverte d'une sorte de toit de paille. Un peu plus loin, je plongeai au cœur du souk, le marché traditionnel. On aurait dit une fourmilière : un grouillement d'humanité, de bruit, de musique, de cris, de rires, d'huile de friture, le tout confiné dans un dédale de ruelles. Je ne savais où donner de la tête : tous mes sens étaient en éveil. Les articles défilaient à toute vitesse tandis que nous progressions entre les acheteurs qui se bousculaient : des articles en cuir merveilleusement travaillé, des chaussures et des pantoufles colorées, des vêtements, des ustensiles en aluminium, des piles de fruits, d'olives ou de chandelles, des guirlandes de figues ou d'abricots séchés. Les épices étaient présentées sous forme de pyramides parfaites, aux couleurs vives, aux senteurs âcres et entêtantes — le rouge du piment ou du paprika, le brun chaud de la cannelle et de la noix de muscade, celui plus pâle du cumin et du gingembre, l'ocre jaune du curcuma, les étoiles d'anis, les clous de girofle. L'odeur devint plus rance aux abords des étals de viande ; je fus étonnée de voir ce qu'on y vendait : pieds, oreilles ou museau de bœuf, têtes de moutons ou de chèvres, petits testicules blancs et veinés, ou tas de tripes.

— Berk, dis-je en me bouchant le nez.

Idris éclata de rire.

— J'oubliais votre sensibilité occidentale. Venez, allons de ce côté.

Quelques scènes étranges nous attendaient en chemin. Je vis une femme parmi des oies, des canards et des lapins, entourés par un certain nombre de personnes venues choisir leur dîner. J'aperçus des peaux de serpent pendues à des chevrons, une cage abritant des singes, et une autre dans laquelle se trouvaient d'étranges reptiles aux yeux protubérants et aux pattes terminées par ce qui ressemblait à des mains minuscules. Il me fallut un instant avant de réaliser ce que c'était.

— C'était des caméléons, dans ces cages, là-bas ?

— Sans doute. Certains les utilisent contre le mauvais œil.

— Que voulez-vous dire par « utilisent » ?

— Si vous avez un problème spécifique, vous pouvez jeter un caméléon dans le feu ; s'il explose, vos problèmes disparaîtront avec lui. Mais s'il fond, votre problème durera.

— Vous n'êtes pas sérieux.

— Nous autres, Marocains, sommes un peuple très superstitieux.

— Les Anglais aussi, mais je ne crois pas que nous ayons jamais jeté une créature vivante au feu par simple superstition.

— Non ? Et que dites-vous des sorcières sur les bûchers ? Je crois que votre reine Élisabeth a même fait brûler des chats lors de son couronnement.

— Certainement pas !

L'idée même de notre vieille souveraine, impassible et pondérée, agissant de façon aussi barbare était risible.

— La première reine Élisabeth, rectifia Idris. Elle voulait ainsi prouver que la sorcellerie avait été éradiquée de son royaume.

— Vous êtes un puits de science.

Après une autre intersection, une petite place de marché apparut. Au centre, un vieil homme pesait de la laine dans une énorme balance de laiton.

— Voici le marché de la Laine, le souk el Ghezel. Au XVIIe siècle, c'était un des endroits où on vendait des esclaves.

Je demeurai immobile, les yeux fixés sur le vieux marchand et sa balance. Avec sa longue barbe blanche et sa djellaba crémeuse, il aurait pu faire partie de cette foule venue observer, lors des enchères, les prisonniers amenés par les corsaires.

Qu'avaient-ils pensé de cet endroit exotique, ces hommes et ces femmes qui, nés dans la péninsule cornouaillaise de Penwith, n'avaient jamais, pour la plupart, traversé la rivière Fal, et encore moins le fleuve Tamar ? Le Maroc ne cessait de m'émerveiller et de me surprendre, pourtant j'avais déjà visité une douzaine de pays à travers le monde, et vu à la télévision les images d'une centaine d'autres. Traumatisés par leur enlèvement et les horreurs endurées lors du voyage, ils avaient dû marcher dans ces rues comme drogués.

Mon guide me toucha le bras, me ramenant sur terre.

— Laissez-moi vous montrer autre chose. Je crois que vous aimerez.

Il me fit longer les murailles de la ville jusqu'à une porte monumentale. Je fus stupéfiée par sa beauté – l'arche semblait suspendue entre deux tours – et par l'écheveau délicat des décorations qui mêlaient dessins et écriture.

— Voici Bab Mrisa, le Petit Port. Au XVIIe siècle, avant que le lit de la rivière ne s'envase, changeant son tracé, les corsaires pilotaient leur navire jusqu'au cœur de la cité fortifiée, à travers cette porte. C'est par la Bab Mrisa que fut amené votre Robinson Crusoé. « Notre vaisseau, cinglant vers les Canaries, ou plutôt entre ces îles et la côte d'Afrique, fut surpris, à l'aube du jour, par un corsaire turc de Salé », cita-t-il soudain.

Je lui lançai un regard ébahi.

— Je possède un diplôme d'anglais, que j'ai étudié pendant quatre années ; l'un des répétiteurs était un passionné de Defoe – j'ai tout lu de lui : *Journal de l'année de la peste, Moll Flanders, Lady Roxane.*

— Votre culture littéraire est meilleure que la mienne, remarquai-je en riant, vaguement embarrassée. Mais dites-moi : comment se fait-il que vous ayez un petit accent américain ?

— Vraiment ?

Il réfléchit un moment qui me sembla à peine trop long, puis déclara :

— Mon tuteur était américain, je suppose que c'est la raison.

— Il vous a marqué, on dirait.

— Elle.

Il se détourna et traversa le périurbain vers la cité, d'un pas si rapide qu'il me fallut courir pour rester à ses côtés.

— Idris, que faites-vous ? Je veux dire, quel est votre travail quand vous ne chaperonnez pas les touristes ? Enseignez-vous à l'université ?

— Je conduis un taxi.

— Oh !

Je ne sus que répondre. La demeure de sa cousine était manifestement opulente ; il possédait à l'évidence une excellente éducation, et bien que chauffeur de taxi fût une occupation parfaitement respectable, ce n'était pas ce à quoi je m'attendais.

— Et vous ?

Je ris.

— Bonne question. En ce moment, je ne fais rien.

— Alors, vous n'êtes pas mariée, vous n'avez pas de travail et vous n'avez pas d'enfants non plus, n'est-ce pas ?

— Non, pas d'enfants.

— Donc, Julia Lovat, si vous deviez disparaître dans une ruelle obscure d'un village marocain, vous ne manqueriez à personne ?

Il se tourna pour m'observer ; à contre-jour, je ne distinguai que ses yeux.

Il avait touché un point sensible : à qui manquerais-je ? À quelques amis, peut-être. À Michael, mais seulement parce qu'il voulait le livre. À Alison, certainement...

Soudain terrifiée, je le dévisageai.

— Je veux rentrer. Je suis très fatiguée.

— Bien sûr.

L'après-midi touchait à sa fin quand nous parvînmes au *riad*, et je me sentais effectivement exténuée. Mes pieds et mon dos me faisaient souffrir, tandis que ma tête débordait d'images et d'informations. Seule la perspective d'un long bain parfumé m'avait soutenue depuis Salé l'Ancienne jusqu'à la médina de Rabat.

Mais alors que nous franchissions le seuil de sa demeure, Naima Rachidi nous intercepta. Elle s'adressa d'une voix rapide, dans leur langue, à son cousin, qui eut l'air choqué. Puis elle se tourna vers moi.

— Votre mari vous cherchait.

— Mon... mari ?

— Oui. Je lui ai dit que vous visitiez la ville en compagnie d'un guide et ne rentreriez pas avant ce soir. Il a alors annoncé qu'il allait se promener et reviendrait plus tard.

— Ah... merci. Comment était-il ?

— Fatigué, un peu irrité ; même s'il s'est montré très poli.

— Je veux dire, êtes-vous certaine qu'il s'agissait de... mon mari ? Pourriez-vous le décrire ? Peut-être est-ce une erreur.

— Une cinquantaine d'années. Plus grand que vous mais moins qu'Idris. Les cheveux noirs... comment dites-vous, chauve, là – elle toucha ses tempes. Des yeux noirs. Un peu gras, là – elle indiqua son ventre.

Naima Rachidi était très observatrice ; en revanche, je ne savais pas si Michael aurait approuvé la description qu'elle venait de faire de lui, en particulier l'âge qu'elle lui avait donné ou le fait qu'elle ait remarqué ses bourrelets. L'étourdissement me reprit, accompagné d'une horrible nausée. J'inspirai profondément.

— A-t-il dit quand il serait de retour ?

Je sentais le regard noir d'Idris sur moi. La tension était palpable.

— Non, mais il a dit qu'il vous avait laissé un message dans votre chambre.

— Dans ma… !

— Je suis désolée, je n'aurais pas dû le laisser entrer ?

— Non, non, vous avez bien fait. Merci.

Je me retournai, craignant la réaction d'Idris, mais il demeura imperturbable.

— Merci pour tout, Idris, j'ai beaucoup apprécié cette journée.

Puis je m'enfuis.

Une bombe semblait avoir explosé dans ma chambre. À Londres, Michael avait tenté de couvrir ses traces, mais ici ce n'était pas le cas. Les draps et les couvertures gisaient en tas sur le sol, ma valise avait été retournée et vidée au centre de la pièce, les portes du placard ouvertes, et mes vêtements jetés au hasard. Il avait même dispersé par terre mes affaires de toilette tandis que les serviettes étaient jetées au fond de la baignoire.

Je serrai mon sac contre moi. Ma première intention avait été de laisser *La Gloire de la brodeuse* en sûreté dans le *riad* ce matin, sans pourtant me résoudre à m'en séparer. Sixième sens, peut-être, à moins que Catherine elle-même n'ait dicté mes actions.

Une enveloppe reposait sur le lit défait. Très symbolique, songeai-je, le cœur battant.

Mon nom y était crayonné, de ce gribouillis qui caractérisait l'écriture de Michael. Aucun doute ne subsistait : il m'avait suivie jusqu'au Maroc, jusqu'à cette chambre. Tremblante, j'ouvris l'enveloppe. Elle contenait deux feuilles de papier, pliées l'une dans l'autre. La première disait :

« Je dois te parler (voir ci-joint)
Je serai de retour à dix-huit heures.
M »

La seconde feuille était une photocopie d'une lettre ancienne :

« Adressé à Sir Arthur Harris par son serviteur Robert Bolitho, en ce 15ᵉ jour d'octobre 1625.

Sir, j'escris cecy depuis l'estude de Messieurs Hardwicke & Buckle, armateurs de la Turkey Company, à Cheapside, Londres, pour vous informer de mon travail. Je me suis résolu à prendre grande décision, laquelle ne sauroit manquer de rencontrer vostre approbation et bénédiction… »

La tête se mit soudain à me tourner. Je repliai le message et la lettre, les insérai derrière la dernière page du livre de Catherine, et enfouis celui-ci au fond de mon sac. J'entassai ensuite mes affaires dans ma valise et mon sac de toile, avant de les tirer dans la cour. Malgré ma fatigue, malgré toute l'élégance et le confort du *riad*, je ne pouvais pas rester ici.

— En fuite ?

Idris était assis à une table, cigarette en main, une volute de fumée s'élevant devant lui. Ses grands yeux noirs m'observaient avec curiosité.

— J'ai pensé que vous pourriez avoir besoin d'aide.

— Quel genre d'aide ?

— Eh bien, vous m'avez dit ne vous être jamais mariée… Mais à présent, un « mari » se présente et vous êtes aussi pâle que la lune. Je voulais vous proposer mes services – il indiqua mes valises du regard –, même comme simple porteur.

— Il me faut un endroit où passer la nuit, lançai-je, réalisant au même instant que, en fait, j'avais besoin d'un endroit où me cacher de Michael. Pouvez-vous me recommander un bon hôtel ? Je déteste abandonner Naima ainsi, et bien entendu, je lui payerai ce que je lui dois, mais je ne peux pas rester ici.

Idris écrasa sa cigarette à demi consumée.

— Laissez-moi vous aider avec ces bagages. Je parlerai à Naima, ne vous préoccupez pas de cela.

Quelques minutes plus tard, j'étais installée à l'arrière d'une petite Peugeot bleue dotée d'un signe « Taxi » sur le toit. Les amulettes et charmes pendus au rétroviseur se balancèrent en tous sens quand les vieilles suspensions de la voiture grognèrent, mises à rude épreuve par le poids de mes bagages.

— Où allons-nous ?

J'étais seule en Afrique. À présent que j'avais quitté le *riad*, personne ne savait où j'étais ; si je disparaissais, personne ne chercherait à me retrouver. Pouvais-je me fier à Idris ? Je me rappelai combien il m'avait rendue nerveuse cet après-midi, et sentis le doute grignoter mon assurance, comme un rat.

— Je vous emmène chez moi, déclara-t-il sans se retourner.

Ce qui ne me rassura pas vraiment.

22

Robert

Adressé à Sir Arthur Harris par son serviteur Robert Bolitho, en ce 15ᵉ
jour d'octobre 1625.

    Sir, j'escris cecy depuis l'estude de Messieurs Hardwicke &
Buckle, armateurs de la Turkey Company, à Cheapside, Londres,
pour vous informer de mon travail. Je me suis résolu à prendre grande
décision, laquelle ne sauroit manquer de rencontrer vostre approbation
et bénédiction…

Les rumeurs concernant le sort de ceux qui avaient disparu de l'église de Penzance en cette matinée de juillet enflam-
mèrent la Cornouailles comme une traînée de poudre. Certains
affirmèrent qu'il s'agissait de l'œuvre du diable, d'autres que le
Seigneur, après les élucubrations d'Annie Badcock, les avait
punis. Cependant, la honte au cœur, Andrew Thomas admit
qu'il avait vu les pillards pénétrer dans le port de Penzance.
Lui-même n'avait pas assisté au prêche, invoquant un mal de
tête né d'un abus de bière, la nuit précédente. Il avait alors
cru halluciner. Mais quand des cris s'étaient élevés, il avait dû
admettre que ses visions d'hommes à la peau sombre, coiffés
de turbans, cimeterres en main, qui débarquaient et repartaient
peu après avec un grand nombre de ses concitoyens (dont le
bourgmestre et l'échevin) n'étaient pas des hallucinations, mais
bien l'horrible réalité. « Trois navires, rapporta-t-il au conseil de
ville en se tordant les mains, le visage en pleurs et le corps parcouru de tremblements. Une élégante caravelle et deux bateaux

étrangers dotés de voiles latines et de ponts dégagés. » Il les connaissait sous le nom de xébecs mais n'en avait pas vu depuis longtemps, lorsqu'il voguait et commerçait en Méditerranée. Ce fut ce détail, ajouté à la description qu'il avait faite de l'équipage de ces étranges vaisseaux, qui révéla la nature des pillards : des pirates de Barbarie ! Ils étaient connus pour leur audace et leur violence. Ils s'acheminaient certainement en cet instant vers Alger ou Tunis, voire en direction de Constantinople, à la Cour du Grand Turc.

Quand Rob entendit parler de la lettre de Cat, il se tenait dans la cour de la ferme, à Kenegie, les yeux fixés sur un harnais qu'il n'avait aucun souvenir d'avoir sorti de l'étable. George Parsons survint alors qu'il se trouvait dans cet étrange état (car Robert Bolitho était d'habitude un homme pragmatique, doté d'un esprit vif, qui s'appliquait à son travail). L'intendant appela trois fois avant que Rob ne lui réponde. Depuis la rafle, le jeune homme était souvent distrait ; il ne pensait qu'à Cat, se demandait si elle était toujours en vie. Il vivait dans une sorte de brouillard, espérant apprendre le lieu de sa captivité afin d'entrer en action. Il hésitait devant les plus simples tâches, s'interrompait en pleine phrase, s'éveillait en pleine nuit sans savoir qui il était ni où il se trouvait. Des cauchemars hantaient son sommeil ; il se crut même, pendant un temps, harcelé par un esprit malveillant, avant de réaliser que c'était sa culpabilité qui ne lui laissait aucun répit. Ses pensées, sans qu'il parvienne à se raisonner, suivaient des cours tortueux : les pillards auraient dû l'enlever, lui, et non Cat. Il aurait dû demeurer à ses côtés à la chapelle pour la défendre de ces barbares, au lieu de s'enfuir à Gulval pour une dispute sans importance. Il n'avait même pas réussi à la convaincre d'accepter son anneau ! Il le regrettait amèrement à présent, comme si le bijou avait été un talisman capable de la protéger.

— Rob, Rob ! Robert Bolitho – le maître te fait appeler. Au parloir, maintenant.

Il leva lentement la tête, comme s'il émergeait d'un sommeil profond.

— Pardonne-moi, George, qu'as-tu dit ?

— Une lettre de Catherine.

Une lettre ? Comment ça ? Les lettres étaient des moyens de communication civilisés, réservés aux gens éduqués, pas à des miséreux voguant sur des bateaux pirates dans des eaux oubliées de Dieu.

Il se mit en mouvement.

Arthur Harris, assis derrière la table du parloir, tenait une feuille de papier en main. La qualité de la lettre déconcerta Rob : elle semblait en bon état après un tel voyage, et le papier était plus jaune et plus épais que celui qu'ils utilisaient à Kenegie.

— Ceci nous est parvenu par des moyens détournés. Catherine en est l'auteur, d'après ce qui nous est dit. Est-ce son écriture ?

Il agita la lettre devant Rob, qui la fixa des yeux comme si elle contenait le secret de l'univers – ce qui, en cet instant, était le cas.

— Oui, monsieur.

Ses genoux se mirent à trembler : il se pencha en avant pour prendre appui contre la table.

— Assieds-toi, Robert. Un messager l'a apportée ce matin de Southampton.

Le cœur de Robert s'emballa aussitôt.

— Elle est à Southampton ?

Le maître de St Michael's Mount leva la main.

— Non, Robert. Laisse-moi terminer. Elle nous vient des offices d'une compagnie maritime. Le capitaine du *Merry Maid*, qui livrait sa cargaison à ses maîtres, expliqua comment il avait été intercepté par un navire marchand voguant sous la protection de la Sublime Porte[8], qui la détenait lui-même d'un autre, venu de Barbarie.

---

8. Nom donné à l'Empire ottoman. (*N.∂.T.*)

— De Barbarie ? répéta Rob, ses espoirs aussi vite anéantis qu'ils étaient nés.

Ses plus grandes frayeurs semblaient se réaliser. Son visage dut trahir son horreur, car sir Arthur hocha la tête.

— Non seulement de cet État, mais de la ville de Salé, qui est, d'après ce que j'ai entendu, le repaire du diable, un foyer de pirates et de charognards des mers de la pire espèce. Des centaines de pêcheurs et de marchands ont été enlevés dans nos eaux, pour être acheminés vers les rives barbaresques ; on dit que pas un chrétien ne revient en vie de Salé. Nombre d'entre eux sont torturés et se convertissent à l'islam, craignant pour leur vie, et pour leur âme.

Rob ferma les yeux. Il ne tremblait pas seulement pour l'âme de Catherine ; la seule pensée qu'elle soit molestée lui nouait les entrailles. Le contenu de la lettre ne le rassura pas. Huit cents livres ? Comment parviendrait-il à rassembler cette somme ? Il effectua un rapide calcul : une avance sur ses gages, la vente de ses quelques biens, un emprunt ici et là, un ou deux dons charitables, et il réunirait... combien, cinquante livres, si la chance lui souriait ? Une partie de lui savait qu'il aurait dû se préoccuper du sort des autres prisonniers – la mère de Cat, son oncle, sa tante, ses neveux morts ; Matty, Jack, Poulette, tous les autres. Mais la seule chose qui comptait à ses yeux, c'était que Cat était en vie, du moins quand elle avait écrit la lettre. Il aurait vendu son âme pour la libérer.

Ce jour-là, il effectua ses corvées en un temps record et avec une efficacité incomparable. Puis il demanda à voir lady Harris. Quand elle le fit entrer dans son boudoir, il se sentit ragaillardi. Malheureusement, il s'aperçut vite que sir Arthur avait déjà averti son épouse ; lorsqu'il aborda le sujet, elle pinça les lèvres.

— Je suis navrée, Rob. Je sais que tu voulais l'épouser. Mais une telle somme ! Même si elle avait été la plus méritante jeune femme de Penwith, je t'aurais fait la même réponse. Huit cents livres représentent la rançon d'une reine, pas celle d'une traînée comme Catherine Tregenna. Tu ferais bien de porter ton choix sur une brave femme, issue d'une famille honnête. En outre, les compagnons d'infortune de Catherine – nos concitoyens – ont également besoin de notre bienveillance ; nous n'avons pas à favoriser l'une au détriment des autres.

Il la pressa tant et tant qu'à la fin elle déclara d'un ton las :

— Puisque tu tiens à sauver cette fille, tente donc ta chance auprès de son père.

— Madame, il est mort depuis plusieurs années déjà.

— Pauvre John Tregenna : un homme impassible, guère du goût de Jane. Il ne méritait pas de passer ses meilleures années à élever une enfant qui n'était pas de lui, pour mourir ensuite de la peste. Si tu souhaites payer la rançon de Catherine, va voir sir John Killigrew, à Arwennack.

Rob sentit un nœud se former dans sa gorge. Le souvenir de deux silhouettes aux cheveux couleur de flamme, debout dans la cour, trop près l'une de l'autre, lui revint en mémoire, et il sut que lady Harris disait la vérité. Mais John Killigrew pouvait-il véritablement poser les yeux sur sa propre fille sans la reconnaître ?

— Voici.

Rob releva les yeux. Margaret Harris lui tendait quelque chose. Il referma les doigts dessus avant de réaliser qu'il s'agissait d'une petite bourse.

— Ne dis à personne que je t'ai donné cela. Malgré ses défauts, Catherine m'est encore chère, et s'il existe la moindre chance de les sauver, Matty et elle, j'espère que tu agiras de ton mieux pour y parvenir. La pensée de ces deux jeunes filles aux mains de ces idolâtres est plus que je ne peux supporter.

Elle se détourna en hâte ; mais Rob avait aperçu une larme qui scintillait.

La réunion du conseil de ville, présidée par sir Arthur en l'absence du bourgmestre, n'apporta aucune conclusion. Les récriminations, toutefois, fusèrent : comment la garde avait-elle laissé les navires entrer dans la baie ? Pourquoi les canons de St Michael's Mount n'avaient-ils pas tonné pour défendre la cité ? Pourquoi le vice-amiral de la Cornouailles ne s'était-il pas préparé à ce danger alors qu'on avait déjà rapporté plus d'une douzaine d'attaques dans les eaux côtières avant celle menée contre l'église ? Quelles étaient ces rumeurs qui affirmaient que le grand amiral, le duc de Buckingham, envoyait des navires de guerre pour assister le cardinal de Richelieu en France, dans sa lutte contre les huguenots, plutôt qu'à l'ouest de son propre pays pour protéger les côtes ? Le nouveau roi se souciait-il si peu de son propre peuple ? Plus d'une voix s'éleva pour se plaindre que la Cornouailles était trop éloignée pour que quiconque se préoccupe de son sort.

On perdit deux heures en criailleries et en doléances avant que quelqu'un ne soulève le cœur du problème : existait-il un seul moyen de réunir les trois mille quatre cent quatre-vingt-quinze livres et, si tel était le cas, quelle assurance possédaient-ils que les captifs leur seraient retournés, sains et saufs ? Les caisses de la ville étaient déjà presque vides.

On fit circuler des pétitions, on organisa des collectes. Penzance, Market-Jew et les communautés environnantes de Sancreed, Madron, Newlyn et Paul contribuèrent selon leurs moyens, jusqu'à la veuve Hocking qui proposa un penny et le vieil aveugle, Simon Penrose, qui en donna quatre. Même après que sept cent quatre-vingts personnes eurent offert leur contribution, la somme obtenue dépassa à peine quarante-six livres, en incluant les cinq livres accordées par sir Arthur, et les dix qu'avait allouées sir Godolphin.

— Il nous faut solliciter le souverain, soupira le gouverneur du Mont, bien que je n'en espère rien. Le Parlement est dissous et je ne sais pas quand ils siégeront de nouveau, car le roi Charles ne leur accorde aucune confiance. Le seul homme à qui il se fie est le duc de Buckingham, que je ne connais pas. Tout ce que nous pouvons faire, c'est rendre public le sort de nos pauvres prisonniers. Mais il est peu probable que de l'argent nous arrive : les finances sont restreintes et la guerre contre l'Espagne coûte cher. J'ai adressé de nombreuses prières à la Couronne ces dernières années, afin d'armer nos postes de défense, sans guère de succès. Peut-être notre protecteur, le comte de Salisbury, nous apportera-t-il son aide, quoiqu'il ne me semble pas un homme de confiance, malgré son héritage et son éducation. Il est possible, enfin, que Henry Marten connaisse un moyen d'accéder au roi ; il est considéré comme le plus influent des hommes de notre contrée.

— Et sir John Killigrew ?

— Pourquoi diable sir Killigrew se soucierait-il de cette affaire ? Penzance ne représente rien à ses yeux. Vous pouvez essayer, bien sûr, mais je n'ai jamais entendu dire que cet homme ait risqué le moindre argent ou effort pour un autre que lui.

— J'irai ce soir même à Arwennack.

— Le seigneur de Pendennis n'est pas chez lui. Il étudie à Londres une nouvelle affaire dans laquelle investir ; la Turkey Company ou une autre de même genre. Il m'a rendu visite, la semaine passée, cherchant à me persuader d'y participer, comme si je possédais un capital à dilapider dans l'une de ses manigances !

Après enquête, on découvrit que sir Henry Marten se trouvait à Londres, où la peste avait sévi cet été-là, emportant plusieurs parents de son épouse et laissant leurs domaines dans un état de confusion extrême. Il fut décidé que Rob entreprendrait sans délai le voyage jusqu'à la capitale, muni de lettres de recommandation et de pétitions signées par les parents, amis et voisins des captifs. Il partit à cheval une heure plus tard, tirant derrière lui deux destriers de rechange, dont un qui se mit à boiter avant même qu'il atteigne Gunnislake.

Londres était sinistre. Si Rob trouvait Bodmin insupportable les jours de marché, Londres était bien pire. Il était si peu préparé à la dimension de la ville, au spectacle qu'elle offrait et aux odeurs qui y régnaient que, s'il n'avait pas été investi d'une mission, il aurait fait demi-tour et couru sans se retourner sur la centaine de lieues qui le séparait de la Cornouailles. Le tenancier de la première auberge dans laquelle il s'arrêta le jaugea du regard avant de le renvoyer. Désireux d'économiser chaque penny de l'argent que lui avait confié sir Arthur pour ses dépenses, le jeune homme avait dormi tout le trajet dans des granges et sous les abris de fortune qu'offraient les arbres ou les haies, et ses chevaux n'étaient pas en meilleur état. La crainte de la peste demeurait : les étrangers n'étaient pas les bienvenus. L'auberge suivante lui sembla si bruyante qu'il s'enfuit à peine le seuil franchi. À sa troisième tentative, l'aubergiste voulut bien reconnaître son accent comme celui « d'un honnête homme » et le laissa passer la nuit dans l'écurie. L'une des servantes eut de la compassion pour lui, grâce à ses beaux yeux bleus, ainsi qu'elle le lui avoua, jusqu'à ce qu'il rougisse avant d'ôter ses vêtements qu'elle s'offrait de nettoyer. Lorsqu'elle se glissa sous sa couverture pendant son sommeil, il s'éveilla en sursaut et poussa un cri qu'elle couvrit de la main.

— Nous n'avons pas de chat, déclara-t-elle, sibylline. Tais-toi maintenant, et prends-moi.

Il partit avant l'aube, en hâte, à peine vêtu, avec le sentiment d'être plus sale encore à présent que ses habits étaient propres.

Quand il demanda son chemin, la plupart des gens rirent de lui :

— Quelqu'un se fiche de toi, petit, lui dit un homme. Ces gens-là n'ouvrent jamais leur porte aux manants comme toi.

Mais lorsque Rob lui montra la lettre qu'il portait, celui qui l'avait interpellé lui montra plus de respect et lui indiqua la direction qu'il devait suivre.

— Rends donc visite à un barbier avant de te présenter à la maison d'un lord, lui conseilla son épouse.

Rob passa ses doigts sur son menton. Dans sa hâte, il n'avait rien emporté pour se raser et son poil était dru sur ses lèvres et ses joues. Bientôt, il aurait même des favoris, ce qui le répugnait. Il se souvint des railleries de Cat envers

George Parsons, dont la barbe envahissait le visage en larges touffes blondes. Il résolut aussitôt d'aller chez le barbier.

Deux heures plus tard, la peau à vif à cause d'un rasoir trop peu aiguisé, il arriva enfin dans le quartier de Strand où se dressaient d'élégantes demeures de pierre et de coquettes boutiques sous des arcades. Le manoir que cherchait Rob était le plus grand de tous. Il s'élevait dans un vaste jardin ornemental où s'activaient des jardiniers. L'un d'eux fit le geste de le chasser comme il tentait de franchir la grille.

— Tu ne peux pas entrer ici, le maître n'accepte pas les mendiants.

Rob lui montra la lettre de sir Arthur, que l'homme examina d'un œil myope.

— Ça ne me dit rien, dit-il avec méfiance avant d'appeler un jeune garçon qui maniait un râteau. Va chercher maître Burton, et sans traîner !

Rob attendit, se balançant avec impatience d'un pied sur l'autre. Après ce qui lui sembla une éternité, un homme à la chevelure grisonnante, richement vêtu d'une tunique bleue et d'un pantalon de velours, s'avança prudemment vers lui.

— Qui es-tu, et que cherches-tu dans la demeure de Salisbury ?

Rob lui tendit la lettre. L'homme rompit le sceau sans cérémonie puis examina son contenu. Quand il releva la tête, son expression avait changé. Il rendit le parchemin à Rob.

— Suis-moi, ordonna-t-il brièvement avant de remonter l'allée avec plus de diligence, sa canne faisant écho au claquement de ses talons sur les pavés.

Rob fut conduit à une antichambre encore plus vaste que le manoir de Kenegie tout entier. Pendus aux murs, des portraits d'hommes aux expressions graves posaient sur lui des regards implacables. Si ce n'avait pas été une affaire pressante, leurs yeux noirs et leurs airs menaçants l'auraient intimidé au point de lui faire marmonner quelque excuse avant de quitter les lieux. C'était sans doute la raison, songea-t-il, pour laquelle les solliciteurs devaient attendre dans cette pièce : afin que le fier héritage de cette puissante famille leur fasse sentir l'insignifiance de leur propre origine. Partout autour de lui, certains des plus grands hommes du royaume – Burghley et Howard – abaissaient vers lui un regard impérieux. Devant l'immense portrait du père de l'actuel comte, un homme vêtu du simple costume des puritains en dépit de son titre de lord chancelier, il étudia la barbe rousse, le regard las, les lignes qui marquaient ce visage froid et distant. Malgré sa fortune et son pouvoir, il ne semblait pas avoir tiré beaucoup de joie de la vie. Le portraitiste avait masqué le dos bossu de son célèbre sujet mais rendu l'éclat fatigué de ce regard. Le pinceau rendait vie à ce maître de l'espionnage qui en avait trop vu. Avait-il alors pressenti la chute vertigineuse qui allait lui coûter la grâce, la fortune, la puissance, et finalement la vie elle-même ? Un bruit de pas résonna dans le couloir adjacent. Rob se redressa et se retourna pour accueillir le présent détenteur du titre : le second comte de Salisbury, William Cecil.

Mais ce fut une femme qui apparut dans l'embrasure de la porte. Magnifique et fragile, elle avait une peau diaphane, rendue plus pâle encore par un usage judicieux de cosmétiques, et d'immenses yeux noirs qu'encadrait une cascade de boucles. Elle portait une robe de soie rose au profond décolleté. Ce dernier exposait une gorge d'un blanc laiteux, comprimée par une écume de dentelle flamande, que Rob s'appliqua à ne pas regarder. Au lieu de cela, il admira résolument le gros diamant, attaché à un ruban de satin noir, qui enserrait son cou gracile, et l'éventail qu'elle tenait à la main. Il était impossible d'évaluer son âge.

Après avoir marqué une pause pour observer l'effet qu'elle provoquait sur son visiteur, la dame s'avança vers Rob et lui tendit une main blanche aux longs doigts ornés de bagues.

— Je suis la comtesse de Salisbury ; qui êtes-vous, charmant jeune homme ?

Rob, se souvenant enfin de ses bonnes manières, s'inclina si brusquement qu'un rubis particulièrement imposant faillit lui crever l'œil.

— Robert Bolitho, madame, du manoir de Kenegie en Cornouailles. J'apporte une lettre de sir Arthur Harris destinée au comte.

Catherine Howard afficha un doux sourire.

— Mon époux est sorti. Peut-être pouvez-vous me montrer cette missive ? Andrew me dit qu'elle mentionne des pirates de Barbarie ; comme cela est fascinant et romantique !

— Ce récit n'est pas du tout romantique, madame, et il ne saurait divertir une dame comme vous.

Il regrettait que le comte soit indisponible, mais rencontrer son épouse était une chance.

— Cependant, poursuivit-il, auriez-vous l'obligeance d'écouter une histoire qui concerne une personne de votre connaissance ? Du moins, se reprit-il en hâte, s'agit-il d'une personne dont vous connaissez le travail.

La comtesse leva la tête vers lui.

— Vraiment ? Eh bien, nous prendrons un bol de café dans mes appartements et vous me raconterez cela.

— Soixante personnes en un seul raid ? s'écria lady Cecil. Quelle audace ! Dites-moi, poursuivit-elle en se penchant en avant, avez-vous vu ces pirates ? Avaient-ils des visages cruels et des habits turcs ? Je les imagine avec des yeux sanguinaires et des barbes fournies, tel Saladin, brandissant leur cimeterre étincelant et hurlant le nom de leur dieu.

— Je ne les ai pas vus, madame, j'étais alors à l'église de Gulval avec la famille Harris.

— Oh, *quel dommage**. Mais que feront-ils de leurs prisonniers ? Deviendront-ils les esclaves du Grand Turc, selon vous ? J'ai entendu dire que ce monstre entretenait un harem de dix mille femmes dans son palais pavé d'or. Comme j'aimerais visiter Constantinople, voir ses dômes et ses minarets, pénétrer dans Sainte-Sophie et inspirer l'air antique de Byzance – bien que je croie que cela est interdit aux femmes, ou à tout chrétien. Il me faudrait me déguiser en pèlerin mahométan ! Je noircirais ma peau avec une teinture, me confectionnerais une barbe puis m'envelopperais d'une djellaba, accrochant une dague à mon côté et glissant mes pieds dans des pantoufles de cuir coloré, comme l'envoyé du sultan venu cet été rendre visite au roi !

Elle applaudit de nouveau, visiblement ravie, et ajouta :

— Il est venu avec des lions et des tigres destinés à la ménagerie royale. Un bien beau geste, ai-je alors pensé. Mais *lui* ne ressemblait en rien à un pirate… À dire vrai, il était un peu gros…

— Lady Cecil, je vous supplie de me pardonner…

La comtesse, peu habituée aux interruptions, ouvrit la bouche, stupéfaite, puis agita nerveusement son éventail.

Rob plongea la main dans la poche de sa veste et en sortit un petit paquet enrobé de papier qu'il déplia avec soin.

— Je souhaiterais vous montrer quelque chose.

— Dieu du ciel ! Quel travail remarquable ! s'écria la comtesse en lissant l'étoffe que Rob venait de lui remettre.

Quelques minutes avant son départ de Kenegie, une idée avait poussé Rob à se précipiter dans la chambre de Cat. Il avait marqué une pause sur le seuil, comme si quelque chose d'elle avait pu s'attarder là et qu'il ait été sur le point d'y surprendre une apparition fantomatique. Son odeur flottait dans l'air, un léger arôme de musc et de roses. Il avait trouvé sans difficulté, sous le lit (le premier endroit où il ait cherché), la nappe d'autel à demi terminée. Il l'avait serrée sous sa chemise, contre sa peau, et avait chevauché plusieurs lieues avant de réaliser qu'il pouvait la salir de sa sueur.

Les yeux fixés sur le travail que sa cousine avait exécuté à la lueur d'une chandelle, dans l'intimité de sa chambre, le jeune homme se souvint de leur visite au site de Castlean-Dinas : Cat avait alors exprimé son désir de rejoindre la guilde des brodeurs, et il avait cherché à l'en dissuader.

— Ce dessin est exquis.

Catherine Howard suivit du doigt le serpent qui s'enroulait autour du tronc, effleura la chevelure dorée d'Ève, le rouge de la pomme.

— Il s'agit d'une création de Catherine.

La comtesse leva les yeux, stupéfaite.

— Sa création ? Je croyais être convenue avec Margaret que j'enverrais un artiste de ma connaissance, qui tracerait les motifs que la jeune femme aurait à broder. J'admets avoir montré quelque retard dans cet arrangement ; j'ai eu tant à faire avec les enfants, la direction de la maison...

Elle s'interrompit, fascinée par les détails de la broderie qu'elle avait sous les yeux, puis poursuivit :

— C'est tout simplement merveilleux... Pourquoi me l'avez-vous apportée incomplète ?

— Catherine a été enlevée par les pirates. Ils l'ont obligée à écrire la demande de rançon, depuis Salé, en Barbarie. Ils exigent huit cents livres pour son retour.

Le rire éclatant de Catherine Howard s'éleva dans l'air.

— Huit cents livres ? Pour une servante ? Même pour une fille qui peut broder avec cette qualité, la somme est extraordinaire. Savez-vous qu'il est possible d'acquérir une baronnie pour à peine un millier de livres ?

— J'ai fait serment de la sauver.

La comtesse sourit avec indulgence.

— Brave garçon. Combien avez-vous jusqu'à présent ?

— Presque rien, madame, quoique j'aie juré de travailler sans exiger de gages jusqu'à ce que j'aie réuni cette somme. La Cornouailles est une terre pauvre, et toute la famille de Catherine a disparu à ses côtés, capturée par les pillards.

Elle soupira.

— Un cœur aussi valeureux vaut une fortune, que je ne peux, hélas, vous offrir. Tout ceci – elle indiqua l'appartement, sa robe, ses joyaux – n'est qu'apparence. Nous ne possédons pas ce palais, qui appartient à l'évêque de Durham ; nous logeons dans cette aile. En outre – et mon époux ne me pardonnerait pas cette indiscrétion – nos dettes sont considérables. Le père de William s'est éteint alors qu'il devait plus de trente mille livres; quant à ma famille...

Elle écarta les mains en signe d'impuissance, puis reprit:

— J'aimerais sincèrement vous prendre à notre service et vous proposer de travailler selon vos compétences afin de vous permettre de gagner la somme nécessaire à la libération de Catherine, mais vous voyez quelle est la situation.

Rob comprenait, et son cœur était brisé.

— Laissez-moi la nappe d'autel, dit-elle, je demanderai à quelqu'un de la compléter pour notre église de Framlingham.

— Je ne peux pas. C'est tout ce qu'il me reste d'elle.

— Attendez ici.

Elle s'éclipsa et revint quelques instants plus tard avec une bourse de cuir à la main.

— Voici, dit-elle en la plaçant entre ses mains. Cela ne rachètera pas votre Catherine mais vous aidera à y parvenir. Il me semble par ailleurs qu'il s'agit d'un prix honnête pour ce travail. Mon époux sera trop ivre pour en remarquer l'absence; s'il s'en apercevait, toutefois, je lui rappellerais qu'il a perdu cette somme aux cartes, hier soir.

La bourse contenait une cinquantaine de livres en or. Sous un châtaignier qui commençait à perdre ses feuilles, Rob les compta, le cœur battant. Perdre la nappe brodée par Catherine l'attristait, mais il préférait grandement renoncer à cet objet, aussi raffiné soit-il, plutôt qu'à la main qui l'avait confectionné. Il rangea l'escarcelle avec soin, accompagnant son geste d'une prière de remerciements aux voies mystérieuses du Seigneur, puis s'attela à sa seconde mission: trouver sir Henry Marten, à qui il devait remettre sa deuxième missive ainsi que la pétition des habitants de Penzance. « Rends-toi à sa demeure de Westminster, lui avait dit sir Arthur en inscrivant l'adresse. Sir Marten n'aime pas les sots, aussi garde ton esprit vif et reste poli. Il peut se montrer déplaisant, mais nous avons besoin de son aide. »

Les rues de Westminster, crasseuses, empestaient l'urine et l'ordure. Des Flamands vantaient leur marchandise d'une voix forte, des ivrognes s'appuyaient aux murs, une chope de bière à la main, ou vomissaient dans les rigoles déjà surchargées d'ordures. Derrière leur étal, des cuisiniers vendaient des tourtes à la viande, des pieds de cochon, des langues de marsouin ou des oreilles de vache frites. Rob se félicita d'avoir mangé avec retenue : une petite miche de pain accompagnée d'un morceau de fromage salé.

Il dépassa l'immense bâtisse de St Stephen, où siégeait le Parlement quand il était en session, puis le palais royal de Westminster où se trouvait également la Cour royale de justice. Devant leur masse imposante et sombre, il ressentit une sorte de terreur qui lui rappela celle qu'il avait éprouvée quand Jack Kellynch et lui avaient mené leur embarcation au-delà des falaises de Gurnard's Head et cru se fracasser sur les rochers couverts d'écume. Intimidé, Rob se tint un instant au pied de la façade nord de l'énorme abbaye, émerveillé par les contreforts et les pinacles gothiques, les vitraux qui ressemblaient à des joyaux et les bas-reliefs intriqués.

Subjugué, il sentit quelque chose éclore dans sa tête, comme une fleur qui s'ouvrait soudain à la lumière. Malgré son désir, il n'osa pénétrer dans l'abbaye dont la splendeur était par trop considérable pour un homme de sa condition. De plus, il songea au quidam au visage grêlé et aux yeux fuyants qui, après l'avoir suivi quelque temps, lui avait demandé de l'accompagner chez lui. Rob réalisa que son allure rustique faisait de lui une proie rêvée pour les larrons et les voleurs. Il aperçut des individus aux airs louches qui hantaient les ruelles étroites autour de l'abbaye. Mais ils semblèrent décider qu'il ne valait pas le coup, ce qui l'aurait fait sourire si l'attention dont il faisait l'objet ne l'avait pas rendu aussi nerveux. Il se félicita d'avoir laissé ses chevaux à une écurie de Seven Dials. Mais la bourse d'or pesait lourd contre sa cuisse, et il bénit le bon sens dont il avait fait preuve en l'enveloppant pour éviter qu'elle ne tinte à chaque pas.

La maison de sir Henry Marten s'élevait juste après Broad Sanctuary. Rob y trouva son propriétaire, qui était d'une humeur irascible.

— Et que souhaite-t-il que je fasse à ce sujet ? gronda le Londonien, après avoir lu le message de sir Arthur.

Rob, à qui l'on n'avait pas offert de s'asseoir, serra les poings.

— Je crois, monsieur, que nous aimerions vous voir soulever cette question auprès d'autres éminents gentilshommes ayant à cœur les intérêts de la Cornouailles, en vue de présenter cette pétition au Conseil privé, afin que l'on puisse demander quelque argent à ce dernier et racheter nos prisonniers.

— Racheter ? À qui ?

— Aux pillards, monsieur, aux hommes de Salé qui les détiennent.

— Les Ruffians de Salé sont des pirates, et avec les pirates on ne discute pas ! Ils ne marchandent que terreur, sang et fanatisme ; le gouvernement de Sa Majesté ne doit pas même s'abaisser à leur accorder d'attention.

— Ils ont enlevé ma fiancée, Catherine Tregenna, murmura Rob, tendu sous l'effort qu'il faisait pour se retenir de prendre son interlocuteur à la gorge. Je suis résolu à la sauver. Je suis déjà parvenu à collecter plus de cinquante livres pour sa rançon.

Sir Henry Marten le regarda fixement.

— Une prouesse remarquable, jeune homme, mais autant les dépenser en sherry et le pisser dans la ruelle. Donner de l'or à cette fange ne fera que les encourager à poursuivre leur ignoble commerce. Par ailleurs, ils ne se sépareront pas de ta Catherine, si c'est une jolie fille ; les femmes atteignent de belles sommes sur leurs marchés. Ils prendront ton argent avant de t'envoyer ramer sur une galère, et tu n'y auras rien gagné.

— Je comprends, monsieur, mais avec tout le respect que je vous dois, je suis déterminé à poursuivre mon but.

Le député cornouaillais soupira.

— Je ne te condamne pas de vouloir sauver ta jeune dame des mains de ces païens, mais je t'assure qu'il n'en sort jamais rien de bon quand on traite avec ces infidèles, encore moins ceux qui s'imaginent mener une guerre sainte contre les chrétiens. Ils n'ont pas d'honneur, ne croient en rien, et il est impossible de les raisonner. S'il nous faut négocier avec ces idolâtres, que ce soit au moins avec quelqu'un qui possède l'autorité nécessaire : leur sultan ou similaire.

— Pourriez-vous introduire une motion en ce sens, monsieur ? La comtesse de Salisbury a mentionné un envoyé de Barbarie qui rencontra le roi. Il est peut-être possible de le convaincre de...

Henry Marten secoua la tête.

— Tout ce que cet imposteur a fait, c'est de drainer les ressources de la compagnie marchande pour repartir avec une cale remplie de « cadeaux ». Écoute, petit : plus de deux mille personnes sont retenues captives dans de terribles conditions à travers tous les États de Barbarie – à Alger, à Tunis, ainsi qu'à Salé...

— Deux mille ? le coupa Rob, effaré. Rien n'a été entrepris alors que tant de personnes pourrissent en esclavage ? Nos côtes sont sans protection. Je sais que notre peuple est pauvre et donc tenu en fort peu d'estime dans des lieux d'importance comme Londres, mais c'est scandaleux !

— Crois-tu que nous n'avons pas tenté de les sauver ? Les expéditions armées ont si lamentablement échoué, et ce contre toute attente, que nous essayons à présent la diplomatie. Nous avons établi un consulat à Alger, mais nos efforts n'ont abouti qu'à la libération de quarante pauvres diables, plus morts que vifs. De surcroît, Salé affiche son indépendance du reste de la Barbarie. C'est un vrai nid de vipères ; même les expéditions les plus aguerries ne sont parvenues à rien.

« Donne-moi ta pétition ; je l'ajouterai aux autres. Va dire à Arthur que tenter de ramener ces gens est pure folie. Qu'il déploie plutôt son énergie à renouveler ses demandes de canons pour le Mont. De cette manière, il parviendrait à empêcher l'enlèvement d'autres personnes.

— Je vous remercie de votre attention, monsieur. Peut-être serez-vous assez bon pour vous rappeler, quand vous rejoindrez votre famille, que parmi les prisonniers se trouvent dix-huit femmes et douze enfants, dont deux bébés et trois veuves âgées. Selon la lettre de Catherine, au moins deux de ces enfants sont décédés au cours du voyage. Combien d'autres vont mourir en esclavage tandis que nous demeurons assis et refusons d'établir le contact avec leurs ravisseurs ? Je gage que vous agirez à la mesure de votre pouvoir pour notre peuple.

Il se dirigea vers la porte et se retourna sur le seuil. Sir Henry était écarlate.

— Pouvez-vous m'indiquer, monsieur, où trouver la Turkey Company ? Je cherche sir John Killigrew avec qui je désire parler.

Marten vira au rouge brique, et il fixa le jeune homme.

— Si tu possédais le moindre sens commun, tu retournerais à l'instant en Cornouailles. Londres n'est guère un endroit indiqué pour un honnête homme, et la Turkey Company est un ramassis de fripouilles.

Rob attendit, immobile et muet.

— Très bien, soupira le député. Je ne sais pas d'où opère la Turkey Company, ni même s'ils possèdent des bureaux, mais tu peux demander auprès des orfèvres de Cheapside, qui semblent tous impliqués dans une manigance ou une autre. Mais prends garde, Robert Bolitho ; Killigrew n'est pas moins brigand que tes pirates de Barbarie.

Une heure plus tard, Rob parvint à Cheapside, une large rue bouillonnante d'activité et jalonnée de maisons de trois, quatre, parfois même cinq étages. Elles semblaient si instables aux yeux de Rob, peu accoutumé à de si hauts bâtiments, qu'il craignait de s'aventurer dessous de peur de les voir s'écrouler sur lui. Dès qu'il en eut la possibilité, le jeune homme quitta l'artère principale pour s'engager dans les petites ruelles

alentour où siégeaient les différentes corporations de la ville –
forgerons, charpentiers, merciers, selliers, bourreliers, tisserands,
drapiers, cuisiniers, tonneliers, cordonniers. Les boulangers travaillaient dans Bread Street[9], les crémiers dans Milk Street[10], et
les poissonniers dans Friday Street[11]. Sans surprise, il trouva les
orfèvres dans l'allée qui portait leur nom.

Il s'adressa à chaque échoppe, mais personne ne connaissait
John Killigrew. Alors qu'il songeait à abandonner sa recherche
et observait d'un air perplexe l'enseigne de la Compagnie des
marchands tailleurs, qui arborait d'un côté un Turc chevau-
chant un étrange animal – une sorte d'énorme vache avec un
cou grotesque – et de l'autre un homme à la peau noire monté
sur un lion majestueux, un tout jeune apprenti au visage cou-
perosé lui tira la manche.

— L'homme que vous cherchez se trouve avec des marchands de notre connaissance.

Rob lui lança un regard suspicieux.

— Où puis-je rencontrer ces marchands ?

Le gamin tendit une main pleine de brûlures qu'il avait
récoltées avec les poussières de métal en fusion, risque quotidien
dont pâtissaient ceux de sa profession. Rob poussa un soupir
et fouilla dans sa poche dont il tira un penny, mais l'apprenti
poussa un grognement et refusa de se montrer satisfait tant que
le Cornouaillais ne lui en donna pas deux. Il déposa une des piécettes dans la paume tendue et garda l'autre hors de portée.

— Mène-moi auprès de lui, et tu recevras le reste.

L'apprenti pâlit, lui qui était déjà livide.

— Ma vie vaut davantage que deux pennies.

— J'en doute, rétorqua Rob, mais je te promets de ne pas
lui dire comment j'ai réussi à le trouver.

---

9. Rue du Pain. (*N.∂.T.*)

10. Rue du Lait. (*N.∂.T.*)

11. Rue du Vendredi, en référence à ce jour de la semaine, quand le chrétien,
devant faire maigre, remplace la viande par du poisson. (*N.∂.T.*)

La cupidité lutta contre la peur et remporta le combat.

Le gamin le mena dans un dédale de ruelles. Parvenu à destination, Rob était totalement désorienté. Mais l'éclat d'une chevelure rousse derrière une vitre crasseuse le rassura. Il lança au garçon le penny promis et frappa à la porte de bois. Le silence régnait de l'autre côté, puis quelqu'un glissa un regard par la fenêtre. Une main jaillit soudain et tira Rob à l'intérieur.

— Mais quel… Je te connais ! s'écria Killigrew.

Rob ne passait guère inaperçu, avec sa haute taille et sa chevelure blonde : il ne ressemblait en rien à un homme de la ville.

— Je m'appelle Robert Bolitho. Je travaille à Kenegie pour sir Arthur ; il m'a dit que vous vous trouviez à Londres.

John Killigrew grimaça.

— Que le diable l'emporte ! M'espionne-t-il donc ? Mes affaires me regardent et sont aussi honnêtes que celles d'un autre.

— Je viens pour une affaire personnelle. Je souhaite, monsieur, vous parler seul à seul de Catherine Tregenna et de sa mère, qui avait pour nom Jane Coode.

L'expression de Killigrew changea. Il regarda les deux autres hommes soudain devenus attentifs.

— Viens avec moi.

Il poussa Robert vers une petite pièce peu meublée et envahie par la poussière, referma la porte et se tourna vers le jeune homme.

— Cette femme ne m'est rien ; elle a travaillé à Arwennack il y a longtemps.

— Presque vingt ans, l'âge de sa fille Catherine.

— En quoi cela me concerne-t-il ?

— Monsieur, j'ai appris de source sûre qu'elle est votre fille. On ne peut le nier : elle a hérité de vos cheveux. Souvenez-vous de votre… rencontre, dans la cour de Kenegie, il y a quelques semaines.

Un éclair traversa les yeux pâles.

— J'ai semé bon nombre de bâtards à travers le pays ; cette

nouvelle ne choquerait donc personne. Mais il ne s'est rien passé entre cette fille et moi ; si elle affirme le contraire, elle ment pour couvrir une imprudence qui lui est propre.

— La mère et la fille sont actuellement enfermées dans une prison d'esclaves située en Barbarie, et craignent pour leur vie.

— Le raid sur Penzance par les Ruffians de Salé ?

Rob hocha la tête.

— Un message demandant rançon nous est parvenu la semaine passée. Ils exigent… une très grosse somme d'argent pour le rachat des prisonniers.

Killigrew éclata de rire.

— Et tu viens me trouver pour que je te donne cette « très grosse somme » ? Tu t'adresses à la mauvaise personne si tu veux la charité. Ma réputation aurait dû te l'apprendre, car j'ai pris grand soin de l'établir. Ou bien songeais-tu à me faire chanter, par hasard ? Tu n'en retireras aucun profit : je ne me soucie pas un instant de ce que l'on pensera de moi, pas non plus de ce qu'il adviendra de Jane Coode ou de son enfant, quoiqu'il me faille admettre qu'elle soit devenue un joli brin de fille. Qu'est-ce que tu en dis ?

Rob se mordit la lèvre. Rien ne se passait comme il l'avait espéré.

— Pardonnez-moi d'avoir abusé de votre temps, monsieur. De toute évidence, il n'y a rien à ajouter et il me faudra chercher un autre moyen de sauver Catherine.

Il tourna les talons mais Killigrew le rappela.

— Attends ! Dis-moi : que ferais-tu pour la sauver ?

— Tout. Je suis prêt à absolument tout pour la ramener saine et sauve à la maison.

— Ne travailles-tu pas pour le compte d'Arthur Harris ?

— En effet.

— Envisagerais-tu un autre emploi ?

— Cela dépend. Est-il légal ?

Killigrew marqua une pause avant de répondre.

— Cela ferait-il une différence ?

Rob déglutit. Il avait été élevé dans la crainte de Dieu, l'amour de son pays et le respect de la loi ; mais ni son pays ni la loi ne semblaient en mesure de lui offrir un moyen de sauver Cat. Quant aux voies du Seigneur, dans ces ténèbres qui s'étaient abattues, peut-être ne suivaient-elles pas toujours un droit chemin ?

— Non, monsieur, aucune.

— Alors, Robert Bolitho, tu vas certainement m'épargner un long et périlleux voyage.

— Un voyage ?

— Il y a beaucoup d'argent à gagner en Barbarie. Nous possédons quelque chose que les Maures veulent désespérément ; de leur côté, ils en détiennent beaucoup que nous aimerions acquérir. Les ressources du Maroc sont nombreuses ; il est absurde que nous ne soyons pas autorisés à traiter avec leurs... marchands. Nous ajouterons un élément dans la balance, voilà tout. Je te préviens toutefois : il ne s'agit pas d'un acte de charité, mais bien d'affaires que nous mènerons. Ce voyage, si tu l'entreprends, se fera selon mes conditions. Un navire appareille demain pour l'Afrique du Nord, avant que l'hiver ne souffle trop sur les mers ; si tu arrives à me convaincre de me fier à toi, je t'autorise à y prendre ma place. Et si tu aides mon mandataire à remporter l'accord que je cherche à conclure, tu pourras alors ajouter ta Catherine au marché. Mais pas d'autre prisonnier, entends-tu ?

— Sa mère est captive, ainsi que son amie, Matty... commença Rob, dévoré par la culpabilité. Et d'autres partagent leur effroyable destin, à qui nous pourrions apporter notre aide. Et puis, je ne peux pas disparaître comme ça sans informer la famille Harris de mes intentions ; ils ont toujours fait preuve d'une grande bonté à mon égard et s'inquiéteraient beaucoup de ne pas me voir revenir. Sir Arthur partirait certainement à ma recherche...

— Assez ! Accompagne-moi chez Hardwicke et Buckle, qui équipent cette expédition ; je t'expliquerai ton rôle dans cette entreprise. Tu pourras écrire à ton employeur pour l'informer que tu quittes son service. Mais tu ne révéleras à personne mon implication dans ta décision, ni la nature de la transaction : sommes-nous d'accord ?

Il tendit la main et Rob la serra, le cœur battant. Alors qu'ils scellaient leur accord, le jeune Cornouaillais eut l'impression de serrer la main du diable en personne et d'être sur le point de risquer non seulement sa vie, mais aussi son âme.

23

La maison dans laquelle Idris m'amena s'élevait dans une ruelle étroite, à l'extrême sud de la médina. Des enfants nous lancèrent des regards curieux lorsqu'ils nous virent passer. Une petite fille dont les yeux sombres étaient éclairés par les lampes au sodium me tira par la manche.

— *Baksheesh, madame.* Merci, *danke schön.*

Idris s'adressa à elle en berbère et les enfants poussèrent des cris et des éclats de rire.

— Je ne suis pas la première touriste qu'ils voient, de toute évidence.

— Ces garnements savent qu'ils ne doivent pas mendier. Je le leur ai déjà dit.

— Vous les connaissez ?

— Ce sont mes neveux et nièces ; les enfants de mon frère Rachid et de son épouse Aïcha.

Il s'arrêta devant une porte de bois sur laquelle subsistaient d'infimes traces de peinture bleue, inséra une clef dans la serrure et me laissa entrer. Des ampoules dénudées éclairaient un couloir étroit dont les murs, jusqu'à mi-hauteur, s'ornaient de carreaux aux dessins géométriques. Des pièces voisines provenaient des voix étrangères auxquelles faisait écho un téléviseur dont le volume semblait poussé au maximum. Idris cria par-dessus le brouhaha et deux femmes apparurent sur le seuil. Elles se précipitèrent vers moi et m'enveloppèrent dans un nuage de parfum, d'épices, de chaleur et de bruissements d'étoffe.

Elles m'embrassèrent de nombreuses fois, sur les deux joues, et prirent mes mains.

— *Marhaban, marhaban*, répétait la plus âgée des deux. Bienvenue.

Enfin, elles reculèrent.

— Ma mère, Malika, annonça Idris en indiquant une femme au visage strié de rides, comme une carte sur laquelle la vie avait tracé ses sillons. Et ma *belle-sœur**, Aïcha, qui est mariée à Rachid.

L'autre femme me sourit. Jeune – une vingtaine d'années –, elle portait un jean et une chemise de même tissu, ainsi qu'un foulard de couleur vive qu'elle remonta sur ses cheveux noirs.

— Bonjour. Idris dit vous êtes anglaise. Je parle un peu. Venez, je montre votre chambre.

Elle me prit par la main et m'attira à sa suite dans un escalier. Au troisième étage, elle s'arrêta devant une porte.

— Voici la chambre d'Idris, m'informa-t-elle d'un ton joyeux. Vous dormez là.

— Et où dormira Idris ?

— Dans salon. Pas de problème. J'apporte des choses propres.

Elle avança dans la chambre et défit le lit d'un geste assuré. Puis elle me laissa seule dans mes nouveaux appartements : un petit lit, une table de chevet, une lampe, une chaise, une penderie, des étagères qui supportaient quelques livres, un chandelier avec une bougie à demi consumée. Au dos de la porte était pendue une djellaba de laine bleu foncé dotée d'une capuche. Le vêtement me fit penser à un habit bénédictin, accentuant mon impression d'avoir pénétré dans une cellule monastique.

Aïcha revint, les bras chargés. Alors que nous faisions le lit, je lui demandai :

— Vous vivez ici ?

— Bien sûr. C'est maison de la famille. Ici : moi et mari, Rachid, nos enfants, Mohammed, Jamilla et Latifa. Aussi,

Idris, sa mère Malika, son frère Hassan, et Lalla Mariam, quand elle pas dans les montagnes, énuméra-t-elle en comptant sur ses doigts. Quand autres membres famille visitent Rabat, ils restent ici, avec nous. Vous restez ici, vous êtes famille.

— Merci, c'est très gentil de votre part.

Elle posa la paume de sa main contre son cœur.

— *Barakallaofik*. Honneur pour nous.

Alors que nous étalions la couverture sur le lit, elle ajouta :

— Salle d'eau derrière la porte, à côté. Vous pouvez vous nettoyer avant descendre manger. Venez quand vous êtes prête.

Si la chambre d'Idris m'avait semblé spartiate, la salle de bains s'avéra franchement rustique. Une pièce minuscule, carrelée du sol au plafond ; un robinet émergeait du mur de gauche, tandis qu'au-dessus, très haut, était accrochée une pomme de douche en plastique. Un seau d'eau, une chaise de bois, du savon, du shampooing, une tasse contenant trois rasoirs, un miroir brisé au dos de la porte, une petite serviette blanche et un trou inquiétant dans le sol complétaient le décor. Je me remémorai avec regret la luxueuse salle de bains que j'avais laissée derrière moi, à Dar el Beldi. Salaud de Michael !

Dans la cuisine, Idris, entouré d'un nuage de vapeur, tel un génie émergeant de sa lampe magique, frottait d'huile des grains de couscous fumants. Derrière lui, sa mère versait de grandes louches d'un liquide rouge sombre à l'odeur alléchante dans un immense bol de faïence. Ils s'entretenaient dans leur langue. La mère d'Idris tendit soudain les mains vers lui, paumes en l'air, et Idris y fit claquer les siennes, envoyant dans l'air des grains de couscous qui me firent penser à des poussières d'or. Ils éclatèrent de rire et reprirent leurs bavardages, plus comme des amis d'école que comme une mère et son fils. Craignant de les déranger, je fis demi-tour.

— Non, non, restez.

Les yeux en amande d'Idris pétillaient ; il semblait un autre homme que celui, taciturne et froid, qui m'avait chaperonnée tout l'après-midi dans Salé.

— Tenez, poursuivit-il en me tendant une cuillerée de la sauce écarlate, goûtez ça ; est-ce trop épicé pour vous ? Les Européens n'aiment pas toujours la harissa.

Je goûtai. Des saveurs fourmillèrent sur ma langue, sauvages, délicieuses.

— Non, c'est merveilleux. Vraiment. Comment dit-on « délicieux » en berbère ?

— *Imim*.

Je touchai le bras de sa mère.

— *Imim*, déclarai-je en indiquant la sauce de la main. *Imim, shokran*.

Son visage s'éclaira, se creusant d'une multitude de rides qui trahirent sa fierté. Puis elle s'adressa à son fils d'un ton rapide, me glissant de temps à autre un regard de ses yeux noircis de khôl. Idris secoua la tête, puis donna un léger coup sur les mains de sa mère avec la cuiller de bois, et le volume de leur discussion augmenta encore de quelques décibels. Enfin, elle le chassa de la cuisine et il m'emmena dans une petite pièce où des banquettes entouraient une table basse et ronde.

— Que disait-elle ?

Il eut l'air gêné.

— Quoi que j'affirme, elle est persuadée que vous êtes ma petite amie.

À mon tour, je fus embarrassée.

— Je ne pensais pas qu'ici les gens avaient des « petites amies ».

Il me dévisagea avec curiosité.

— Que voulez-vous dire ?

— Pardonnez-moi, je ne connais guère votre culture. J'ai lu dans le guide que le sexe avant le mariage était illégal au Maroc. Surtout entre les Marocains et les étrangers.

— Beaucoup de choses interdites arrivent quand même. Mais il existe un code social, ici ; les gens essayent de le respecter. Là réside peut-être la différence entre ma culture et la vôtre.

Il marqua une pause, comme pour évaluer l'effet de son attaque, avant d'ajouter :

— Ma mère a dit également que vous étiez très belle.

Je me sentis rougir.

— Je ne crois pas qu'on ait jamais affirmé *cela* de moi.

J'avais eu l'intention de dire ma remarque d'un ton badin, comme pour écarter d'un haussement d'épaules cette déclaration inattendue, mais en prononçant ces paroles, je m'aperçus qu'elles étaient vraies. Même Michael n'avait jamais jugé bon de me déclarer jolie durant tout le temps que nous avions passé ensemble – surtout lui, qui se montrait aussi avare en compliments qu'avec ses émotions ou son argent.

— Alors, vous êtes entourée de gens qui ne valorisent pas la vérité, ou qui peut-être ne désirent pas la voir.

Et avant que je ne puisse répondre, il disparut de nouveau.

Il revint avec un énorme plat de couscous – une montagne de grains jaunes auxquels se mêlaient courgettes, carottes, courge, haricots verts et fenouil, nappée de la sauce que j'avais goûtée. Tel le Joueur de flûte de Hamelin, il était suivi d'une foule de gens qui parlaient tous à la fois : sa mère, Aïcha, trois enfants (dont la petite fille qui m'avait accostée à l'extérieur), un homme grand au visage grave et vêtu d'un costume, qu'Aïcha présenta comme son époux, Rachid, un autre qui semblait être une version plus juvénile d'Idris (« Mon frère, Hassan, ce qui signifie "beau" en arabe : un nom approprié, n'est-ce pas ? »), tout sourire et débordant de charme avec une paire de lunettes de soleil fichées au sommet du crâne, un couple plus âgé (« mon oncle et ma tante »), un homme habillé d'une djellaba usée, et une femme disgracieuse à la chevelure grise qui hocha d'abord la tête dans ma direction d'un air solennel avant de m'adresser un clin d'œil. Tout ce petit monde s'installa autour de la table, sur les sofas ou des poufs de cuir qu'ils rapportèrent des pièces voisines. Ils se mirent aussitôt à manger, façonnant avec les doigts de la main droite des petites boules de couscous et de légumes. L'homme plus âgé en exécuta une de taille respectable, qu'il lança, bras tendu, dans sa bouche. Les enfants piaillèrent d'excitation et l'auraient imité si Aïcha ne les avait réprimandés.

— *Mange, mange**, m'exhorta la mère d'Idris, fière de son français.

Je souris faiblement et croisai le regard d'Idris posé sur moi. Il m'observait, comme s'il voulait voir de quelle façon j'allais me tirer de cette délicate situation. Je serrai les dents. Je ne serais pas, décidai-je, l'une de ces molles Européennes qui demandaient une assiette et des couverts. Je plongeai les doigts dans les grains et faillis pousser un cri : ils étaient brûlants. J'eus alors l'idée d'utiliser un morceau de carotte comme cuiller et parvins à porter une large bouchée à mes lèvres sans en renverser sur la table.

Le tajine que j'avais goûté la nuit précédente à Dar el Beldi s'était avéré délicieusement épicé mais le couscous de la mère d'Idris transporta mes sens dans un autre monde : plus subtil qu'une sauce thaïe, plus complexe qu'un mets indien, plus exigeant qu'un plat de Chine. L'expérience se montra riche, puissante.

— Tenez, me dit Hassan en poussant vers moi un morceau de citrouille orange. C'est le mieux : nous l'appelons « fromage berbère ».

— *Shokran.*

D'un hochement de tête, tous approuvèrent ma maîtrise de la langue et, bientôt, chacun choisit pour moi les meilleurs morceaux de la montagne qui s'élevait devant nous jusqu'à ce que, repue, je ne puisse plus rien avaler.

Bien plus tard – après que j'eus répondu tant bien que mal aux questions concernant ma famille, mes amis, mon statut marital, ma vie à Londres, les raisons de ma visite au Maroc, comment je connaissais Idris et pour quelle raison je demeurais chez eux –, je montai sur la terrasse fumer une cigarette, la première depuis vingt ans. Elle avait un goût horrible, mais je persistai. Mes nerfs avaient été mis à si rude épreuve aujourd'hui qu'il me fallait quelque chose.

Idris fumait lui aussi, appuyé contre le mur. La fumée de sa cigarette s'élevait en volutes dans l'air tranquille de la nuit.

— À présent, Julia, dites-moi pourquoi vous fuyez cet homme, qui se fait appeler votre mari ?

Je soupirai puis inhalai une dernière bouffée pour retarder l'obligation de répondre. J'attendais cette question depuis que nous avions quitté Dar el Beldi et je ne savais toujours pas quelle explication j'allais apporter. Allais-je confier la vérité à cet homme que je ne connaissais pas, ou bien lui offrirais-je un mensonge diplomatique ? Au-dessous de nous, sur une petite place, s'étalaient les restes d'un marché : bâches accrochées à des poteaux faits de bric et de broc, monceaux d'ordures, légumes éparpillés au sol. Un chat réinvestissait son territoire pour la nuit et se toilettait la patte. J'inspirai un bon coup et répondis à Idris :

— Je possède quelque chose qu'il veut, un objet de valeur.

Dans la nuit, il me fut difficile de saisir si l'éclair qui traversa ses yeux trahissait une simple curiosité ou de l'avidité.

— Il doit vraiment vouloir cet objet puisqu'il a traversé un continent pour le trouver.

Il laissa tomber son mégot au sol et l'écrasa du talon avant d'ajouter :

— Ou bien peut-être est-ce vous qu'il veut.

— Certainement pas !

— Vous dites ça avec beaucoup de certitude et, si je puis me permettre, avec quelque amertume.

Je le regardai fixement puis détournai le regard.

— Est-il votre époux ? Ou l'a-t-il été ?

— Non. Jamais. Pourquoi cela vous intéresse-t-il, de toute façon ? Vous me connaissez à peine.

— Julia, jamais je n'ai vu de femme aussi terrifiée que vous l'étiez ce soir, au *riad*. Quelque chose chez cet homme vous a effrayée, je n'aime pas cela. Mais je vous promets qu'ici vous êtes en sécurité : ma maison est votre maison, et tant que vous y logerez, vous serez un membre de ma famille. Sur l'honneur : personne ne vous menacera, ici.

Des larmes me piquèrent les yeux. Je posai mon front contre la balustrade qui me sembla froide et rêche contre ma peau.

— Vous m'avez dit un peu plus tôt que vous connaissiez une personne à l'université, un expert du monde des corsaires ?

Il hocha la tête.

— Un ami, oui, Khaled. Il est historien et donne des cours.

— Le connaissez-vous depuis longtemps ? Vous fiez-vous à lui ?

— C'est un ami de mon père depuis leur enfance, passée ensemble dans les montagnes. Il est comme un oncle pour moi. Si vous voulez savoir s'il est digne de confiance, alors oui, mille fois oui.

— Pensez-vous qu'il soit possible de lui rendre visite demain ?

— Il enseigne le matin, et se rend ensuite à la mosquée ; mais peut-être pourra-t-il nous recevoir l'après-midi. Si vous le désirez, je l'appellerai.

— Merci.

Je levai la tête vers lui, soulagée. Mais il ne me regardait pas, il avait les yeux fixés sur le ciel nocturne.

— Regardez !

Ses mains chaudes se posèrent sur mes épaules et il me força doucement à me tourner. Suivant son regard, j'aperçus une étoile qui dégringolait dans l'immensité noire et laissait derrière elle une traînée lumineuse.

— Oh !

Au nord-ouest, au-dessus de la mer, loin de nous, une autre la suivit, puis une autre.

— Des étoiles filantes…

Je n'en avais pas vu depuis mon enfance quand, à sept ans, assise aux côtés de mon père sur la petite plage de galets derrière notre maison, j'avais eu devant moi un avenir plein de nouveautés, de magie, et de promesses infinies.

— Merveilleux, non ? Ma *jeddah* – ma grand-mère – les appelait le feu du diable. Il ne s'agit pas d'étoiles filantes, toutefois, mais d'une pluie de météorites – des perséides. Les voir porte chance.

— Je n'aurai peut-être pas besoin de brûler un caméléon.

Je sentis la vibration de son rire faire trembler ses mains et se répandre dans mes os. Son souffle était chaud sur ma nuque. L'espace d'un instant, je fus sur le point de me tourner pour l'embrasser, imaginant les contours de ce visage sombre et fort entre mes doigts, la sensation de ses lèvres sur les miennes, ses mains graciles parcourant mon corps. Une tension sexuelle nous enveloppa comme un étau ; je reculai vivement d'un pas et m'en libérai.

— Venez avec moi, dis-je, ma décision prise. Je voudrais vous montrer quelque chose.

— Voici l'objet que Michael désire tellement posséder, celui qui l'a poussé à me suivre jusqu'au Maroc.

Je sortis *La Gloire de la brodeuse* de mon sac et le tendis à Idris. Je m'assis ensuite sur le lit tandis qu'il avançait sa chaise vers la chandelle et se penchait sur le livre, touchant le cuir avec considération. Il l'ouvrit avec autant de délicatesse que si les pages avaient été les pétales d'une fleur séchée. Il lut d'abord en silence, puis à voix haute, hésitant et se reprenant plusieurs fois :

— « *Je crains pour mon futur, car par la faulte de ma menterie, il me croye issue de fortunée famille qui payera belle rançon pour nostre retour. Mais il menace mêmement de me vendre à un sultan, ce qui, je croye, ressemble à un roy en sa contrée, affirmant que ma toison rousse et complexion laiteuse recueilleront bon prix au marché de Salé. Comme je souhaite que j'eusse suivi la recommandation*

d'Annie Badcock de rebrousser chemin vers Kenegie, avec Rob... »
Je suis désolé, déclara-t-il en levant la tête vers moi, mon anglais n'est pas tout à fait à la hauteur de cette tâche : il m'est difficile de lire. Mais si je comprends ce que j'en ai déchiffré, il semble qu'il s'agisse du récit écrit par une femme prisonnière de corsaires ?

Je hochai la tête.

— Est-ce réel ?

— Cela dépend de ce que vous entendez par « réel ». Je crois que ces mémoires sont authentiques, mais j'ai besoin de l'opinion d'un expert.

Ses yeux étincelèrent.

— Mais c'est extraordinaire ! Si ce récit est vrai, vous possédez entre vos mains une partie de la véritable histoire du Maroc, Julia Lovat. C'est un miracle, une fenêtre magique ouverte sur le passé. *L'histoire perdue**. Jamais je n'ai entendu parler d'un pareil journal, qui soit en plus daté de 1625 et écrit par une femme. *C'est absolument incroyable** *!*

Il embrassa le livre. Puis, comme emporté par son excitation, il traversa la pièce et vint m'embrasser quatre fois, sur les joues. Je sentais encore l'empreinte de ses doigts sur mes épaules lorsque, se reprenant, il s'éloigna d'un bond.

— Je suis navré. Pardonnez-moi, je vous en prie.

J'émis un rire forcé.

— Je vous en prie, il n'y a rien à pardonner. C'est vraiment un objet merveilleux, n'est-ce pas ?

— Absolument ! Il y a une chose que je ne saisis pas, cependant. Quelles sont ces images ?

Il indiqua un motif délicat, un couple d'oiseaux avec leurs cous proches l'un de l'autre, enserrés dans une guirlande de feuilles et de roses.

— Ce sont des dessins destinés à être reproduits en broderie, expliquai-je, lui prenant le livre des mains. De simples canevas destinés aux jeunes filles, pour leurs travaux d'aiguille – je lui mimai la chose – afin d'embellir leurs robes, ou leur linge de maison comme les nappes ou les couvertures. Les femmes d'Angleterre ont passé de nombreuses heures à exercer cette activité, à travers les âges. Certaines d'entre nous continuent encore.

Je soulevai mon sac, y rangeai le livre de Catherine, puis en sortis la broderie sur laquelle je travaillais. Sur mon étole, les plumes des trois paons scintillèrent, lançant des éclairs émeraude et aigue-marine. Je voulais changer le motif du dernier coin, mais l'inspiration ne m'était pas encore venue ; aussi, il demeurait encore vide.

— C'est vous qui l'avez fait ?

— Ce n'est pas la peine de vous montrer aussi surpris.

Il sourit.

— C'est juste que… Enfin, je pensais que les femmes comme vous étaient trop occupées, trop modernes, pour prendre le temps de faire ce genre de chose. Ma grand-mère aurait pu broder cela : il faudra le lui montrer lorsqu'elle reviendra de sa visite. Elle adore la plume de cet oiseau – le *paon** : elle en possède quelques-unes dans un vase, dans sa chambre.

— Des plumes de paon ?

— Oui. *Jeddah* sera présente demain soir, ou peut-être le jour suivant : Rachid va la chercher en voiture.

— Je ne sais pas si je logerai encore ici. Si nous pouvons rencontrer votre expert demain, il nous dira son opinion au sujet du livre, et je saurai alors à quoi m'en tenir. Je me rendrai alors, très certainement, à Casablanca pour prendre un avion qui me ramènera chez moi.

Une expression indéfinissable traversa son visage.

— Attendez ici.

Il revint un instant plus tard, les bras chargés.

— J'ai pensé que vous aimeriez porter ceci, demain, si nous devions croiser dans la rue votre… Michael ?

Il s'agissait d'une djellaba d'un bleu nuit, très simple mais taillée dans un coton de bonne qualité, bien que les broderies apparaissant aux manches et ourlets fussent de fabrication industrielle. Il ajouta un foulard de coton blanc destiné à être utilisé comme *hijab*.

J'éclatai de rire.

— Je vais ressembler à une nonne avec ceci.

— Une nonne ?

— Comme un moine, un *frère**, mais féminin... une *sœur** ?

Idris éclata de rire à son tour.

— Je ne pense pas que vous puissiez ressembler à une *sœur**, même si vous essayez. Pas avec vos yeux.

Ne sachant que répondre, je demeurai muette. Lorsqu'il s'aperçut qu'il m'avait mise mal à l'aise, il s'inclina.

— Je dois partir à présent. Il me faut voir mon frère avant qu'il se retire ; je voudrais que ma grand-mère rapporte quelque chose des montagnes. Je vous souhaite bonne nuit, Julia. *Timinciwin. Ollah.*

Il couvrit son visage de ses deux mains, en embrassa les paumes puis les plaça sur son cœur.

— Dormez bien.

Et il disparut.

J'ouvris les volets et, m'asseyant sur le petit tapis de prière, j'admirai la lune au-dessus des toits de la médina. Combien de temps demeurai-je immobile ? Le muezzin appela et les étoiles poursuivirent leur voyage dans le ciel tandis que je songeais à Michael, à la vie, à cette étrange destinée qui était la nôtre : mon ancien amant avait traversé un continent pour me reprendre le cadeau qui symbolisait la fin de notre histoire. Je m'aperçus que je ne parvenais plus à me souvenir de son visage. Je me remémorais ses yeux, sa bouche, la forme de son crâne, mais comme des éléments séparés ; j'étais incapable de me rappeler son visage dans son entier, ni une seule de ses expressions. Avec qui, exactement, avais-je entretenu une liaison toutes ces années ? Plus je pensais à Michael, plus il m'échappait et je songeai que cela, en soi, était significatif : j'avais passé ces sept années recluse dans mes propres fantasmes, jouant un rôle auprès d'un homme qui apparaissait et disparaissait selon ses désirs.

Je me couchai, ces pensées se bousculant dans ma tête. Je trouvai étrange de m'allonger dans un petit lit – une première depuis l'adolescence – mais curieusement réconfortant. Malgré cela, je me tournai et me retournai avant de m'endormir d'un sommeil agité peuplé d'images de ma journée marocaine, de silhouettes voilées et encapuchonnées qui me pourchassaient dans des ruelles, de labyrinthes d'allées dans lesquelles je me perdais, d'impasses se refermant sur moi et de portes closes.

Au plus noir de la nuit, j'éprouvai soudain la conviction d'avoir été suivie jusqu'à la demeure d'Idris ; quelqu'un avait pénétré dans la maison, puis dans la chambre où je dormais. Je m'assis, en sueur, mon pouls battant à toute allure. Personne, bien sûr. Je m'allongeai de nouveau, et me forçai au calme. Mais malgré tous mes efforts, le sommeil ne revint pas.

Je me levai, avançai à tâtons dans la chambre et allumai la chandelle. Le ciel qui transparaissait à travers les volets était d'un noir riche et profond ; l'aube était encore loin. Je décidai de lire quelques pages du journal de Catherine ; cela, peut-être, m'aiderait à me rendormir. Sur la table de nuit, je posai la bougie de façon à éclairer le lit d'une flaque de lumière où j'allais pouvoir tenir le livre. Puis je tirai mon sac à moi. J'en fouillai le contenu à l'aveuglette : portefeuille, passeport, téléphone portable, brosse à cheveux, maquillage, mouchoirs, chewinggums. Dans le second compartiment, je ne trouvai que ma broderie, un cahier et un stylo.

Aucune trace de *La Gloire de la brodeuse*.

Accompagnée de frissons dans le dos, ma première pensée fut qu'en réalité je n'avais pas rêvé. Mais c'était de la folie. Je me levai et secouai la couverture, au cas où j'aurais souffert d'un trouble de la mémoire et laissé le livre sur le lit avant de m'endormir. Bien entendu, il ne s'y trouvait pas.

Pas plus que sur le sol, la chaise ou l'étagère. Dans cette chambre dépouillée, il ne restait guère d'autre endroit où regarder. Le seul scénario possible était que quelqu'un – Michael ? – soit bel et bien entré dans la chambre pour le voler pendant mon sommeil.

Je passai en hâte le caftan par-dessus le tee-shirt et le short que je portais pour dormir, puis descendis les escaliers de la maison plongée dans le noir et le silence. La colère sourde qui m'accompagna sur les deux premiers paliers fut remplacée par de l'incertitude lorsque j'atteignis la troisième volée de marches. Lorsque je fus parvenue au rez-de-chaussée, mon cœur cessa de battre. Une lumière dansait dans le couloir carrelé, projetant des ombres sur les murs. Je me rappelai ces récits de djinns que j'avais lus dans les *Mille et Une Nuits*, où les esprits de feu s'appliquaient à tourmenter, détruire ou mener à leur perte les imprudents et les fous. J'inspirai profondément, écartai mes peurs superstitieuses et m'approchai de la lumière.

Elle provenait de la porte ouverte du salon. Là, une unique chandelle se consumait et illuminait d'un halo une silhouette penchée sur un livre. Mon livre : celui de Catherine.

Avec le sixième sens d'un chat, Idris tourna la tête vers moi alors même que je franchissais le seuil. Nos voix s'élevèrent en même temps :

— Qu'est-ce que vous…

— Je suis désolé…

Nos regards se croisèrent, reflétant une même consternation. Puis Idris me fit signe de le rejoindre.

— Venez, asseyez-vous près de moi, et écoutez ça, dit-il en me montrant la page qu'il lisait.

Ils requirent de moy de monter sur estrade afin que de m'oster ma robe et exposer à la vue de tous mes cheveux roux et ma peau blanche. Ils ont grandement insisté sur mes yeux bleus et l'affirmation que j'estais vierge et pure. Moult hommes enchérirent pour moy jusqu'à ce que je fusse vendue et esloingnée. Icelle fut dernière fois que je vis ma mère et ma tante, ce que je pleurai comme cruelle séparation, mais pire fut celle qui marqua mes adieux à ma bonne Matty, et nous pleurâmes toutes deux amèrement lorsqu'ils m'emmenèrent…

24

Catherine
1625

On la couvrit des pieds à la tête d'une longue robe puis elle fut menée sur une mule, depuis la place du marché, à travers les rues de Salé l'Ancienne. Avec ses seuls yeux visibles, personne ne pouvait deviner qu'elle était étrangère. Elle évoluait paisiblement dans la foule : une femme anonyme montée sur une mule famélique que conduisait un homme taciturne. Ce dernier arborait un visage féroce et un crâne chauve qui luisait de sueur dans la lumière de l'après-midi. Il avait des mains noircies par le soleil, et portait une djellaba blanche remontée entre ses jambes et passée sous sa ceinture. Lorsqu'elle lui demanda qui l'avait achetée et où ils se rendaient, il ne daigna pas même tourner la tête : si sa peau n'avait pas frotté contre celle, rêche et aux os protubérants, de sa monture, elle se serait crue aussi inconsistante qu'un fantôme.

Elle regarda à gauche et à droite. Mais quel sens cela avait-il de chercher à s'échapper ? Elle n'aurait pas su où aller, ni vers qui se tourner. La pensée d'avoir été vendue à un étranger l'effrayait, certes, mais quel était l'autre volet de l'alternative ? Une fuite éperdue dans une ville étrangère, pour se voir capturée par une foule vengeresse s'exprimant dans un langage qu'elle ne comprenait pas ? Se jeter dans la mer, du haut des murs de la ville ? Elle frissonna. Non, elle ne désirait pas mourir. Pas encore.

Ils quittèrent la médina et parvinrent sur les berges de la large rivière, où une embarcation attendait. Le batelier s'appuyait sur sa perche et sa silhouette se découpait sur les eaux sombres du Père de la Réflexion. En posant le pied à bord, Cat se souvint des récits racontés par lady Harris, sur Charon qui acheminait les âmes des morts de l'autre côté de la rivière noire, à Hadès. La traversée marquait l'abandon de leur vie passée et le début d'une nouvelle et morne existence. Il ne me manque que la pièce dans la bouche, songea Cat, ainsi que la perte de la mémoire.

Alors que le marin manœuvrait pour éloigner son bateau des rives de Slâ el Bali, Cat plongea son regard dans les eaux qui traçaient un sillon derrière eux et se remémora sa vie à Kenegie. Ses tâches s'étaient avérées aisées, et elle avait vécu parmi des gens qu'elle n'aimait pas toujours, certes, mais qu'elle comprenait, pour la plupart. Elle se rappela le paysage vert et or de la Cornouailles : l'herbe, les arbres, les ajoncs, la pluie fine et le soleil plein de langueur. Elle pensa à sa famille disparue : son père et ses neveux morts, sa mère aux cheveux soudain gris, dévêtue. Détournant ses pensées de cette image douloureuse, elle songea à son cousin Robert Bolitho qu'elle avait rejeté, et se demanda si elle se serait jamais accommodée de la petite vie qu'il lui avait promise. Voilà une question, se dit-elle amèrement, qu'elle n'avait nul besoin de se poser, car elle s'apparentait à une vie ancienne, tandis qu'une autre existence l'attendait à présent. Il valait mieux, comme les morts, accepter la traversée sans se tourmenter à la pensée d'un avenir qui n'avait pas lieu d'être. Cat serra les dents et se retourna pour observer les murailles, qui s'élevaient devant elle, de Slâ el Djedid.

Sur la rive, un autre homme attendait avec, en main, les rênes d'un cheval. Ils se montraient tous deux fort différents de ceux – son gardien et la mule – qu'elle avait laissés sur les berges de Salé l'Ancienne. L'homme était grand et vêtu d'une longue djellaba rouge brodée d'or, tandis qu'un turban écarlate couvrait son crâne ainsi qu'une grande partie de son visage. Une dague incrustée de pierres pendait à une bandoulière dorée et des bracelets d'argent tintèrent à ses poignets lorsqu'il leva la main pour accueillir le batelier. À son côté se dressait un magnifique étalon : sa tête fine et ses jambes longues et délicates indiquaient un pur-sang, qui eût distancé sans effort les meilleurs destriers de Kenegie. Le tapis de selle cramoisi était tissé d'or, tout comme les glands de son harnais. Si cet homme et ce cheval appartenaient à celui qui l'avait achetée, pensa Cat, il devait s'agir d'un personnage dont la fortune était grande et qui, de surcroît, voulait le montrer.

Lorsque le batelier tira son embarcation sur la grève, le cheval trépigna et secoua la tête, mais l'inconnu enturbanné posa une main sur son museau et l'animal se calma aussitôt. Puis le Marocain s'avança et déposa une pièce dans la main tendue du marin.

Ah, songea Cat sans la moindre trace d'humour, voilà le prix de mon âme.

L'homme se tourna alors vers elle, la souleva comme si elle ne pesait pas plus qu'une enfant et la déposa sur le dos de l'étalon. Sans plus prononcer de paroles que son double de l'autre côté de la rivière, il la mena à travers les rues de Salé la Nouvelle, sous l'arche d'une porte gigantesque, dans la Qasba Andalous.

Ils parcoururent un dédale de ruelles qui montaient à l'assaut d'une colline abrupte ; le son des sabots résonnait sur les pavés et se répercutait sur les murs de part et d'autre des rues, comme si une petite armée y avait cheminé. Enfin, ils parvinrent devant une enceinte blanche percée d'une large porte de bois. L'homme s'arrêta et, sans frapper ni annoncer sa présence, l'ouvrit pour y faire pénétrer le cheval. L'extérieur sec, poussiéreux et mort laissa alors la place à la vie, la fraîcheur, la luxuriance. Cat aperçut des palmiers, des arbres fruitiers et des pots de faïence débordant de fleurs. Un garçon aussi noir que l'encre accourut, s'inclina devant l'homme en turban puis tint les rênes en même temps qu'il aida Cat à descendre de cheval. Deux femmes émergèrent d'une porte latérale et s'inclinèrent, elles aussi, devant celui qui l'avait amenée. Ils échangèrent quelques mots dans une langue qui sembla gutturale et rude aux oreilles de Cat, puis les femmes s'emparèrent d'elle, sans méchanceté, pour la mener vers l'ombre rafraîchissante.

Les heures qui suivirent s'écoulèrent comme dans un rêve. Assistée des deux femmes, elle se baigna dans une pièce dont l'air était épaissi par la vapeur puis se rinça dans une autre carrelée de blanc. Ensuite, ses compagnes la frictionnèrent d'onguents parfumés, avant d'enduire ses cheveux, une fois propres, d'une huile à l'odeur sucrée. Elles lui apportèrent une chemise de soie qui lui sembla si fraîche et douce sur sa peau que la sensation faillit lui arracher des larmes d'émotion. Par-dessus, elle passa une robe richement brodée et un foulard avec lequel envelopper ses cheveux mouillés. Enfin, elles lui passèrent aux pieds une paire de babouches d'un cuir rouge délicat, puis la menèrent dans une pièce au haut plafond meublée d'un lit à baldaquin. Elles écartèrent les mains comme pour lui dire : « c'est pour vous », avant de la laisser seule en refermant doucement la porte derrière elles.

Et maintenant ? se demanda Cat. Elle avait été tellement assaisonnée de parfums qu'elle avait l'impression d'être un morceau de viande destiné à la table d'un homme riche. Était-ce là ce qu'elle devenait, à présent : un mets de choix ? Un jouet avec lequel un homme cousu d'or pourrait agir à sa guise dans la chambre à coucher ? Elle frissonna, puis attendit.

Personne ne vint. Après un moment, elle se leva et ouvrit l'imposante armoire qui s'élevait contre le mur de gauche. Elle y trouva, pliés avec soin, des draps de coton, des taies d'oreillers, trois autres robes taillées dans une étoffe richement brodée et une autre paire de chaussures de cuir. Elle referma les portes et fronça les sourcils. Se trouvait-elle dans la chambre d'une autre femme ? Elle s'approcha de la fenêtre. À travers les arabesques de la grille, elle aperçut une cour intérieure en marbre, ceinturée d'arbres. La configuration aux motifs géométriques lui apaisa l'esprit. Une fontaine se trouvait au centre, placée dans un réservoir à huit pointes d'où partaient quatre canaux qui apportaient de l'eau aux extrémités de la cour. Des pots contenant d'exubérantes fleurs blanches et bleues étaient posés entre ces canaux, tandis qu'aux quatre coins, plantés dans des bacs surélevés, se dressaient le même nombre d'orangers, dont les fruits luisaient parmi le feuillage sombre. Le patio lui rappela celui qu'elle avait vu dans la maison où elle avait écrit la demande de rançon. Mais la demeure dans laquelle elle se trouvait à présent était, sans conteste, plus grande et plus riche.

Quelle sorte d'homme l'avait achetée ? Son esprit s'attarda sur cette question. À l'évidence, il était fortuné mais elle savait quelles activités enrichissaient les hommes en ces lieux, elles n'impliquaient ni décence ni bonté. Toutefois, la maison exprimait la modération, le bon goût, l'élégance. Partout où se posait son regard, elle découvrait le travail de maîtres artisans : depuis les cannelures qui marquaient la transition entre les murs brillants et le plafond de cèdre à caissons, jusqu'aux parois carrelées à mi-hauteur d'étoiles stylisées. Ce motif était repris dans les gravures de la porte, les carrelages au sol, le plateau de cuivre de la table et les verres qui se trouvaient posés dessus. Une belle prison, pensa-t-elle. Mais une prison tout de même.

Enfin, exténuée, elle s'allongea et s'endormit. Lorsqu'elle s'éveilla de nouveau, le soleil était bas dans le ciel, et elle avait faim. Elle s'approcha de la fenêtre. Trois femmes, dont les deux qui l'avaient baignée, travaillaient dans la cour. L'une balayait les dalles, l'autre arrosait les pots de fleurs tandis que la troisième pêchait des pétales de rose dans le bassin. Lorsqu'elle la vit, la plus jeune lui fit signe de descendre. Cat se dirigea vers la porte de sa chambre, tourna le large anneau de fer et s'aperçut avec surprise qu'elle n'était pas fermée.

Elle descendit un escalier sinueux puis traversa un couloir étroit, se laissant guider par la lumière jusqu'au patio. Les trois femmes interrompirent leurs occupations et se mirent à parler en même temps. Malheureusement, elles s'entretenaient dans une langue que Cat ne comprenait pas. Elles semblèrent enfin s'en apercevoir et l'une toucha ses lèvres de ses doigts puis mima une mastication. La jeune Cornouaillaise hocha la tête. Oui, elle avait faim.

Elles lui apportèrent du pain fraîchement cuit, du miel, un bol de dattes collantes et des gâteaux aux noix, ainsi qu'une théière d'argent contenant du thé vert. Elle mangea et but tout ce qui était devant elle. Les femmes s'exclamèrent alors puis s'en furent chercher davantage, rapportant des victuailles jusqu'à ce qu'elle proteste et refuse d'un geste de la main. Elles s'assirent avec elle et partagèrent la seconde théière, versant le liquide dans de délicats petits verres. La plus grande des trois se nommait Yasmina, la plus jeune, Habiba, et la plus charnue, Hasna, lui expliquèrent-elles. Elles avaient des difficultés à prononcer son nom, aussi se contentèrent-elles de Cat.

— Où est l'homme à qui appartient cette maison ?

Elle enroula sa tête d'un turban invisible, se leva puis imita la démarche d'un homme dans la cour. Les femmes éclatèrent de rire. Elle comprit de leurs réponses qu'il se trouvait loin, quelque part – l'une d'elles évoqua un cheval, à moins que ce ne soit un bateau ? Elles ne feraient jamais de bons mimes, songea Cat. Mais il était riche, marchand et soldat, saisit-elle enfin, après une longue démonstration de négociations et de combat à l'épée. Beau, aussi, selon Hasna, qui rougit tandis que les deux autres écartaient sa remarque d'un geste de la main. Trop solennel, mima Yasmina, arborant un visage sombre et encoléré ; trop vieux, suggéra Habiba, et trop triste, expliqua-t-elle en abaissant les coins de sa bouche.

— Quand rentre-t-il ?

Personne ne savait.

— Que dois-je faire ici ?

Elles ne savaient pas non plus. Mais le jour suivant, elle trouva devant sa porte un panier d'osier qui contenait quelques rouleaux de lin blanc, une douzaine d'écheveaux de soie colorée et plusieurs fines aiguilles d'acier espagnol plantées dans un carré de velours rouge. Ainsi, le raïs avait révélé à son acheteur ses talents de brodeuse, et ce dernier avait décidé de tester son habileté. Peut-être son nouveau maître ne voulait-il pas d'elle comme simple concubine, après tout.

Elle trouva Hasna dans la cour, en compagnie d'une autre femme. Cat les salua.

— Bonjour, prononça la nouvelle venue en inclinant la tête.

Cat la dévisagea avec étonnement.

— Vous êtes anglaise.

— Hollandaise, mais je parle suffisamment votre langue. Votre maître me paye pour traduire avec vous.

La Cornouaillaise remarqua qu'elle s'exprimait avec une cadence étrange et avalait certaines syllabes d'une manière qui ne lui était pas familière. Elle tendit la main.

— Je m'appelle Catherine Anne Tregenna. On m'a enlevée sur les rives anglaises pour être menée ici.

L'autre grimaça un sourire, exhibant trois dents en or.

— Oui, cela, je le sais. Je me nomme Leila Brink. C'est mon cochon d'époux qui m'a amenée ici, Dieu ait son âme.

— Je suis désolée.

— Pas besoin d'être désolée, il ne manque à personne, et surtout pas à moi.

Ses yeux maquillés de khôl noir dans le style local brillaient d'un éclat joyeux.

— Dites-moi, Catherine, que pensez-vous de notre cité ?

— Je ne sais pas. Je ne comprends pas vos coutumes. Tout est encore trop étrange. Un… un homme a tenté de me tuer avec sa dague, au marché aux esclaves.

Leila haussa les sourcils puis soupira.

— Une autre attaque. Beaucoup de fondamentalistes vivent ici, pour qui la présence d'un chrétien en vie est une insulte. Je vous en prie, ne nous jugez pas tous d'après ces fous.

La jeune captive en éprouva un peu de soulagement.

— Pouvez-vous me dire le nom et la fonction de l'homme qui m'a achetée ? Je n'ai pas encore eu le plaisir de le rencontrer.

— Son nom est sidi Qasem ben Hamed ben Moussa Dib. C'est un grand bienfaiteur, un homme respecté malgré sa sévérité.

— Elles me disent qu'il est marchand et soldat.

— C'est un peu vrai. Il possède un bon flair pour négocier et se méfie du hasard. Il se montre également grand protecteur des arts ; ce qui lui est plus facile puisqu'il n'a ni femme ni enfants à choyer. Il sera un bon maître si vous obéissez à ses demandes.

— Qui sont ?

— Il dit que vous avez le titre de maître en broderie.

— Tel était mon but, en Angleterre, mais je n'ai jamais eu la chance d'être formée.

— J'ai quelque connaissance de cet art. Mon père était un maître de la guilde, à Amsterdam : les travaux les plus délicats d'Europe passaient entre ses mains.

Cat se mordit les lèvres.

— Qu'attend-il de moi ?

— Venez, et vous verrez.

La jeune Cornouaillaise souleva son panier puis suivit Hasna et la Hollandaise dans des couloirs obscurs. Au sommet d'une longue volée de marches, elles émergèrent dans un atelier frais et lumineux où étaient rassemblées une dizaine de femmes et de jeunes filles. Assises en tailleur, elles garnissaient de bandes de lin des cadres de bois installés à intervalles réguliers autour de la pièce. Sur une grande table circulaire, Cat aperçut une balle d'épais lin blanc, des soies colorées, une paire de grands ciseaux, plusieurs rouleaux de parchemins et quelques épais bâtonnets de charbon de bois. Cette pièce calme et ordonnée était une salle de classe.

Elle adressa un sourire incertain aux femmes présentes et s'assit devant l'un des tambours, luttant pour trouver une position confortable. Le cadre devant elle ne ressemblait guère à celui qu'elle utilisait à Kenegie : petit et circulaire, celui de son pays natal était doté d'un mécanisme à ressort. Le tambour qu'elle avait devant elle était plus grand mais plus primitif.

En penchant la tête pour y installer une bande d'étoffe, elle comprit toutefois qu'il fonctionnerait très bien, même si elle trouvait étrange la position en tailleur qu'il lui fallait adopter pour travailler. Lorsqu'elle releva la tête quelques instants plus tard, elle découvrit les regards attentifs des autres femmes posés sur elle.

Perplexe, elle s'adressa à Leila.

— Attendons-nous l'arrivée de l'instructeur ?

— Vous êtes l'instructeur, expliqua lentement la Hollandaise. Ces femmes ne savent travailler que les plus simples motifs. Sidi Qasem se montre déterminé à ce que vous élargissiez leur répertoire. Vous ferez office de *ma'allema*, de tuteur, mais seulement dans la broderie. Une véritable *ma'allema* se chargerait également d'éducation morale, ce que, bien entendu, il n'attend pas de vous. Il possède d'autres ambitions.

— Des ambitions ?

— La cité royale de Fez s'enrichit chaque année, grâce à l'exportation de ses broderies. Trois mille *tiraz* – manufactures officielles de broderie – fabriquent là-bas ; elles produisent un travail délicat, traditionnel, très beau. Mais les *tiraz* fabriquent sans cesse la même chose : c'est ennuyeux et cela manque de nouveauté. Il veut que Salé la Nouvelle montre à Fez qu'elle peut mieux faire : il désire associer les techniques européennes à l'artisanat marocain. Vous mettrez en œuvre cette nouvelle industrie pour nous. Ces femmes sont juste un commencement : vous leur enseignerez votre savoir et elles deviendront *ma'allema* afin de transmettre à d'autres ce qu'elles auront appris. Si vous réussissez, vous deviendrez comme un maître de guilde : sidi Qasem deviendra riche, et vous aussi.

Cat se sentit prise d'un éblouissement. En Cornouailles, elle avait maudit les limites que l'on avait dressées autour d'elle, telles d'infranchissables murailles. Son travail sur la nappe d'autel lui avait permis de s'élever un peu mais elle était encore loin de pouvoir les franchir. Ici, d'un seul bond, elle en enjambait le sommet. Mais en lieu et place de visions dorées, elle ne découvrait qu'un vide immense.

— Et si j'échoue ?

Leila haussa les épaules.

— Il vaut mieux ne pas échouer.

Cat porta la main à sa gorge ; son cœur y battait comme un oiseau en cage. Elle n'avait pas d'autre choix. Elle devait ignorer ses craintes et prendre en main sa destinée : peut-être parviendrait-elle à un résultat extraordinaire et vivrait-elle enfin cette existence dont elle avait toujours rêvé, même si elle se déroulait sur un autre continent, parmi des étrangers. Elle se redressa.

— Il est sans doute nécessaire de débuter avec les bases. J'aimerais que ces femmes me montrent les points qu'elles utilisent. Demain, je souhaite qu'elles m'apportent un échantillon de leur travail ou de ce que leur famille possède, afin de me faire une meilleure idée du type de broderies effectuées ici. Et j'ai également besoin de voir ce qui est fabriqué à... quel est le nom de cette cité, Fez ?

— Je suis certaine que tout cela pourra être arrangé. Mais une *ma'allema* ne demeure pas assise au sol parmi ses élèves. Vous prenez place ici, poursuivit-elle en aidant Cat à se relever, indiquant une chaise basse et sculptée qui se trouvait devant le plus grand cadre. Dites-moi ce que vous voulez qu'elles fassent, je traduirai.

Cat prit place sur le siège. Bas mais très large, il semblait fait pour une femme bien plus corpulente. Puis elle leva la main.

— Mon nom est Catherine, je viens d'Angleterre pour vous enseigner la broderie. Chacune d'entre vous me donnera son nom, puis nous commencerons avec de simples points.

Et ainsi débuta sa première leçon.

Elle leur montra quelques points de base et s'aperçut vite que la plupart ne leur étaient pas inconnus, même si ses élèves les désignaient sous d'autres appellations : le point plumetis, le point plat, et une sorte de point de trait. Elle leur expliqua le point de croix, le point de chaînette, et un simple point de chausson qui les fit rire. À leur tour, elles lui firent une démonstration du point de Fez, une sorte de point arrière réversible qui produisait un travail d'allure similaire à l'endroit comme à l'envers de l'étoffe. Elle secoua la tête.

— C'est très beau, mais inutile la plupart du temps. De plus, il utilise davantage de fil. Je pense qu'avec un point plat vous parviendrez au même résultat sur le côté de l'étoffe destiné à être vu ; surtout, ce sera plus rapide.

Elle effectua une démonstration mais les femmes firent la grimace. Les vieilles habitudes sont toujours difficiles à tuer...

Le jour suivant, chacune rapporta un exemplaire de son travail. L'une montra une tunique dont le col, les manches et les bordures étaient ornés d'un motif simple et récurrent. Il s'agissait d'un travail propre et soigné, quoique dépourvu d'ambition.

— Très joli, approuva Cat. Pouvez-vous lui demander ce que représente le dessin ?

Lorsque Leila traduisit, la femme – brune comme la noisette et à qui il manquait un certain nombre de dents – éclata de rire. Cat en déduisit qu'elle avait fait preuve de son ignorance en posant la question.

— Il s'agit du dessin de l'arbre et de la cigogne, expliqua la Hollandaise, utilisé ici depuis des siècles. La cigogne est *baraka*, de bon augure.

Tout cela était bien joli, mais qu'est-ce que c'était qu'une cigogne ? Cat n'en avait aucune idée. Leila éclata de rire.

— Plus tard, je vous montrerai. Il y a un nid perché sur le minaret.

Ainsi, il s'agissait d'un oiseau. Les joues en feu, Cat reporta son attention sur le dessin. C'est un oiseau doté d'un long bec, devina-t-elle, mais cela ne l'aida guère.

Une autre femme avait apporté de longues bandes d'étoffe. Sur l'une d'elles, la bordure montrait un motif complexe parsemé d'un fil d'argent vaguement terni.

— Ce travail n'est pas d'ici, communiqua la traductrice. Il est très vieux et faisait partie du trousseau de son arrière-grand-mère, laquelle, affirme-t-elle, venait de Turquie. Mais celui-ci, poursuivit la Hollandaise en exhibant une bandelette plus simple et monochrome, provient du Rif et se destine à un homme pour un acte cérémoniel.

— Je le trouve très beau, bien plus que l'étoffe turque.

Le dessin était osé, emblématique, exécuté avec force et confiance, d'évidence par une personne dotée d'une longue expérience. Elle reprit la première bande de toile et l'examina avec plus d'attention. Le fil d'argent n'avait pas été brodé dans l'étoffe mais cousu dessus à minuscules intervalles à l'aide d'un fil robuste.

— Ah, du point couché – cela économise le fil et permet de s'assurer que le résultat ne sera ni raide ni déformé. Mais je n'ai jamais travaillé avec des fils d'argent, ni d'or !

— Vous le ferez, promit Leila. Les projets de sidi Qasem sont nombreux, et il possède une grande fortune.

Cat admira parures et passementeries (*mjadli*), tapisseries (*hyati*), et un *sau*, un voile joliment décoré destiné à attacher la chevelure, au hammam. Il s'agissait dans l'ensemble de pièces pratiques, attrayantes, travaillées avec une seule couleur et nécessitant une habileté rudimentaire. Timidement, Habiba tira alors de son sac de canevas une longueur de velours sombre, un échantillon si différent de tout ce qu'elles venaient de voir que les femmes, d'une seule voix, poussèrent un cri de ravissement.

— Voici mon *izar*[12], ou plutôt, la moitié. Pour mon mariage, expliqua-t-elle en rougissant tandis que les femmes dépliaient révérencieusement l'étoffe soyeuse.

Trois d'entre elles, pouffant et gloussant, grimpèrent sur un divan pour le déplier en son entier, et ce fut au tour de Cat de pousser un cri d'admiration.

---

12. Nom donné à la cape dans laquelle se drape la mariée berbère et qui s'attache sur les épaules. (*N.d.T.*)

L'envergure du motif dépassait de loin tous les travaux apportés par les autres femmes : quelqu'un était animé d'ambitions considérables. Dans une série de frises alternant dessins géométriques et arbres ou plantes stylisés s'élevait un minaret surmonté d'un dôme. De la base au sommet du drapé, la tour se dressait sur cinq bons pieds.

— C'est tout à fait remarquable ! s'extasia Cat.

Habiba expliqua que sa mère et sa grand-mère l'avaient confectionné ensemble et qu'il s'agissait de la moitié d'une paire. Elle avait dû se cacher pour l'emporter, car il s'agissait de la chose la plus précieuse que possédait la famille. Sa mère se serait fâchée de la voir montrer son *izar*, surtout à des étrangers. Mais, apercevant ses yeux qui brillaient, Cat comprit à quel point la jeune femme en était fière. L'objet agissait également sur les autres élèves, dont les exclamations se teintaient de jalousie, et la Cornouaillaise sentit déferler en elle une vague d'ambition farouche. Elle était capable d'effectuer un tel travail ; meilleur, même, si on lui en donnait la chance. Elle songea avec regret à la nappe d'autel laissée sous son lit, à Kenegie, sans doute couverte de toiles d'araignée et de crottes de souris, et elle fut triste en pensant que jamais personne ne la féliciterait pour son beau travail.

Je ferai mieux, se promit-elle. Dans ce nouveau monde, j'exécuterai un ouvrage plus délicat encore.

Leila et Hasna étaient parvenues à réunir un certain nombre d'objets fabriqués à Fez et dans d'autres régions, monochromes pour la plupart, et très délicats : une écharpe rouge, un plaid bleu, une courtine violette et mauve semée çà et là de fils d'or. Les broderies effectuées sur ces étoffes possédaient une qualité professionnelle, surtout comparées aux exemples plus rudimentaires apportés par les élèves de Cat : les points étaient plus soignés, plus réguliers, les motifs dupliqués avec davantage d'exactitude. Le travail, de surcroît, était réversible, ce qui demandait une habileté considérable.

Cat s'était attendue à être intimidée par le travail de Fez, à le trouver supérieur à ses capacités et à celles de ces femmes à qui elle devait enseigner son art. Mais un enfant pouvait effectuer ces broderies, à condition d'avoir le sens du détail, d'être soigneux et d'avoir une formation sérieuse. Il ne manquait à ses élèves que la pratique et l'assurance, songea-t-elle en se rappelant l'Arbre de la Connaissance. Même les modèles de *La Gloire de la brodeuse* leur apprendraient quelque chose. Comme elle aurait aimé avoir son petit livre encore en sa possession. Tant pis, il appartient à ma vie passée, se dit-elle. J'ai encore mes deux mains et mon imagination, il ne m'en faut pas davantage.

— Leila, j'ai besoin de quelques petites choses qui ne devraient pas poser trop de difficultés à trouver.

Après avoir expliqué ce qu'elle voulait, elle prit une feuille de papier sur la table ronde et y esquissa un motif simple. Elle gardait en mémoire sa conversation avec le raïs au sujet de l'épouse du prophète, Ayesha, et de ses tapisseries maudites. Peut-être était-il plus sage d'éviter toute représentation trop réaliste des choses vivantes de ce monde, surtout que les gens semblaient davantage apprécier les représentations plus stylisées. Aussi dessina-t-elle dans une frise droite une guirlande de fougères suggérées en toute simplicité et décorée de fleurs, à effectuer en points de croix.

Son dessin souleva beaucoup d'admiration. Les femmes l'accueillirent en applaudissant comme si elle avait réussi un tour de magie, aussi en entreprit-elle un autre qui introduisait un croissant de lune et des étoiles. Mais celui-ci ne rencontra qu'une tiède approbation.

— C'est une étoile juive que vous avez dessinée. Là, regardez, nos étoiles comptent huit branches, déclara la Hollandaise en indiquant l'une des broderies de Fez, puis le même motif repris sur les carreaux de faïence. Elle représente le sceau de Soliman. C'est un symbole sacré.

Elle joignit ses mains, le visage grave.

Son air solennel surprit Cat, qui ne l'avait pas crue particulièrement pieuse, ni même mahométane. Elle s'empara d'une autre feuille où elle crayonna une grande étoile à huit branches se découpant entre deux autres de taille plus réduite. Au-dessus et en dessous, Cat traça une frise de pétales de fleurs. Son dessin rencontra alors une entière approbation, et lorsque Habiba revint, apportant le carré de fin coton que Cat avait demandé ainsi que du charbon de bois réduit en poudre auquel s'ajoutait un poinçon acéré, les femmes se montrèrent impatientes de voir ce qu'elle en ferait.

— Choisissez le motif avec lequel vous souhaitez travailler, leur demanda Cat, qui s'étonna lorsqu'elle s'aperçut que dix des douze femmes avaient sélectionné les étoiles.

Elle versa la poudre de charbon dans le carré de coton dont elle attacha les quatre coins ensemble.

— Il s'agit d'un nouet qui permet la ponce, expliqua-t-elle, ce qui occasionna quelques difficultés de traduction à Leila. Je vais à présent transférer ma composition sur vos étoffes.

Elle perça de trous les lignes qui formaient les dessins sur le papier, puis passa de tambour en tambour, posant la feuille sur l'étoffe avant d'y appliquer délicatement le sac de poudre à poncer. La matrice, vite souillée d'un film grisonnant, donna une impression de travail crasseux mais une fois l'étoffe ôtée, les contours du dessin apparurent au-dessous, parfaitement surlignés. Elles étaient stupéfaites, persuadées cette fois que Cat était une puissante magicienne.

— Maintenant, choisissez vos couleurs ; essayez de ne pas prendre les mêmes que votre voisine, ou bien nous n'en aurons pas assez. En plus, vos travaux seront trop semblables. Décidez-vous pour des teintes complémentaires. Vous avez la chance d'avoir un grand nombre de coloris. Dans mon pays, les femmes sont limitées aux écheveaux que nous teignons nous-mêmes, à partir de pelure d'oignon ou bien d'autres ingrédients ; les tonalités qui en résultent sont plutôt fades et se ternissent avec le temps. Seules les femmes fortunées peuvent s'offrir de telles merveilles – elle tendit un écheveau d'un bleu profond et une pelote écarlate.

Ses paroles furent accueillies avec une fierté non dissimulée ; ces femmes aimaient l'idée qu'elles puissent surpasser les Européennes, qu'elles avaient longtemps crues plus privilégiées, plus fortunées. Elles gloussèrent et claquèrent des mains. «*Al hamðulillah* », déclara l'une d'elles, et les autres lui firent écho.

Cat sourit, avec l'impression, malgré ses dix-neuf ans, d'être plus âgée et plus sage.

— Ensemble, nous confectionnerons des choses magnifiques, leur promit-elle, et elle vit sa propre assurance se refléter sur leurs visages, comme des fleurs tournées vers le soleil.

Le soir venu, elle était exténuée. Elle avait toujours considéré la broderie comme un passe-temps de détente, bien moins fatigant que les autres tâches qui lui incombaient. Mais à présent, ses épaules, son dos, sa nuque étaient douloureux comme si elle avait travaillé toute la journée. C'était peut-être lié à la tension qu'exigeait sa responsabilité. Jamais auparavant elle n'avait enseigné quoi que ce soit à quiconque ; elle avait juste montré à Matty comment lacer ses jambières, ce qui s'était révélé très long. Mais elle était satisfaite. Le début s'avérait déjà prometteur : ces femmes, avec du temps et de l'exercice, deviendraient de bonnes brodeuses. Elle croisa ses mains derrière sa nuque et s'étira ; la tension de ses muscles s'atténua quelque peu.

Une ombre la recouvrit.

Sur le seuil se tenait une haute silhouette qui se découpait contre le soleil. Elle sentit son cœur cogner dans sa poitrine tandis que l'homme avançait dans la pièce.

— Bonsoir, Cat'rin, la salua le raïs.

Il soutint son regard jusqu'à ce qu'elle le détourne, puis tendit le bras vers elle.

— J'ai pensé tu aimerais le retrouver.

Il s'agissait d'un petit objet enveloppé dans une longueur de coton. Elle le déballa, cherchant à deviner de quoi il s'agissait en tâtant ses contours, n'osant espérer. Mais soudain, elle le tenait entre ses mains ! Le cuir était un peu plus sombre et taché mais, sinon, il demeurait en parfait état.

— Mon livre !

— Un peu abîmé, j'en ai peur. Khadija essaye de le brûler.

— Khadija ?

— Ma cousine, la femme qui prépare mes esclaves femelles pour le marché. Je suis sûr que tu ne l'as pas déjà oubliée. Elle ne t'a pas oubliée. Malheureusement, la djellaba que j'ai donnée à toi pas vraiment utile.

Cat se rappela soudain la femme belle et impérieuse qui les avait toutes dénudées avant de soumettre les vierges potentielles à d'horribles attouchements. Elle rougit et baissa le regard.

— Je me souviens.

— Elle est, je pense, jalouse de mes attentions pour toi.

— Jalouse ? Jalouse que vous m'ayez enlevée chez moi pour me vendre comme un simple objet ? Comment peut-elle me jalouser, elle qui m'a traitée comme un animal ? Pire même, car l'animal ne connaît pas la honte lorsque son corps nu est soumis à l'examen d'un étranger !

Il sourit.

— Je vois ces expériences n'ont pas éteint le feu en toi, Cat'rin Anne Tregenna.

— Elles ne m'ont pas encore détruite, non, rétorqua-t-elle à voix basse. Si tel était votre but, vous avez échoué. En réalité, il semble que la chance m'ait souri. Mon nouveau maître est un homme doté d'une grande sensibilité. Le travail qu'il m'a offert me procure un grand plaisir, m'a permis, en plus, de retrouver ma dignité et m'a redonné espoir.

— Un homme avisé, s'il est parvenu à accomplir autant en si peu de temps.

— Je le crois, bien que je n'aie pas encore eu le plaisir de faire sa connaissance.

— Étrange, il a donné beaucoup d'or pour t'acheter mais ne s'est pas encore présenté.

Cat croisa les bras sans répondre, bien que la même pensée lui soit venue.

— J'espère ce bon maître ne te trouve pas aussi dangereuse que moi.

— Dangereuse ?

— On dit Dieu a créé l'humanité à partir d'argile, djinn fait de feu. Les djinns sont très dangereux, avec le pouvoir de posséder un homme. Il tira une mèche rousse de dessous le foulard, qu'il enroula autour de son doigt. Qui tu es, Cat'rin : femme ou djinn ?

Elle remit sa mèche de cheveux sous le foulard.

— Je suis une femme, de chair et de sang !

— Je crois que c'est cela, le plus dangereux.

Il s'inclina d'un air moqueur, puis disparut.

25

Je lus les notes de Catherine en même temps qu'Idris, jusqu'au lever du soleil. Les premiers rayons filtrèrent à travers les persiennes du salon, découpant l'espace en bandes noires et or. Lorsque la lumière tomba sur la main d'Idris, sa peau prit une teinte dorée diaphane, presque blanche. À l'inverse, la mienne demeura dans l'ombre. Quant au livre, il fut coupé en deux ; une partie étincelante, une partie cachée. Je voulus partager cette observation qui me semblait significative mais mon corps était envahi d'une extrême lassitude et, au lieu de cela, je me mis à bâiller.

— Pourquoi le raïs l'a-t-il vendue à ce marchand ? Ou bien est-il le Qasem ? Mais alors, pourquoi l'acheter ; n'était-elle pas déjà sa propriété ? Je ne comprends pas.

— Vous avez besoin de sommeil, me dit Idris d'un ton ferme. Tenez, poursuivit-il en refermant le livre et le plaçant entre mes mains, lorsque vous aurez dormi deux heures, nous le terminerons ensemble. Ensuite, nous prendrons notre petit déjeuner avant d'aller rendre visite à Khaled.

Il marqua une pause puis ajouta :

— Vous désirerez sans doute lire ceci, également.

Il tenait en main trois feuilles de papier, plutôt froissées. Je les regardai sans comprendre. Je tendis la main pour les prendre, mais Idris se leva et les garda hors de ma portée.

— Pas maintenant.

Avec déplaisir, je compris de quoi il s'agissait : les photocopies que Michael m'avait laissées au *riad*. Je les avais pliées et rangées à l'arrière de *La Gloire de la brodeuse*, puis les avais totalement oubliées. Ainsi que Michael. Seigneur, qu'allais-je faire de lui, comment faire cesser son harcèlement ?

— Rendez-les-moi !

Mon hôte afficha un large sourire.

— Je possède maintenant un élément de l'histoire de votre Catherine qui vous est inconnu, déclara-t-il, et le soleil qui illuminait ses yeux les rendit aussi énigmatiques que ceux d'un chat. Une question, qui me revenait sans cesse, a fait naître un doute sur l'authenticité de ce journal : comment, si ce livre est parvenu au Maroc sur un navire ayant traversé un océan vers Salé, est-il revenu en Angleterre jusque dans les mains de l'extraordinaire Mlle Julia Lovat ?

— Et vous avez la réponse ?

— J'ai une idée… une théorie. Et je suis persuadé, plus que jamais, que ce que vous avez là n'est pas un faux.

— Et votre conviction est liée à ces papiers que vous avez en main ?

— Ils suggèrent une chose… remarquable.

— Je vous écoute.

— Je ne voudrais pas vous gâcher l'histoire. Les récits doivent se faire dans un ordre précis, à un moment choisi. N'avez-vous rien appris des *Mille et Une Nuits* ?

— Ce n'est pas un conte de fées ! Et puis ces documents m'appartiennent. De quel droit les gardez-vous ?

— Si votre humeur est aussi mauvaise en cet instant, je crains le pire si vous ne dormez pas. Ne vous en faites pas, je les garderai en sécurité pour vous.

Calmement, il plia les photocopies en quatre puis les glissa dans la poche de sa chemise.

— Vous voyez, ils resteront proches de mon cœur. D'autre part, il manque une pièce au puzzle et pour l'obtenir il vous faudra, comme cette jeune fille dont nous suivons le périple, prendre une importante décision. Une telle chose n'est pas à faire lorsque l'on manque de sommeil.

Incapable de me retenir, je bâillai à m'en décrocher la mâchoire. Si je n'y prenais garde, ma tête rejoindrait les photocopies et je me retrouverais à ronfler contre la poitrine d'Idris. Serait-ce si mal ? suggéra une petite voix dans mon esprit. Oui. Je me levai d'un bond avant de proférer quelque stupidité et remontai dans ma chambre.

Ce ne fut qu'une fois dans le petit lit, la tête sur l'oreiller, que je me souvins d'une parole qu'Idris avait prononcée.

« L'extraordinaire Julia Lovat. »

Il me trouvait extraordinaire. Avec cette pensée qui flotta comme un nuage protecteur au-dessus de moi, je m'endormis, un sourire aux lèvres.

26

Rob
Novembre 1625

Robert Bolitho s'était toujours considéré comme un homme robuste, aussi n'apprécia-t-il pas, lors de son premier voyage sur l'océan, de se sentir faible comme une souris et de cracher, jour après jour, une fine bile jaunâtre.

— C'est le mal de mer, petit, lui dit le second dans un éclat de rire lorsqu'il vit ce gaillard large comme un bœuf en si piteux état, cela ne te tuera pas.

Ce n'était pas possible : la moitié du sang qui coulait dans ses veines se mêlait d'eau salée, comme chez tout Cornouaillais ; il devait y avoir une autre raison, plus grave.

À la fin de la deuxième semaine en mer, avec cette nausée qui n'en finissait pas, Rob avait envie de se jeter par-dessus bord pour mettre un terme à ses souffrances. Seule la pensée de Catherine, violentée par un maître d'esclaves, le poussait à survivre. Elle souffre davantage que moi, se répétait-il, et si elle peut supporter cette souffrance, alors moi aussi.

Un jour, son estomac parvint à garder un peu de pain rassis et de viande séchée. Après cela, son état s'améliora rapidement. Un matin, il monta sur le pont pour sentir le soleil et le sel des embruns sur son visage, et vit les vagues pailletées de lumière ; il se dit alors qu'il n'aurait pas voulu se trouver ailleurs. Le vent effilait de blanc la crête des vagues, les voiles se gonflaient doucement et l'étrave du navire fendait les flots comme un carreau d'arbalète. Le temps s'était montré favorable, Robert avait eu de la chance, lui dit le second. Le marin entreprit alors de raconter d'effroyables récits de tempêtes, de mâtures brisées, de vaisseaux qui sombraient tandis que hurlaient les hommes qui se noyaient, jusqu'à ce que le jeune homme se sente à nouveau pris de nausées.

— Mais ce n'est rien comparé aux pirates, poursuivit l'homme, inconscient de l'effet qu'il avait sur son interlocuteur, les eaux en sont infestées ! Rares sont les vaisseaux qui parviennent au Détroit sans l'un de ces diables venus de Salé ou d'Alger accroché à son sillage. Un camarade pris par un renégat, au large des Canaries, s'est retrouvé sur une galère en Méditerranée. Les récits qu'il en fit ratatineraient tes bourses.

Rob n'avait pas envie d'en entendre davantage, mais le marin l'avait acculé contre un plat-bord.

— Enchaînés nus à un banc, ramant vingt heures par jour, fouettés jusqu'au sang, les galériens ne recevaient pour tenir qu'un peu de pain trempé dans du vin, un mets de choix destiné à les empêcher de perdre connaissance. Une bonne dizaine d'entre eux ont crevé, que leurs gardiens ont roué de coups – pour s'assurer qu'ils étaient bien morts – avant de les balancer dans le jus. Il a survécu trois ans à ce traitement avant d'être racheté par un autre maître pour qui il construisit une caserne, à l'extérieur d'Alger. Le traitement n'était pas très différent de celui qu'il avait reçu sur la galère mais au moins, il pouvait s'allonger de temps à autre sur une surface qui ne roulait pas en tous sens. Il a vu des choses terribles. Des hommes dont on battait la plante des pieds – ces brutes appellent cela la bastonnade – jusqu'à ce qu'elle devienne noire et sanglante et que les pauvres diables ne puissent plus jamais marcher normalement. Un prisonnier a bien tenté de s'échapper, il a été traîné derrière un cheval sur des rochers et des piquants avant de mourir ; un autre a été découpé en petits morceaux alors qu'il était encore en vie – une oreille, un orteil, un doigt – jusqu'à ce qu'il meure dans un ultime hurlement. Car ils haïssent les chrétiens, ces mahométans ; rien ne leur plaît davantage que de les faire souffrir. Un autre pauvre captif s'est échappé en tuant un garde; lorsqu'ils l'ont rattrapé, il aurait mieux fait de résister et de se battre pour qu'ils le tuent sur place. Pauvre gars, on l'a jeté des murailles de la ville, il est tombé sur l'une de ces piques placées au-dessous, et il est resté là, percé à la cuisse et à l'aine, incapable de bouger, à l'agonie, tandis que la foule le raillait et que les femmes lui jetaient des pierres, riant quand elles le blessaient jusqu'au sang.

Il marqua une pause et s'apprêtait à poursuivre lorsque Rob, espérant clore le sujet, intervint en hâte :

— Ils m'ont l'air d'un peuple vraiment sauvage.

— En effet. La plupart d'entre eux sont barbares et excessifs, enclins à la violence et dotés d'appétits monstrueux.

Rob se retourna et aperçut un autre individu qui s'était joint à eux; appuyé contre le plat-bord, il lui coupait toute retraite possible. Il s'agissait de l'homme qu'il avait rencontré dans les bureaux de Hardwicke & Buckle; l'entrevue s'était avérée brève, car Killigrew et lui s'étaient rapidement lancés dans une conversation sérieuse et le jeune Cornouaillais avait dû se rendre dans une autre pièce. Mais ce court instant avait suffi pour qu'il lui fasse une mauvaise impression. Il ne pouvait mettre le doigt dessus, car l'individu était direct et même assez aimable. Mais son œil était froid et calculateur, même lorsqu'il vous regardait droit dans les yeux et montrait une franche camaraderie. Il se nommait William Marshall, et Rob se demanda s'il était un lointain parent de Killigrew, car ils avaient la même silhouette élancée et des yeux bleus pareillement glacés. Mais Marshall était plus âgé; à moins, simplement, que sa longue exposition à la mer et aux rayons du soleil n'ait buriné son visage de ces profonds sillons dont était dénué celui de Killigrew.

— Les avez-vous rencontrés à plusieurs reprises, monsieur ?

— J'ai fait quatre ou cinq visites de la Barbarie et j'ai juré à chaque fois que ce serait la dernière, répondit l'autre, en triturant sa barbe. Le climat y est malsain, et les habitants le sont plus encore. Mais il y a de l'argent à gagner là-bas, et je préfère acquérir ma fortune tôt plutôt que tard, puis disposer de quelques années pour en jouir. Oui, même auprès des rebuts de l'Afrique, comme dirait ce brave Marlowe.

— Marlowe ?

Marshall et le marin échangèrent un regard moqueur.

— Ne sait-il vraiment rien de Kit Marlowe, le plus fin dramaturge de notre pays ?

Le marin haussa les épaules.

— Le gamin est jeune, et Marlowe est mort et enterré depuis longtemps.

— Adieu, immortalité, soupira Marshall. Je préfère à cela, il est vrai, une jarre d'or ici et maintenant. « Les cruels pirates d'Alger, ce cortège maléfique, ces rebuts de l'Afrique », ça, il savait en parler, Marlowe. Si tu peux, va voir une de ses œuvres.

Il prit une pose dramatique et théâtrale puis déclama :

« En vain je vois des hommes adorer Mahomet

Mon épée envoya par milliers ces Turcs en Enfer,

Elle a occis ses prêtres, ses parents, ses amis,

Et cependant je ne fus point touché par Mahomet... »

Avec un grand geste, il embrocha Rob de la pointe d'une épée imaginaire, avant de soupirer :

— Je ne suis plus monté sur scène depuis des années : mais quelles années ! Ah, comme ils acclamaient tous, lorsque Tamerlan brûlait le livre sacré des mahométans et dansait sur ses cendres !

— Nous n'avons pas vraiment l'opportunité d'assister à des spectacles, en Cornouailles, remarqua Rob avec raideur. Et puis, nous sommes trop respectueux pour brûler un texte sacré, même s'il n'est pas le nôtre.

— Que le Seigneur me protège des pisse-froid de la province ! Je ne m'étonne pas que John passe autant de temps en ville. Si les femmes de la Cornouailles se montrent aussi rigides que toi, rien là-bas ne pourra jamais le divertir !

— J'ai toujours entendu dire que Will Shakespeare était tenu en plus haute estime que Kit Marlowe, intervint le marin.

— Le vieux Shake-a-stick[13] était aussi malléable que le beurre, toujours à s'accommoder avec le pouvoir en place ; et en plus, le verbe long comme un jour sans pain. Seigneur, ces monologues ! Je ne parvenais jamais à les retenir en entier et inventais toujours un vers ou deux, pour faire rire.

— Il a écrit *Titus Andronicus*, toutefois, considéra le second. Une belle œuvre tout de même.

— Bah, il s'essaye là tout juste à la férocité ; il ne s'y est jamais montré très bon, répondit Marshall avec un geste dédaigneux. Non, Kit est le seul à savoir exprimer la brutalité. Il n'y a rien à reprendre à son *Tamerlan*, ou à son *Juif*. Mais je veux bien donner son dû à Tourneur, il sait refléter la violence ; et Kyd, lui aussi, a eu son moment de gloire.

— Ah oui, j'ai adoré sa *Tragédie espagnole*, renchérit le second avec enthousiasme. Mais l'an passé, j'ai vu *Le Renégat* et j'ai quitté la salle au bout d'une heure : très ennuyeux.

— Massingham en est l'auteur, pas Kyd, le reprit Marshall avec la lassitude du connaisseur.

Rob se sentait ballotté, dans tous les sens du terme. Mais comme il ne voulait pas demeurer en reste, il remarqua :

— J'ai entendu dire qu'il y a un Maure dans *Othello*.

— En effet, approuva le second, noir comme la suie, qui épouse une fille blanche : un acte contre nature, comme l'illustre la pièce. Il croit qu'elle l'a trompé avec un autre homme, alors il l'étrangle.

— Pauvre fille ! s'écria Rob, cela semble vraiment injuste !

— Injuste ? répéta Marshall en lui assenant une claque sur l'épaule. La vie n'est pas juste, petit ; tu ne t'en es pas aperçu en tes… quoi, vingt années d'existence ?

— Vingt-trois, le corrigea Rob.

---

13. Jeu de mots basé sur la prononciation de *shake-a-spear*, littéralement « secoue l'épieu », et de *shake-a-stick*, « secoue le bâton ». (*N.d.T.*)

— Oui, jeune encore ; mais suffisamment vieux pour ne pas perdre la tête à cause d'une fille.

Le jeune homme leva le menton d'un air belliqueux.

— Que voulez-vous dire ?

— John a mentionné que tu t'étais joint à cette expédition dans le dessein absurde de sauver une diablesse enlevée par les Ruffians de Salé ?

— Ce n'est pas une diablesse, répliqua Rob, irrité.

— Raconte, petit ! Ça paraît dix fois plus fascinant que les récits de ces dramaturges.

Marshall observa le jeune passager qui rougissait jusqu'aux oreilles.

— Va donc vaquer à tes obligations, ordonna-t-il au marin. Ce sujet est destiné aux gentilshommes.

Le second lui lança un regard torve.

— Il n'y a rien de raffiné dans les actes des hommes et des femmes ; *cela*, je le sais. Les femmes sont des chiennes en chaleur sous leur soie et leur satin, et les hommes des chiens avec leur braquemart en l'air, voilà la vérité. Mais si ma présence vous empêche d'agir en *gentilshommes*, je me retire.

Marshall suivit un instant le marin des yeux, puis se pencha vers Rob.

— Abandonne, si tu as le moindre bon sens. Ces Turcs sont agités d'ignobles appétits, surtout lorsqu'il s'agit de chair blanche ; ils prennent en outre les garçons autant que les filles avec la même avidité. Ta garce sera souillée, détruite depuis longtemps ; à quoi va servir ton geste ? Joins-toi à l'aventure et si par chance nous emportons un trophée espagnol sur le chemin du retour, tu recevras ta part du butin. Nous naviguons avec une lettre de créance royale, ce serait même légal. Tu pourras t'acheter une lignée de pouliches et rentrer chez toi comme un héros.

— C'est ma fiancée, mentit Rob avec conviction, serrant les dents afin de ne pas frapper l'homme au visage. J'ai juré de la ramener, quitte à mourir.

— Ce sera sans doute la mort, alors, répliqua Marshall dans un haussement d'épaules.

— M'emmènerez-vous, comme convenu avec sir John ?

— John a sans doute ses raisons, comme toujours, de te confier à moi. Tu peux rester à mes côtés ; mais ne t'imagine pas que je vais risquer ma vie pour toi. Le danger sera suffisant sans qu'en plus je prenne soin d'un simple d'esprit.

Le jeune homme fronça les sourcils.

— Si vous commercez avec ces gens, on doit pouvoir entrer dans leur port ?

— Non, c'est bien trop risqué. Trop de factions sont impliquées, lesquelles se tirent dessus à boulets rouges. Un beau vaisseau anglais abritant en ses flancs une cargaison de valeur représenterait une trop grande tentation. Depuis la stupide attaque de Mansell sur Alger, chaque navire anglais est devenu une proie. Pendant sa mission cet été, John Harrison a dû traverser cent cinquante lieues dans ce pays sauvage, déguisé en mahométan : le fou !

Rob n'avait pas la moindre idée de l'identité de Mansell et de Harrison, mais il hocha la tête comme s'il s'agissait là d'une information connue.

— Harrison a réussi, alors ?

— Hum, oui. Il y parvient toujours. Il a une chance du diable, cet homme-là ! Il s'est rendu à Salé avec la bénédiction du roi, pour tenter de libérer un millier de prisonniers anglais, mais est revenu bredouille.

— Un millier de prisonniers ?

Marshall lui octroya un regard méfiant.

— Les Turcs enlèvent ces pauvres gens des navires marchands depuis des années, sans que personne, parmi ce beau monde, ne bouge le petit doigt. L'Angleterre ne possède pas assez d'or pour entretenir une marine digne de ce nom, après les extravagances du roi Jacques. Son fils ne vaut guère mieux, en ce qui concerne les cordons de la bourse, et bien sûr, nous sommes en guerre contre l'Espagne maintenant, aussi y a-t-il de plus gros chats à fouetter. Harrison est un aventurier solitaire ; il travaille pour la gloire mais je pense qu'il se met quelques pièces de côté grâce aux pots-de-vin, « honoraires » ou cadeaux. Mais les guerres fournissent des opportunités aux futés, c'est ce que je dis toujours.

Et il cligna de l'œil puis s'éloigna vers la cambuse pour une « gorgée », comme il l'indiqua.

Cette nuit-là, Rob se tourna et se retourna dans sa couche. Si l'agent du roi n'avait pas réussi à ramener les captifs, quelles étaient ses chances à lui ? Dans quel cercle de l'enfer peuplé de monstres et de vermine s'apprêtait-il à mettre le pied ? La perspective de ce qui l'attendait l'effrayait ; sa vie à Kenegie ne l'avait préparé qu'à une rencontre avec un pauvre voleur de moutons désespéré ou avec un charlatan qui cherchait à vous escroquer de votre salaire à la taverne du Dauphin. Il ne savait même pas tenir une épée, bien qu'il en ait apporté une avec lui ; ce talent n'était pas requis dans les champs de la Cornouailles. Mais il savait se défendre aux poings, ou à la trique. Et peut-être cet homme, Marshall – qui semblait à la fois futé et chevronné –, l'aiderait-il à réussir là où d'autres avaient échoué ? De la petite bourse qu'il portait autour du cou, Rob sortit l'alliance de sa grand-mère, celle que Cat lui avait rendue avec pour instruction de la lui offrir à un moment plus propice. Quelle occasion serait plus favorable que lorsqu'il l'aurait sauvée des pirates ? Optimiste, Rob se força à s'endormir sur cette pensée, l'anneau serré dans son poing.

Le jour suivant, ils dépassèrent Salé à la faveur de la nuit, puis longèrent la côte jusqu'à ce que toute lumière disparaisse. Le navire jeta alors l'ancre puis Marshall réveilla Rob.

— Frotte-toi le visage de cela, entoure ta tête blonde de ce turban et garde ton épée dans son fourreau, ordonna-t-il en donnant à Rob un pot qui contenait une substance à l'odeur acide. Nous ne voulons pas renvoyer la moindre lumière qui nous trahirait. La région dans laquelle nous nous rendons est remplie de tueurs. Ne prends que l'essentiel, dans une besace que tu pourras porter sur le dos; nous ne devons pas nous encombrer.

Sur ces paroles, il disparut et laissa Rob se préparer, l'estomac noué. La pâte à base de cendres lui sembla grumeleuse sur sa peau tandis que la longueur d'étoffe destinée à enturbanner sa tête se montra difficile à maîtriser. Enfin, il émergea sur le pont. Le second, aidé d'un matelot, mit une chaloupe à l'eau puis appuya frénétiquement sur les rames en direction des vagues qui allaient mourir sur la bande de terre plate, plongée dans le noir. Rob percevait la peur qu'ils éprouvaient à s'approcher de ce pays maléfique.

Les dents de Marshall tranchèrent soudain sur la nuit noire lorsqu'il adressa une grimace à Rob :

— Débarquer, c'est toujours le pire; je déteste me mouiller.

La quille craqua alors contre le sable et ils s'élancèrent dans l'eau pour courir vers la rive. La mer glacée transperça leurs vêtements. Rob regarda par-dessus son épaule; les marins avaient déjà fait demi-tour et pagayaient en hâte vers la masse indistincte et sombre du navire. Impossible de battre en retraite, à présent. Son regard se posa sur les rives du Maroc, cette terre de légende dont il n'avait entendu parler que dans les tavernes de Penzance, lorsque les vieux marins pris de boisson, jurant et crachant au sol, parlaient de pirates et d'idolâtres.

Marshall était loin devant; l'ancien acteur plongea tête la première dans les vagues, la respiration aussi laborieuse que celle d'un taureau mené à l'abattoir. Rob se jeta à son tour dans l'écume blanche; le niveau de l'eau baissa de ses cuisses à ses genoux, avant d'atteindre à peine ses bottes. Il parvint enfin sur la terre ferme et se hâta à la suite de Marshall. Le sable crissait sous ses pieds à chacun de ses pas, résonnant effroyablement dans le silence de la nuit, comme une invitation lancée aux terribles meurtriers cachés derrière les rochers ou les arbres, un peu plus loin devant eux.

Une longue barre de rochers laissa soudain la place à un cours d'eau.

— Nom de Dieu ! jura Marshall entre ses dents, ils nous ont amenés du mauvais côté de cette maudite rivière ! Tout se ressemble sur cette satanée côte, mais ces abrutis seraient de toute façon incapables de lire une carte, même s'ils le voulaient ! Nous voici maintenant en danger de nous noyer aussi bien que si ces crétins nous avaient jetés par-dessus bord !

Le lagon, toutefois, s'avéra peu profond et ils le traversèrent sans plus de mésaventures. De l'autre côté se trouvaient des marécages plantés de roseaux, où les cris indignés de quelques grenouilles et d'un couple de pluviers s'élevèrent soudain et rompirent le silence de la nuit. Le Londonien manqua s'étouffer de rage.

— C'est ça, informez donc tout le monde de notre présence. Par le diable, je déteste la nature ! Remplissez-la de sable et couvrez-la de briques, voilà ce qu'il faut faire. À quoi sert cette bonne terre de Dieu si un homme ne peut pas même s'y promener sans voir ses bottes se remplir d'eau ou de boue et entendre un régiment de ces bestioles infernales se plaindre de sa présence ?

Rob, qui avait passé la plus grande partie de son enfance à explorer les marécages situés autour de Market-Jew, considérait qu'il existait bien pire endroit – les petites allées de Westminster en tête. Faisant usage d'un bâton de bois flotté, le jeune homme leur fit traverser les marais en tâtant le fond au-devant d'eux de cet épieu de fortune. Ils atteignirent alors un terrain où alternaient flaques d'eau croupissante tapissées d'algues et carrés de terre couverts de végétation spongieuse ou de roseaux. Peu après, une douleur aiguë se déclara à l'arrière de son mollet, suivie presque aussitôt par une autre dans la cuisse. Il en comprit d'emblée la cause : des sangsues. Il songea avec envie à la pierre à feu qu'il avait empaquetée dans sa besace. Mais il ne pouvait les brûler ici, la lumière les aurait trop exposés. Incapable de dévier ses pensées des petites bêtes, il les imagina qui, par dizaines, refermaient leurs mâchoires avides sur sa peau.

Pendant plus d'une heure, ils avancèrent avec peine dans ce paysage infernal. Ils traversèrent ensuite une étendue austère au sol sec et salé, qui laissa enfin place à un terrain pentu de rocaille et de broussailles. À cet instant, les premières lueurs de l'aube illuminèrent les lieux d'un halo écarlate.

— Par les bourses du Seigneur ! jura Marshall. Il nous faut parvenir à l'abri formé par ces arbres avant le lever du soleil, ou nous ferons une cible de choix. La forêt de Marmora regorge de hors-la-loi et d'esclaves marrons qui vous trancheraient la gorge à peine un regard posé sur vous.

Ils grimpèrent le raidillon en chancelant. Les muscles de leurs jambes hurlèrent leur mécontentement de se voir infliger si rude épreuve, après les semaines d'inactivité à bord du navire. Le Londonien distança bientôt son jeune compagnon, qui réalisa combien son corps avait souffert du manque de nourriture et de mouvements. Mais le Cornouaillais ignora la douleur, la besace qui pesait sur son dos et l'épée qui battait ses flancs pour se hâter à sa suite car, s'il perdait Marshall, sa moindre chance de survie disparaîtrait avec lui. Une comptine lui vint à l'esprit et bientôt, s'appuyant sur celle-ci, ses pieds avancèrent en cadence.

À ma mort et en ma tombe
Tous mes os déjà rongés
Que de moi l'on se souvienne
Quoiqu'on eût dû m'oublier.

Les rimes funèbres le menèrent au sommet de la côte. Beaucoup plus tard, assis contre un arbre tandis que Marshall examinait le parchemin huilé qui leur tenait lieu de carte, après avoir retiré les sangsues de son corps (sept, pour la chance) et ôté ses bottes (qu'il vida de leur eau, de quelques algues et d'une grenouille écrasée), il se rappela d'où provenait la comptine. Il l'avait lue sur une bande d'étoffe où Cat, alors petite fille, s'était exercée à broder les vers. Le calicot était à présent accroché dans le couloir qui menait au logement des domestiques, à Kenegie. Combien de fois avait-il contemplé les petits points malhabiles, le regard fixe alors qu'il rassemblait ses pensées avant de frapper à la porte de sa cousine ? Le souvenir, vif et douloureux, lui fit monter les larmes aux yeux.

— Pourrais-je savoir la nature de notre commerce avec ces gens ? demanda-t-il à Marshall pour divertir son esprit de ces sombres pensées.

— Non, répondit sèchement le Londonien. Le détail de ces affaires ne concerne que notre compagnie et nos partenaires commerciaux ; il n'a rien à voir avec toi.

— Ne suis-je pas membre de cette compagnie, à présent que ma tâche consiste à vous garder, vous et les documents que vous transportez ?

— Tu ne l'es en rien, petit. Comment John a-t-il pu un seul instant songer qu'un cuistre mal dégrossi devait m'assister comme garde du corps ? Mystère. Voici mon opinion : je te tolère, sans plus, et si tu t'avises encore de me poser des questions stupides, je t'embrocherai moi-même et éviterai ainsi ce tracas aux brigands.

Rob demeura immobile, le regard fixé sur ses bottes qui fumaient doucement dans la lumière du soleil. Refusant de s'avouer battu, il demanda :

— Dites-moi seulement : comment allons-nous quitter Salé, si nous y parvenons ?

Marshall soupira.

— Dans cinq jours, *La Rose* se trouvera au large de la cité pirate, attendant mon signal. Lorsqu'ils l'auront aperçu, ils s'approcheront au plus près afin de nous prendre à bord.

Rob dut se satisfaire de cette maigre information. Un moment plus tard, Marshall replia sa carte et la rangea dans sa besace, puis il ordonna à Rob de remettre ses bottes.

— Il nous faudra avancer en silence dans cette maudite forêt. Pas une parole ; et surveille où tu poses les pieds. Ces bois sont semés de trous, d'épieux et de toutes sortes de pièges dans lesquels se prennent les imprudents. La région four-mille d'individus peu honorables. Certains y vivent, d'autres y trouvent refuge ou, comme nous, ne font que passer. Mais tous possèdent une bonne raison de rester cachés. Celle-ci, souvent, prend racine dans le crime : survie fait loi, dans la forêt.

— Il me semble que nous aurions mieux fait de voguer jusqu'au port toutes voiles dehors et nos canons prêts à tonner, factions ou non.

— La naïveté t'égare, Robert Bolitho. Laisse-moi éclaircir les choses : nous ne pouvons être aperçus mettant le pied dans ce repaire de pirates, pour de nombreuses raisons, la plus importante étant que, si quiconque rapporte nos agisse-ments en Angleterre — et il existe bon nombre de gueux à Salé qui vont et viennent à leur guise et possèdent en outre d'excel-lentes relations par toute l'Europe —, grandes seront les chances que nous soyons pendus. Cette considération te suffit-elle ?

— Seigneur, dans quoi me suis-je aventuré ?

— Comme je l'ai déjà dit, tu aurais mieux fait d'abandonner et de rester chez toi.

— Peut-être ; mais je suis ici, maintenant, que je sois maudit si j'en pars.

27

*Peut-estre, mais je suis de présent céans, et que je soye maudit si j'en dépars,
luy ai-je dit; quoique combien je fusse maudit, point ne le savais-je, lors...*

— Je me demande à qui il a écrit cela, remarquai-je en
pliant la feuille avant de la poser sur le côté, parmi les restes de
notre petit déjeuner.

Nous étions assis à une table branlante qu'Idris avait installée sur la terrasse du toit. Un énorme parasol planté dans
un bloc de béton protégeait ma pâleur des rayons solaires de
ce milieu de matinée.

— Ne s'agit-il pas d'un journal?

— Cela ressemble davantage à un fragment de lettre. Avez-
vous remarqué les quatre bords abîmés reproduits par la photocopie? Aucune déformation des mots en bout de lignes n'in-
dique que Michael ait photocopié un livre. Étrange; le papier
lui-même diffère de celui employé pour la missive destinée à
sir Arthur Harris; l'écriture est dissemblable également: plus
petite, plus soignée.

— Peut-être a-t-il adressé son courrier à son employeur
alors qu'il était pressé?

— Ou très jeune... Croyez-vous que Robert Bolitho a vraiment traversé les océans jusqu'au Maroc pour sauver Catherine
de l'esclavage?

— Telle était, en tout cas, son intention; j'imagine qu'il a
réussi, sinon jamais le livre ne serait revenu en Angleterre.

Je soupirai.

— Quel récit romantique. Peut-être s'agit-il bien d'un conte, après tout.

— Mais s'il a réussi, je ne comprends pas pourquoi il se prétend maudit. L'a-t-il épousée pour s'apercevoir que c'était une terrible épouse qui le rendrait malheureux ? S'est-elle montrée infidèle, cruelle ? A-t-elle pris la fuite ? Cette histoire contient davantage que ce que nous croyons.

Le journal de Catherine était arrivé à une fin plutôt abrupte. Il énumérait, de façon guère satisfaisante, une foule de détails domestiques. J'y avais lu que *« chaque jour, les femmes de la kasba viennent s'asseoir avec moy pour coudre. Nous travaillons avec des soies de toutes les couleurs connues de l'homme. Jamais je n'ai vu de teintes aussi glorieuses, à l'exception de celles des fleurs ornant le jardin de lady Harris, à Kenegie ».* Elle expliquait comment *« Hasna m'apprit la fabrication du plat qu'ils appellent "le visage décoré" »*, Dieu seul savait de quoi il s'agissait, mentionnait une robe qu'elle avait elle-même cousue et parlait du khôl qu'elle préparait de ses mains à base d'une substance achetée au souk. Elle apprenait aussi quelques mots de leur langage. L'intérêt historique de ces notes était indéniable mais — je l'avoue à ma grande honte — je n'en tirai que frustration. D'évidence, Cat appréciait sa situation d'esclave à Salé. Si tant est qu'elle l'était, car enseigner la broderie dans une somptueuse demeure ne correspondait en rien à l'image que je me faisais de la vie d'une jeune femme dans sa situation. Pourquoi ne mentionnait-elle pas ce qu'il était advenu lorsque Rob était apparu pour la ramener en Cornouailles ?

— Je crois, reprit Idris, que votre Michael possède l'autre pièce de ce puzzle.

Il se faisait l'écho de mes propres pensées, et celles-ci me plongeaient dans l'embarras. Les photocopies servaient de leurre : mon ancien amant voulait ce livre, il utilisait les lettres de Rob pour m'appâter. Je n'avais aucune intention de lui rendre le journal de Catherine, mais j'avais un désir irrépressible de connaître l'autre facette de l'histoire. Malgré tout, je ne me sentais pas prête à lui faire face.

— À quelle heure rencontrons-nous votre ami Khaled ?

— Il nous retrouvera à deux heures, dans un café situé près de la gare.

Je jetai un œil à ma montre. Bientôt onze heures trente.

— Qu'allons-nous faire en attendant ?

— Laissez-moi vous montrer le souk que Catherine aurait visité, et l'endroit où j'ai grandi.

Je passai par-dessus mon jean la djellaba qu'il m'avait apportée le soir précédent. Le foulard blanc me posa en revanche de grandes difficultés : j'avais trop de cheveux pour qu'il les contienne. J'essayai de les coincer dans ma robe mais malgré tous mes efforts le foulard ne cessait de glisser de ma tête. Je finis par y faire un nœud alors que ma chevelure s'en échappait par mèches entières.

— Merde !

Je me retournai brusquement et aperçus un étranger vêtu d'un caftan gris et d'un turban bleu, adossé au chambranle de la porte, qui m'observait en silence.

Il me fallut trois bonnes secondes pour réaliser que cette silhouette exotique n'était autre qu'Idris.

— Là, déclara-t-il en me retirant le foulard des mains, laissez-moi faire. Avec plusieurs sœurs, j'ai acquis une certaine habileté.

Ses doigts effleurèrent mon cou sans que je puisse affirmer s'il s'agissait d'un acte intentionnel. Puis le doux coton caressa ma peau. Un instant plus tard, l'étoffe me couvrait la tête : je portais le foulard.

Ainsi camouflée, je sortis en compagnie de mon ami marocain.

La médina bourdonnait d'une circulation où se mêlaient humains, animaux et machines. Quand on croyait pénétrer dans une rue piétonnière, un homme en scooter surgissait dans un vrombissement, klaxonnait, et chacun se collait contre le mur.

Comment diable les ânes acceptaient-ils cela ? Impossible de le savoir, mais ils gardaient une attitude philosophique face à l'adversité, debout dans leurs traces, ou attachés à une colonne tandis que la charge qu'ils portaient sur le dos s'alourdissait encore.

Les Marocains du souk ne partageaient pas cette placidité. J'aperçus une femme hurlant à l'encontre d'un marchand qui venait de lui couper une mesure de coton bleu pâle. Elle sembla sur le point de lui assener un coup de dague ; ses mains virevoltaient dans toutes les directions tandis que l'homme rentrait la tête dans les épaules.

— Un désaccord au sujet du prix, déclara Idris en riant. Un coup classique : ne s'en plaindre qu'une fois l'étoffe taillée, puis en blâmer le marchand. Ma tante agissait toujours ainsi. Elle partait, furieuse, et laissait le pauvre homme la tête entre les mains, avant de revenir quelques minutes plus tard en offrant généreusement de payer la moitié.

— Et il acceptait ?

— Bien sûr ; le prix proposé initialement s'élevait déjà au double de celui qu'il voulait en tirer, aussi, chacun s'estimait satisfait.

Cette façon de faire des affaires me semblait bien compliquée. Mais cela résumait bien un trait de caractère national : le Maroc se focalisait sur les interactions sociales, tandis que l'Angleterre s'appliquait à les éviter. Ici, personne ne paraissait intimidé à l'idée de montrer ses émotions ou ses sentiments. Je vis des hommes se saluer en s'embrassant, avant de s'éloigner, main dans la main.

— Ce sont de bons amis, m'expliqua Idris, et il ne s'agit pas de l'euphémisme dont font usage les Européens. Dans ce pays, l'amitié est importante ; lorsque les gens vous demandent comment vous vous portez, ils veulent réellement le savoir et non entendre une phrase type qui les maintienne à distance.

Je souris.

— Alors dites-moi, comment allez-vous aujourd'hui, Idris el-Kharkouri ?

Il s'arrêta net, au milieu de la rue, et se tourna vers moi.

— Avant de me poser une telle question, Julia Lovat, vous devriez vous assurer de vouloir entendre la réponse.

Le rouge me monta aux joues et je détournai le regard.

Pendant un moment, après cela, personne ne prononça un mot tandis que nous traversions la médina et passions devant une multitude de pâtisseries, de cafés et d'étals proposant de la nourriture ou des ustensiles de cuisine. Au détour d'une rue, je découvris un vieil homme assis par terre, ses articles étalés devant lui sur un drap noir. Une foule d'hommes aux visages ravis s'était rassemblée autour de lui pour l'écouter. Je tendis le cou pour mieux voir ; l'un des spectateurs se retourna et me fixa d'un regard noir. Quelques autres l'imitèrent et Idris m'éloigna.

— Pourquoi me regardaient-ils avec une telle hostilité ?

— Ils ne voulaient pas qu'une femme pénètre leurs secrets.

— Mais que vendait-il ? Je veux savoir.

— Des remèdes à l'impuissance, des aphrodisiaques, des substances permettant de prolonger… l'expérience. *La merde de la baleine**, conclut-il dans un éclat de rire.

— Quoi ?

— Ces animaux sont réputés posséder d'énormes… organes. C'est de la magie par sympathie.

— Mais comment est-ce possible de rassembler des excréments de baleine ? Oh, je vois… C'est un charlatan.

— Il s'agit probablement d'argile inoffensive. En tout cas, il paraissait faire de bonnes affaires. Bonne chance à lui. *Al hamdulillah.*

— Tout de même… Comme ça, en public… je pensais que le sexe était un sujet tabou ?

— Vous avez d'étranges idées. Le Coran dit qu'il est important pour un homme de satisfaire son épouse.

— Vraiment ? Quelle merveilleuse religion.

L'épisode rompit la tension qui s'était installée entre nous, et Idris me montra plusieurs objets qui m'étaient inhabituels –

des mains de Fatima en argent pour conjurer le mauvais œil, des vaporisateurs d'eau de rose, du musc, de l'ambre gris. Il m'acheta un petit caillou bleu sombre qui brillait d'un étrange reflet métallique ; la vieille femme derrière l'étal l'enveloppa avec soin dans une page de journal.

— Du khôl, comme celui que Catherine aurait trouvé ici. Ma sœur pourra vous expliquer comment l'utiliser.

Il me montra des poteries aux couleurs vives venues de Safi, plus bas, sur la côte, et échangea des salutations avec le vieux marchand édenté.

— Chaque samedi, je venais ici aux petites heures du matin avant qu'il n'installe son étalage, et il me laissait toujours déballer les plats.

— Aimiez-vous tant la céramique ?

Il sourit.

— Non, mais certaines arrivaient enrobées dans de vieilles *bandes dessinées**, que mon père m'interdisait de lire à la maison. Il était très strict : il considérait que seul le Coran constituait une lecture appropriée pour un garçon de six ans. Il n'aurait certainement pas approuvé les aventures décadentes de Rodéo Rick, Pif, ou Astérix et Obélix. Je m'asseyais à l'arrière de l'étal et me perdais dans ces merveilleux fragments d'histoires, tandis que mes frères déclamaient leurs versets à la maison.

Rue des Consuls, je trouvai les éternels marchands de tapis aux couleurs extraordinaires, trônant dans leurs grottes d'Aladin éclairées de lanternes fabuleuses. Je regardai l'un des commerçants dérouler une descente de lit devant un couple qui s'était arrêté un instant pour admirer et à présent se retrouvait piégé. Personne n'avait tenté de me vendre quoi que ce soit, ce que j'avais d'abord attribué à la présence d'Idris. Puis j'avais compris que la raison provenait de la djellaba et du *hijab* que je portais ; ils camouflaient efficacement mon statut de touriste. Avec suffisance, j'observai les deux Européens – elle dans sa robe onéreuse et ses sandales Prada et lui, vaguement bedonnant dans son pantalon bleu et sa chemise assortie de coton gaufré – qui gigotaient comme des poissons au bout d'une ligne face au marchand. Un autre vendeur se joignit au groupe et se mit à dérouler théâtralement d'autres tapis – une douzaine, pas moins – aux pieds des vacanciers. Comment refuser d'acheter après un tel déploiement ? L'un des tapis toucha par accident la chaussure de la femme. Elle recula d'un bond, s'accrocha au bras de son mari pour ne pas perdre l'équilibre et lui lança un regard chargé d'angoisse.

C'était Anna.

Non, pas tout à fait. C'était Anna *et* Michael, réunis comme une sorte de créature symbiotique à deux têtes, reculant ensemble face à l'attaque. Michael passa son bras autour d'elle, possessif, protecteur, bien qu'il ne semblât guère capable de résister aux assauts du commerçant.

Obéissant à mon instinct, j'agrippai le bras d'Idris, serrant son biceps de toutes mes forces.

— Vite ! Il faut partir !

Je me tournai et l'entraînai à ma suite par-delà les marchands de portes de fer forgé et de lampes en peau de chèvre, jusqu'à la sortie de la médina, au bord de la route qui contournait la vieille ville et où vrombissait la circulation.

— Que vous arrive-t-il ?

Il crut sans doute que j'allais m'évanouir car il me prit brusquement par le coude et m'entraîna vers la réception d'un minuscule hôtel. Me lâchant pour avancer à grands pas vers une porte située au fond du local, il l'ouvrit et appela quelqu'un à plusieurs reprises. Quelques secondes plus tard, un jeune homme vêtu d'un jean et d'un tee-shirt qui arborait « Manchester United » fit son apparition ; les deux hommes se donnèrent l'accolade.

— Voici l'un de mes autres frères, Sadiq, sourit Idris. Je te présente Julia Lovat ; il lui faut du thé et beaucoup de sucre. Vois ce que tu peux faire.

Sadiq me regarda un court instant, adressa à son frère un commentaire inintelligible, puis disparut.

— Il dit que vous avez les yeux de lady Diana, me traduisit Idris en me guidant vers une alcôve à l'éclairage tamisé, meublée de sofas et de tables basses.

— Ridicule, il voulait simplement dire « bleus ».

— Non, le fait que vous soyez anglaise est vraiment... exotique.

« Exotique » : le mot qui me venait à l'esprit quand je voulais le qualifier. Je trouvai déconcertant que l'inverse puisse s'appliquer.

— Basse flatterie ! Vous devriez vendre de l'huile de serpent et de la fiente de baleine aux côtés du charlatan, dans le bazar.

Ses yeux étincelèrent.

— Une autre corde à mon arc.

Sadiq apporta un plateau qu'il posa devant nous avant de disparaître. J'observai Idris qui versait le liquide ambré d'une hauteur délibérément élevée afin que le liquide s'écrase dans le petit verre comme une cascade miniature. Il le but ensuite sans se plaindre de la quantité de sucre – à coup sûr donnant lieu à un diabète carabiné – qu'il contenait.

— À présent, dites-moi pourquoi vous vous êtes enfuie.

Sa question me plongea dans un visible embarras et ses yeux se rétrécirent.

— Quel idiot je fais. Bien sûr... vous avez vu Michael.

Je baissai la tête.

— Oui.

— Mais je suis resté attentif à le guetter, ce matin – comment l'aurais-je raté ?

— Il se trouvait dans l'une des boutiques des vendeurs de tapis.

— J'ai vu quelqu'un, un couple... la femme était petite, brune, très chic.

— Il s'agit d'Anna, sa femme.

Je fixai mes mains, serrées sur mes genoux. Elles se mirent à trembler. Le sucre devait faire son effet.

Idris se pencha par-dessus la table et me prit le menton pour le relever.

— Julia, vous devriez me raconter votre histoire, dans son entier. J'ai l'impression qu'elle ne se limite pas à la simple possession d'un livre ancien.

Je lui racontai tout, les yeux fixés sur le plateau de table : mon amitié avec Anna, ma liaison avec son époux, ma terreur d'être découverte, ma peur qu'il ne m'abandonne ; comment ces craintes avaient modelé ma vie ces sept dernières années en un long catalogue de trahisons et de couardise. Pas une fois, je ne levai la tête pour le regarder dans les yeux ; je m'en montrai incapable. Parce que – comme si les choses avaient besoin d'empirer – je m'aperçus soudain que ce qu'Idris pensait de moi m'importait énormément. Quand et comment cela avait-il commencé ? Mystère. Mais à cette pensée s'ajouta la certitude encore moins réjouissante qu'une fois mon histoire terminée il me mépriserait.

Ma confession achevée, le silence s'éleva entre nous comme une épaisse barrière de verre. Après une éternité de quelques secondes, je risquai une œillade dans sa direction ; son regard froid et distant était fixé sur la fenêtre, derrière moi. Il préférait sans doute l'air marin à la compagnie d'une femme ayant trahi toutes les personnes d'importance dans sa vie et perdu, ce faisant, toute dignité. Que pensait-il de moi, cet homme honnête et droit, qui avait sacrifié ses propres désirs – ces choses que, dans mon pays, on aurait regardées comme son droit le plus élémentaire : une carrière, un salaire lui permettant d'agir à sa guise, une épouse, des enfants – afin de subvenir aux besoins de sa mère devenue veuve et de ses plus jeunes frères et sœurs ? Selon les critères de ma culture, il ne possédait presque rien, mais il était riche dans tous les domaines qui avaient de l'importance.

— J'ai terriblement honte de moi.

Son regard se reporta lentement sur moi. Mon imagination me jouait-elle des tours, ou bien me dévisageait-il avec dédain ?

— Partons, dit-il d'une voix dénuée d'expression, Khaled nous attend.

Il ne m'adressa pas la parole pendant le reste de l'après-midi.

Le café se trouvait rue de Bagdad, derrière la gare centrale. Khaled était un petit quinquagénaire replet doté d'un visage aux traits lisses illuminés par des yeux brillants de curiosité. Il était vêtu d'une gandoura blanche et d'une casquette de base-ball verte ornée des lettres ASS[14]. Il me serra la main avec effusion. Comme mon regard glissait vers sa casquette, il éclata de rire.

— Vous l'aimez ? C'est ma préférée, déclara-t-il dans un anglais excellent. Je la porte en particulier pour surprendre mes étudiants américains, qui trouvent cela hilarant. Les lettres sont les initiales de « *Association sportive de Salé* ». *C'est rigolo, non* * ?

Idris afficha un piètre sourire tandis que je hochais la tête, reconnaissante de cette rupture dans la tension.

— Comme je te l'ai dit au téléphone, Julia souhaite te montrer un livre sur lequel elle aimerait connaître ton opinion, commença Idris, comme désireux d'accomplir sa tâche le plus rapidement possible.

Il passa à l'arabe et son débit s'accéléra ; le visage de Khaled afficha alors une expression choquée. La partie paranoïaque de mon cerveau s'imagina qu'Idris lui racontait que la femme en face de lui, d'allure si innocente dans son *hijab*, était en réalité une créature adultère sans morale qui s'était emparée de façon litigieuse d'un trésor sur lequel elle n'avait aucun droit ; il fallait lui arracher le précieux journal, expliquait-il sans doute, puis la renvoyer dans son monde, où un tel comportement n'étonnait personne. Je sentis mes joues s'empourprer.

— Puis-je voir le livre ? demanda enfin le professeur.

---

14. *Ass*, en anglais, signifie « âne », mais est souvent utilisé comme insulte dans le sens de « cul ». (*N.∂.T.*)

Idris s'appuya au dossier de sa chaise, l'expression détachée, presque fermée, et alluma une cigarette.

Je fouillai dans mon sac et en sortis *La Gloire de la brodeuse*, que je tendis à Khaled. Ses yeux s'illuminèrent. Il déplia une serviette de papier sur la surface mélaminée de la table, comme si des décennies de café, de sucre et de cendres renversés pouvaient par osmose pénétrer le cuir et désacraliser le contenu des pages, et y posa le journal de Catherine. Il caressa la peau de veau et les veinures qui striaient le cuir, puis l'ouvrit avec soin, et entreprit de le lire.

— *Incroyable**.

Il sépara distinctement les quatre syllabes, roulant le « r » de façon appuyée.

— Est-ce réel ? demandai-je.

J'étais assise depuis plus de deux heures et demie, pendant lesquelles j'avais évité le regard d'Idris et siroté un café trop corsé. J'avais gardé les yeux délibérément fixés sur le professeur qui tournait délicatement les pages et penchait parfois le livre pour mieux le déchiffrer. À un moment, il avait sorti une loupe, à un autre, un petit dictionnaire. Il avait émis des « tttt » et des « hum », ôté sa casquette pour se gratter la tête, révélant ainsi un crâne fort dégarni sur lequel un reste de cheveux était soigneusement peigné, murmuré dans sa barbe en arabe puis en français, et même adressé quelques remarques à Idris, que ce dernier n'avait pas songé utile de me traduire. Il avait ri puis était revenu quelques pages en arrière, comme à la recherche d'une référence, avant de poursuivre sa lecture. Il me regarda avec un grand sourire.

— Réel ?

— Ou bien une habile imitation, un faux ?

— *Ma chère Julia**, c'est aussi réel que vous et moi.

Un peu étourdie par la faim et l'appréhension, toutefois, je me sentais à cet instant si vidée que je craignais de manquer de réalité.

— Excusez-moi, pouvez-vous m'expliquer ?

— Il n'existe, à ma connaissance, aucune description, dans quelque langue que ce soit, de la vie d'une femme captive aux premiers jours de Salé, avant que l'indépendance de la cité n'ait été établie ; et le fait que ce récit soit de sa propre main rend ce livre tout à fait unique. Le sidi Al-Ayyachi est un personnage sur lequel bon nombre de documents existent, et il m'est arrivé au cours de mes recherches de trouver des références à l'un de ses lieutenants nommé Qasem ben Hamed ben Moussa Dib. Le voir mentionné ici est tout simplement fascinant.

— Qui ?

— Qasem ben Hamed ben Moussa Dib, connu dans diverses légendes sous le nom de Djinn, ou Chacal – « dib » signifie renard ou chacal en arabe –, ou encore l'homme d'Andalousie. Il semble qu'il ait été un Hornacheros, un Maure andalou expulsé d'Espagne par Philippe III. Sa famille, raconte-t-on, fut assassinée par l'Inquisition, aussi revint-il à Rabat. Il apprit le métier de corsaire sous la tutelle du tristement célèbre Hollandais Jan Jansz, autrement connu sous le nom de Murad Raïs, lorsque ce dernier officiait comme amiral de la flotte de Salé. Après quoi, il fut élu raïs – un capitaine de la flotte – et combattit comme *al-ghuzat* : un combattant sacré dans la lutte contre les ennemis du Prophète. Ceci nous apprend des choses totalement inédites sur lui : il entretenait des liens plus étroits avec le pirate anglais John Ward qu'avec Jan Jansz, il mena la flotte sur les côtes anglaises en 1625, et il s'agissait d'un personnage plus complexe et plus cultivé que ce que toutes les légendes insinuent.

— Vous en parlez avec un respect bien supérieur à celui que j'aurais attendu à l'endroit d'un pirate.

Khaled sourit.

— Je vous ferais sans doute cette même remarque au sujet de votre Robin des Bois ou de votre Francis Drake, et certainement de votre Richard Cœur de Lion. Le héros d'un peuple est le vilain d'un autre : tout dépend de quel côté vous vous tenez. L'Histoire est une chose fort malléable, habituellement écrite par les vainqueurs.

— J'ai toujours préféré Saladin, remarquai-je doucement.

— Un autre grand *al-ghuzat* : et à l'inverse de votre Richard Cœur de Lion, il fit preuve de mansuétude en ses victoires.

— Mais la broderie, dis-je pour changer de sujet ; Catherine a-t-elle vraiment pu enseigner son art aux femmes locales ?

— J'ai peur de ne pas être expert en ce domaine, mais ce journal se termine abruptement. Savez-vous ce qu'il advint d'elle, de cette Catherine Tregenna ?

— Le récit ne s'arrête pas là.

Je lui montrai les photocopies que Michael m'avait laissées au *riad*. Il lut les deux pages puis les tourna, cherchant la suite.

— Où est le reste ? Vous ne pouvez pas m'abandonner ainsi, en plein suspense. Le jeune homme l'a suivie ici : est-il parvenu à rassembler sa rançon ? Sont-ils rentrés ensemble dans votre pays ?

— Je ne sais pas.

— Il nous faut trouver la réponse ! Je veux absolument lire le récit de ce – il parcourut à nouveau la première page – ce Robert Bolitho.

— Un ami est en possession des lettres, déclarai-je, mal à l'aise.

— Eh bien, c'est tout simple. Merveilleux. Je me réjouis de les lire. En attendant, Julia, dites-moi : que souhaitez-vous faire de votre livre ?

J'hésitai.

— Je ne sais pas exactement. Qu'en pensez-vous ?

Les yeux du professeur se mirent à briller.

— Il s'agit d'un trésor magnifique qui contient des informations uniques sur l'histoire de mon pays. Sa disparition constituerait une tragédie. J'aimerais vivement effectuer davantage de recherches à son sujet, écrire un article… peut-être même un livre.

Il se montrait franc.

— Pour l'heure, vous pourriez en posséder une photocopie. Pendant que je prends une décision sur ce que j'en ferai.

Il m'accorda un sourire resplendissant.

— Ce serait merveilleux.

Une boutique se trouvait derrière le ministère de la Justice, où l'on pouvait effectuer des copies. Je restai dehors, assise sur le trottoir, tandis que Khaled photocopiait avec le soin infini d'un homme accoutumé à manier des livres anciens. Idris émergea de la boutique et s'adossa au mur, fuma une cigarette d'un air nerveux, sembla un instant sur le point de me parler, puis retourna à l'intérieur sans prononcer un mot.

Enfin, le professeur me rendit le livre de Catherine et me serra la main.

— Permettez-moi de vous laisser mon numéro de téléphone, dit-il. Comme cela, vous pourrez m'appeler quand vous prendrez votre décision, d'accord?

Je souris.

— D'accord.

Je sortis mon portable tandis que Khaled s'emparait du sien, et lui communiquai mon numéro tout en allumant mon appareil. Lorsque mon écran s'illumina, un bip sonore accompagna le texte suivant: « 7 appels manqués ».

J'avais aussi trois messages. Deux provenaient de Michael et un – mon cœur cogna – d'Anna. J'entrai le numéro de Khaled en mémoire, verrouillai le clavier sans interroger ma boîte vocale et remis mon téléphone dans mon sac.

— Je vous appellerai, promis-je, avant de reculer d'un pas tandis qu'Idris et lui s'embrassaient.

Lorsque le professeur eut disparu, Idris se tourna vers moi et me demanda:

— Et maintenant?

C'étaient les premières paroles qu'il m'adressait depuis que nous avions quitté l'hôtel de son frère. Le soleil pesait sur mes épaules et la tête me tournait. Après avoir tourné le coin de la rue et atteint l'avenue Mohammed-V, près de la gare, je dis d'une voix misérable :

— J'ai tout gâché. Et maintenant, vous me méprisez et vous me détestez ; je ne vous en blâme pas. Mais j'essaierai d'arranger les choses, je le promets.

Je levai les yeux vers lui, mais le soleil m'éblouit et m'empêcha de distinguer son visage. Le monde chavira soudain ; je me retrouvai à terre, des taches noires dansant devant mes yeux

— Julia !

Il m'aida à me relever et me porta presque dans les escaliers qui menaient au hall de la gare. Quelques instants plus tard, j'étais assise sur une chaise de plastique orange, une énorme pâtisserie et une bouteille d'eau minérale devant moi.

— Vous n'avez rien mangé de la journée, dit-il sévèrement.

— Vous non plus.

— J'y suis habitué, ainsi qu'au soleil ; ce n'est pas votre cas. Je pensai que le *hijab* vous préserverait mais la chaleur aujourd'hui se montre impitoyable.

Tout comme vous, songeai-je, mais je ne fis aucune remarque.

Je mordis dans le gâteau et quelques flocons d'amande cascadèrent dans l'assiette. Par-dessus son épaule, j'aperçus un panneau d'affichage ; le prochain train pour Casablanca partait dans quinze minutes. Cela me laissait tout juste le temps d'acheter un billet et de m'enfuir une fois de plus. Cette perspective me tentait : j'avais mon passeport et mon billet d'avion avec moi, et rien de ce qui se trouvait dans le sac laissé chez Idris n'était irremplaçable. Je passerais la nuit dans un hôtel anonyme à Casa et attraperais un vol pour Londres le jour suivant ; puis j'irais me voiler la face dans mon nouvel appartement. Ensuite… mon avenir s'étalait devant moi comme un gouffre, noir et béant. Quelle chance tu as eue, Catherine, songeai-je. Quelqu'un l'avait aimée suffisamment pour traverser les océans et risquer sa vie afin de la ramener. C'était bien plus romantique que de franchir les mers avec sa femme à la traîne pour reprendre le cadeau qui scellait la fin de sa liaison !

— Je vous dois des excuses, déclara soudain Idris.

— Insolation, répliquai-je faiblement, pas votre faute.

— Pas pour ça mais pour aujourd'hui, parce que j'ai cessé de vous parler après votre histoire. Je ne savais pas quoi dire. Vous avez évoqué des souvenirs douloureux, et votre honnêteté m'a rendu honteux.

Un instant, je crus que son anglais lui faisait défaut et qu'il avait voulu dire qu'il avait eu honte pour moi. Lorsque je réalisai la véritable teneur de ses paroles, il s'était remis à parler, de façon précipitée, je dus faire un effort de concentration pour le suivre.

— Lorsque le contrat de Francesca s'est achevé et qu'il lui a fallu partir, j'étais désespéré. Je voulais mourir. La mort me semblait la meilleure solution au bouleversement de mon existence. Pourtant, je continuai de vivre, de manger, de respirer ; bien que longtemps habité du sentiment d'être diminué, je restai en vie, soutenu par ma famille, qui m'aidait à ne pas m'effondrer totalement. Lorsqu'elle est repartie aux États-Unis, nous avons gardé le contact. Elle me promit qu'elle allait divorcer de son mari et me demanda si j'étais prêt à quitter le Maroc pour vivre avec elle. Je me suis même rendu au consulat pour voir ce qu'il fallait faire pour obtenir un visa. Bien entendu, ils ont refusé de me l'accorder : un musulman célibataire, venu d'un pays qui avait engendré un certain nombre d'islamistes radicaux, désireux de se rendre aux USA sans raison apparente, juste après le 11 septembre ? Même moi, je me serais refusé un visa ! Je ne pouvais pas avouer ma liaison avec Francesca : elle avait été ma tutrice à l'université, et elle était mariée. Notre relation était scandaleuse, de multiples façons. Ils auraient pu m'emprisonner et l'empêcher de revenir. J'abandonnai alors mes études et travaillai à plein temps comme chauffeur de taxi : de jour, de nuit, sans journée de repos. Je voulais l'oublier et rendre en argent à ma famille le soutien qu'ils m'avaient apporté. C'était il y a six ans. Alors vous voyez, Julia, je ne vous méprise pas. Je sais, moi aussi, ce que c'est que de perdre son cœur, et en d'affreuses circonstances.

Son récit ne m'avait pas véritablement choquée mais surprise, car Idris ne me semblait pas homme à céder à la passion : il paraissait calme, réservé, capable de maîtriser ses émotions, en parfait accord avec le monde qui l'entourait. Comme les apparences pouvaient se montrer trompeuses ! Je me penchai par-dessus la table et posai ma main sur son bras. Il recula d'un bond, comme si je l'avais brûlé.

Les gens nous regardèrent. Visiblement, porter une femme prise d'insolation était une chose, mais que celle-ci montre le moindre signe d'affection en public était une autre.

— Vous avez dit avant de vous évanouir : « J'essaierai d'arranger les choses, je le promets. » Qu'avez-vous voulu dire par là ?

Je sortis mon téléphone et le posai entre nous, sur la table.

— Je ne peux pas continuer à m'enfuir. Je dois faire face à certaines choses et, si je le peux, faire amende honorable.

Le premier message de Michael disait :

Prqoi es-tu partie de tn hotel ? Appèl-moi STP. M.

Le second était plus frénétique :

Dois te parler. Urgt. Appèl-moi.

Je les effaçai tous deux. Le troisième message était d'Anna. Je devais le lire, même si je n'en avais pas très envie. Je déglutis, inspirai un bon coup et l'affichai :

Julia, je sais tout mais tu es toujours mon amie. Je dois te voir. J'ai une chose à te dire et une autre à te montrer. Veux-tu bien m'appeler ? Bisous, Anna.

Des larmes me vinrent soudain aux yeux et je les essuyai du revers de la main. « *Julia, je sais tout mais tu es toujours mon amie... Bisous, Anna.* » Elle savait que Michael l'avait trompée avec moi. Mais malgré la souffrance que je lui avais infligée, elle avait la délicatesse d'utiliser une formulation qui me touchait au cœur et me rappelait les jeunes filles que nous avions été. Je réalisai brusquement que, tout ce temps, ma peur n'avait pas été de perdre Michael, mais qu'Anna apprenne ce que je lui avais fait. Michael et moi avions cru en des liens qui nous unissaient, mais seule notre culpabilité les avait tissés. À présent que notre liaison était exposée à la lumière du jour, elle m'apparut enfin sous ses vraies couleurs : dérisoire. Je me sentis plus légère. J'étais libre, enfin ! Malgré tous mes défauts, je méritais mieux qu'un homme qui, chaque matin et chaque soir pendant sept ans, tournait un visage souriant vers son épouse, mensonge aux lèvres, duplicité au cœur.

Alors, devant Idris qui m'observait, je téléphonai et convins d'un rendez-vous.

— Anna ?

— Julia ? Seigneur, c'est vraiment toi ?

Ma main s'envola vers mon *hijab*. Je grimaçai un sourire.

— C'est vraiment moi. Et voici mon ami, Idris.

Elle écarquilla les yeux en voyant Idris s'avancer et s'incliner pour lui baiser la main.

— *Ravi de faire votre connaissance. Bienvenue à Rabat, madame**, déclara-t-il avant de se tourner vers moi. Je vous attends au bar, d'accord ?

Il traversa la réception de l'hôtel dans un tourbillon de tissu, échangeant d'amicales salutations en arabe avec le personnel, l'air plus que jamais d'un marchand médiéval de chameaux. Connaissait-il tout le monde, à Rabat ?

Anna ordonna que du thé soit monté dans sa chambre.

— *Du thé anglais**, précisa-t-elle fermement à l'employé derrière la réception, du Twinings, si vous en avez.

Puis elle me prit par le bras et me mena à l'étage. Contrairement à ce que j'avais cru, Michael ne se trouvait pas dans la pièce. J'en éprouvai un grand soulagement.

— Cet homme qui t'accompagne est vraiment magnifique, remarqua Anna en refermant la porte. Quelle silhouette ! On dirait un Néfertiti masculin. Où diable l'as-tu trouvé ?

— Oh, c'est lui qui m'a trouvée, répondis-je, évasive.

Un silence embarrassé s'installa. Je me forçai à le briser.

— Écoute, Anna, je dois le dire. Je suis vraiment, vraiment désolée. Je sais que c'est totalement inadéquat de parler ainsi après ce que j'ai fait, surtout pendant si longtemps, mais je suis sincère.

— Difficile de s'excuser d'une chose pareille, n'est-ce pas ?

— C'est vrai. Je n'ai pas d'excuse, pas une seule. Je sais que cela a détruit notre amitié.

— Sans parler de mon mariage.

Je baissai la tête.

— Julia, j'en ai parlé jusqu'à l'extinction de voix avec Michael et franchement je ne peux pas recommencer avec toi. C'est terminé, n'est-ce pas ?

Je hochai la tête, les lèvres serrées.

— Alors, remuer les cendres ne sert à rien. Je crois que, dès le début, j'ai su. En fait, lorsque je l'ai persuadé de m'épouser, je me suis sentie étrangement coupable, comme si je te l'avais enlevé. Vous auriez été mieux assortis que nous, capables de vous rendre plus heureux… Ce qui n'aurait pas été difficile, déclara-t-elle avec un rire sans joie. Mais finalement, je suis parvenue à sauvegarder quelque chose de cette situation.

— Un nouveau départ ?

— On peut le dire comme ça. Après tout ce temps, je suis enfin tombée enceinte. J'en ai retiré d'effroyables nausées, mais je vais garder cet enfant. Je le veux depuis longtemps.

Je me souvins d'elle, sur le quai de la gare de Penzance, pâle. Enceinte. De l'enfant de Michael. Et lui, bien sûr, le lâche, n'avait pas eu le courage de me l'annoncer. J'en ris presque. Michael détestait les enfants – le bruit, le désordre, le besoin sans fin d'attention. Il avait avec moi montré une vigilance obsessionnelle pour les moyens contraceptifs ; vérifiant sans relâche la qualité des préservatifs, il m'avait même un jour traînée dans une pharmacie après que l'un d'eux s'était rompu, afin de demander une pilule du lendemain. Une petite voix susurra dans un coin de ma tête : « Bien fait ! » Mon amie, avec la détermination qui la caractérisait, avait finalement obtenu ce qu'elle voulait.

— Félicitations, Anna. C'est une merveilleuse nouvelle, déclarai-je, sincère.

— Je démissionne de mon poste pour débuter en freelance. J'ai déjà signé un contrat d'un an avec le magazine ; après ça, on verra. Michael est plutôt effrayé à ce sujet.

— L'argent.

Elle émit un petit rire sans joie.

— En grande partie, oui.

— C'est pour cela que tu veux le livre, alors. Je suppose qu'il vaut son pesant d'or, si l'on sait à qui s'adresser.

— Non, non, ce n'est pas cela.

Un coup frappé à la porte l'interrompit. Elle se leva pour ouvrir et s'exclama : « Oh, c'est vous », d'un air surpris, avant de poursuivre :

— Merci, comme c'est gentil de votre part.

— Ce n'est rien, répondit Idris, qui entra dans la pièce, le plateau sur les bras. Je voulais m'assurer que tout allait bien.

Je lui souris ; il semblait si grand, si grave, dans son turban et sa djellaba. En d'autres circonstances, je l'aurais embrassé ! La présence d'Anna était probablement une bonne chose.

— Tout va bien.

Il posa le plateau.

— Je pense que c'est du Lipton, dit-il en s'adressant à Anna, bien qu'ils vous aient sans doute affirmé qu'il s'agissait de Twinings.

Il m'accorda un clin d'œil presque imperceptible, s'inclina, puis sortit de la chambre.

Anna le suivit des yeux.

— Travaille-t-il ici ?

— Non.

— Il semble se préoccuper de toi.

— C'est un homme... bon.

— Prends garde à toi, Julia. On entend d'effroyables histoires de femmes séduites par des Marocains qui n'en veulent qu'à leur passeport anglais et à leur argent.

— Tout ne tourne pas toujours autour de l'argent, Anna.

Elle m'accorda un bref sourire un peu nerveux.

— Je sais. Désolée. Écoute, laissons le thé infuser un peu, je voudrais te montrer quelque chose.

Elle se leva et traversa la pièce vers un joli petit sac de cuir, posé sur un coffre, contre le mur. Elle l'ouvrit et en sortit un objet enrobé de papier de soie blanc, qu'elle déposa sur le lit.

— Lorsque Alison nous a parlé du dessin de l'Arbre de la Connaissance mentionné dans le livre que Michael t'a donné, je me suis souvenue de l'héritage que m'a légué ma grand-tante en même temps que la maison de Suffolk. Elle m'a dit qu'il s'agissait d'une commande destinée à l'église Saint-Michel de Framlingham, mais qui n'avait jamais été achevée ni utilisée. Elle ajouta quelque chose au sujet de ces puritains qui n'appréciaient pas l'art figuratif, ni toute décoration qui distrayait l'attention lors de la prière. Alors je suis allée la chercher...

Elle ouvrit le papier de soie, qui révéla un grand carré de lin blanc que l'âge avait quelque peu jauni, çà et là moucheté de taches couleur d'automne.

Muette de surprise, je tendis le bras et dépliai l'objet. L'Arbre de la Connaissance de Catherine s'éleva devant nous, antique et incongru sur le couvre-lit moderne et synthétique de l'hôtel. Une partie seulement de la broderie était achevée : la bordure de feuillages et de fleurs intriqués, un lapin, un couple de tourterelles, une pomme. Tout cela montrait une finesse et un réalisme merveilleux. Au-dessus s'élevait l'Arbre, festonné d'une guirlande de feuilles, tandis que le serpent se lovait autour du tronc pour s'approcher d'Ève, dont la longue chevelure couvrait la nudité laiteuse et le corps élancé. Adam était à peine esquissé, de l'autre côté, et le reste demeurait inachevé. Mais même ainsi, il s'agissait d'une œuvre magnifique. Je tombai à genoux, submergée d'émotion.

— La nappe d'autel de la comtesse de Salisbury, murmurai-je enfin.

— Vraiment ? Tu en es certaine ?

Je fouillai dans mon sac à la recherche du journal de Catherine. Je l'ouvris à la page sur laquelle elle avait fait son dessin et le tint à côté de la nappe.

Le regard d'Anna passa de l'un à l'autre, émerveillé. Ses doigts suivirent la silhouette d'Ève sur la page du livre, puis sur le carré de lin.

— Extraordinaire, incroyable... Il s'agit vraiment de la nappe d'autel de la comtesse de Salisbury. Une véritable tapisserie du XVIIe siècle.

— C'est une broderie, pas une tapisserie. Et je ne peux pas croire que tu aies pris l'avion pour le Maroc avec une chose d'une telle valeur dans ton sac !

— Je voulais te persuader de faire quelque chose pour moi, et je savais que te convaincre serait difficile avec une simple photo. En plus, tout cela s'articule autour de coïncidences étranges ; je crois que la providence joue un rôle là-dedans.

Je la regardai attentivement.

— Que veux-tu que je fasse pour toi ?

— Tu possèdes le livre, et c'est la preuve.

— La preuve ?

— La preuve d'origine. Pour le musée Victoria & Albert. C'est ce que ma grand-tante aurait voulu. J'ai une amie qui travaille au département des publications et elle connaît quelqu'un au département textiles : ils aimeraient beaucoup le voir. Je voulais que tu acceptes de m'accompagner afin de le leur montrer.

— Je croyais que tu voulais vendre le livre. Michael montrait un tel acharnement à mettre la main dessus. Il a fouillé mon appartement, à Londres, tu sais ; puis il m'a suivie en

Cornouailles pour me dire qu'il me l'avait donné par erreur. Enfin, il m'a pourchassée jusqu'au Maroc où il m'a laissé des messages plutôt menaçants au *riad*...

— Je ne savais pas. Je suis désolée, Julia.

Elle pinça les lèvres et poursuivit, mordante :

— Comme c'est charmant de sa part : « Donné par erreur. » Comme lui-même, sans aucun doute ? Michael semble croire que nous tirerons une fortune de cette nappe d'autel une fois la preuve apportée de son origine, et je n'ai rien fait pour l'en dissuader. Mais en fait, si elle se révèle authentique, j'ai promis au V&A de la leur laisser gracieusement tant qu'ils l'exposeront accompagnée de toute l'histoire. Michael sera furieux lorsqu'il l'apprendra.

Elle émit un gloussement joyeux. Il m'apparut soudain que l'équilibre de leur relation s'était déplacé, elle tenait à présent son mari bien en main et semblait jouir de son tout nouveau pouvoir.

Une autre pensée me vint alors à l'esprit :

— Anna, j'ai toujours su que ta famille bénéficiait d'une position, heu, élevée, mais cette nappe d'autel a été donnée à Catherine Howard, comtesse de Salisbury...

Elle éclata de rire.

— Ah, mais mère est une Howard, tu sais.

— Tu es une Howard ? *La* famille Howard, qui compta Catherine Howard[15] et le duc de Norfolk ?

— Oui, mais le sang s'est un peu dilué. Nous étions grands en notre temps, mais à présent nous ne possédons plus la moitié de l'East Anglia. Mon héritage s'est limité au manoir de Suffolk de ma grand-tante Sappho, à quelques ressources financières, et au cottage. Ma famille, je crois, a possédé St Michael's Mount pendant quelque temps, mais a dû le revendre lors de la guerre civile. Dommage, j'aurais bien aimé vivre sur une île...

---

15. Catherine Howard, nièce du duc de Norfolk, épousa Henri VIII et devint ainsi sa cinquième épouse. Le roi la fit décapiter pour infidélité moins de deux ans après leur union. Son sort, en cela, suivit celui échu six ans plus tôt à sa cousine, Anne Boleyn. (*N.d.T.*)

— Alors, tu es riche ?

— Eh bien, je n'irais pas jusque-là. À l'aise, plutôt.

— Alors pourquoi Michael se plaint-il toujours de problèmes d'argent ?

— Dans ma famille, on ne parle pas de ce genre de choses. C'est vulgaire, je trouve. Michael ne sait rien ou presque de mes possessions.

Uni tout ce temps à une héritière mais rongé d'inquiétude, quelle ironie ! J'éclatai de rire.

— Il affirmait que tu manquais d'argent.

Le rire clair d'Anna résonna à son tour dans la pièce.

— Michael est convaincu qu'avoir un enfant va nous saigner à blanc. Je lui ai dit que s'il le craignait tellement, il pouvait vendre son appartement à Soho. Mon aveu l'a choqué : il n'avait pas réalisé que j'étais au courant. Mais je le sais depuis des années. Je vous ai vus y entrer et en sortir ensemble une douzaine de fois. Au début, cela me rendait malade, parfois même au bord de la folie : je le suivais, j'espionnais ses moindres mouvements.

Je fermai les yeux, épouvantée.

— Et jamais tu ne l'as confondu au grand jour – ni moi.

Elle secoua la tête.

— Tu aurais pu le quitter, en épouser un autre ; un homme qui aurait eu de la valeur, insistai-je.

Elle demeura un instant immobile puis répondit enfin :

— Oui, c'est un salaud, n'est-ce pas ? Mais je l'aime, Julia. Je l'aime vraiment, depuis toujours, et à jamais. Je n'y peux rien : il est mon talon d'Achille. On ne peut rien faire contre l'amour, n'est-ce pas ?

Je souris.

— Non.

Je caressai de nouveau le merveilleux travail effectué quatre cents ans plus tôt, d'autant plus extraordinaire qu'il était inachevé. La partie manquante représentait une énigme obsédante, on ne pouvait s'empêcher d'y rêver. L'amour n'agissait-il pas ainsi ? Un mystère demeurait toutefois, qu'il me fallait résoudre.

— Je dois vraiment savoir ce qui est arrivé à Catherine, déclarai-je.

En bas, au bar, Anna nous commanda un verre de vin blanc. Idris me surprit en demandant une bière.

— Une autre transgression, le taquinai-je tandis qu'Anna avançait vers le comptoir.

Il prit un air chagriné.

— Il est vrai qu'on est vendredi, peut-être devrais-je boire de l'eau...

Michael choisit cet instant pour pénétrer dans le bar. Des taches de transpiration auréolaient sa chemise. Il semblait souffrir de la chaleur et de l'énervement.

— Scotch, un double ! aboya-t-il en voyant son épouse au bar.

Le barman, reconnaissant un homme qui en avait grand besoin, posa la bière, s'empara d'une bouteille de whisky et en versa aussitôt une généreuse rasade.

— J'ai un mal de pied effroyable. J'ai visité le moindre hôtel de cette satanée ville sans que cette foutue bonne femme...

— Bonjour, Michael.

Il se retourna si brusquement que la moitié du whisky qu'il venait de recevoir se répandit sur ses chaussures.

— C'est bon pour les ampoules, dis-je, puérile, et Anna étouffa un rire.

Il me regarda fixement, puis son regard passa à Idris et une expression mauvaise s'inscrivit sur ses traits.

— Tu n'as pas perdu de temps pour t'acclimater, je vois.

Idris se leva de son siège, sa taille impressionnante encore allongée de quelques centimètres grâce au turban qu'il portait.

— Assieds-toi, Michael, et arrête de faire une scène, exigea Anna d'une voix sévère, du ton avec lequel elle se serait adressée à un employé subalterne. Ce monsieur se nomme Idris, il s'agit d'un expert de la ville et de son histoire.

— Idris el-Kharkouri, compléta Idris d'une voix ferme. *La bes.*

Il inclina la tête, puis toucha son cœur de la main.

Michael le dévisagea avec suspicion avant de lui tourner grossièrement le dos.

— Où est le livre, Julia? J'ai fait un long chemin pour le récupérer.

— Julia et moi sommes parvenues à un accord, intervint Anna avec calme.

Elle me donna un verre de vin et la bière à Idris, qui la remercia d'un «*shokran bezef*», jouant à la perfection son rôle de guide berbère.

— Que veux-tu dire par «un accord»?

— Où sont les lettres de Robert Bolitho, Michael? Je ne les trouve pas.

— Tu ne pensais pas que j'allais les laisser dans la chambre pour que le premier voleur arabe venu les embarque, non? Elles se trouvent dans le coffre de l'hôtel; ils ont pour instruction de ne les confier à personne d'autre que moi.

Ce Michael-là différait de celui que j'avais connu. Il était plus nerveux, plus agressif. Me voir avec Idris l'avait offensé, sans doute. J'en retirai une sombre – quoique indigne – satisfaction.

— Eh bien, va donc les chercher, ordonna Anna en lui prenant sa boisson des mains, essuyant le cul du verre avec une serviette comme elle l'eût fait d'un biberon. Allez, va!

Elle attendit son départ puis se pencha sur la table.

— Voici ce que je te promets: je te confie les lettres si tu me laisses emporter le journal, pour l'instant. Notre avion décolle demain, mais je ne crois pas que Michael s'en ira sans cet ouvrage. Toutefois, je te jure – et Idris est témoin – qu'il reste ta propriété; tu en feras ensuite ce que tu voudras. À ton retour, nous échangerons les lettres contre le livre, si tu acceptes de m'accompagner au V&A pour authentifier la nappe d'autel. Marché conclu ?

Idris me lança un regard d'avertissement mais je secouai la tête : « Tout va bien. » Puis je pris la main d'Anna.

— Marché conclu.

J'avais siroté la moitié de mon vin lorsque je me souvins de l'autre question que je voulais lui poser.

— Les lettres de Robert Bolitho ? Où les avez-vous trouvées ?

— Dans le grenier d'Alison, dans sa ferme de Kenegie. Quelqu'un les avait enfermées dans la bible de famille, où, je suppose, elles avaient leur place.

— Que veux-tu dire ?

— Eh bien, la mère d'Alison se nomme Bolitho, n'est-ce pas ? Tu devrais le savoir : c'est ta cousine. J'ai toujours trouvé ce nom étrange. Un jour, à la fac, on a joué à ce jeu ; tu sais, celui qui consiste à créer ton pseudo de star du porno en accolant le nom de ton premier animal domestique à celui de jeune fille de ta mère ? Le mien a donné Silky Pevsner, le sien Candy Bolitho, pas mal, non ? Enfin, liens familiaux ou non, elle déménage ; c'est un bien grand endroit quand on est seule.

J'étais consternée, pour de nombreuses raisons. Je me souvins du malaise qui m'avait envahie là-bas, de l'abattement qui s'était emparé de moi. J'avais alors cru – superstitieuse comme je le suis ! – sentir la présence d'Andrew. Et si cela avait été autre chose ?

— Où ira-t-elle ?

— Elle veut m'acheter mon petit cottage à Mousehole ; elle en est tombée amoureuse ! Nous avons passé un accord : je le lui abandonne pour un bon prix et elle me cède les lettres.

Anna afficha un petit sourire moqueur et conclut :

— Elle a déjà emménagé comme locataire, le temps que la procédure de transmission s'effectue, et surveille les travaux.

Avant que j'aie eu le temps de poser une autre question, Michael survint, enveloppe en main, l'air plus fatigué que jamais.

— Seigneur, ces gens-là ne comprennent pas un seul mot d'anglais.

— C'est parce qu'ils parlent le français, chéri. Bon, Julia a accepté d'échanger le livre contre les lettres que nous avons trouvées.

Michael me dévisagea, l'air surpris.

— Oh, bien.

Il oscilla devant la table, comme s'il allait perdre l'équilibre, puis se laissa tomber sur un siège. Il ouvrit l'enveloppe, dont il sortit une liasse de photocopies ainsi qu'une autre liasse de feuilles de papier couvertes d'une écriture soignée. Même d'où j'étais, je reconnus la calligraphie propre et méticuleuse de Robert Bolitho.

— Le livre, demanda Michael en séparant les originaux des copies et en me tendant ces dernières. Donne.

Anna émit un petit bruit réprobateur, puis avança le bras pour lui prendre les documents des mains. Elle plia les photocopies, qu'elle rendit à Michael, puis glissa les originaux dans l'enveloppe qu'elle me tendit.

— Mais qu'est-ce que tu fiches, bordel ?

— Je fais du commerce équitable, répondit Anna d'une voix douce. Le livre, Julia, s'il te plaît.

Solennellement, je plongeai la main dans mon sac pour en sortir *La Gloire de la brodeuse*. Je caressai amoureusement le cuir doux et soyeux et l'aspérité un peu brunie de la couverture, cette marque que la cousine du corsaire avait laissée lorsqu'elle avait voulu le brûler.

— Adieu, Catherine, murmurai-je.

— *Au revoir**, me corrigea Anna avec douceur.

— On se revoit à Londres, ajoutai-je avec un sourire. Je rentre dans quelques jours. Je t'appellerai.

La main d'Anna se referma sur la mienne.

— Oui, appelle-moi, mon amie.

Puis elle recula, tenant le livre contre sa poitrine comme un bouclier.

Je me levai pour partir. Idris tendit la main à Anna, qui la serra en lui souriant.

— Je suis enchantée d'avoir fait votre connaissance, Idris. J'espère que nous aurons l'occasion de nous revoir.

— *Enchanté, madame. À la prochaine*, incha'allah.*

Il se tourna vers Michael et enchaîna :

— J'espère que vous avez apprécié votre court séjour dans l'hôtel de mon cousin et que votre visite du Maroc a constitué une forme d'enseignement, déclara-t-il dans un anglais parfait. Notre culture s'enorgueillit de la qualité de notre hospitalité et de notre courtoisie. Et bien entendu, nous pouvons exiger que la langue soit tranchée de quiconque maltraite notre honneur ou celui de l'un des membres de notre famille.

Il me sembla soudain que le teint de Michael devenait légèrement cireux.

Dehors, sous la lumière éclatante du soleil, je louchai en direction d'Idris.

— Était-ce la vérité ? Je veux dire, cette histoire de langue coupée ? Je sais qu'en Arabie saoudite la charia permet de couper la main des voleurs, de flageller les ivrognes, de lapider les femmes adultères et autres choses horribles, mais je croyais le Maroc plus libéral.

Idris m'attira à l'ombre d'une allée, pencha la tête et m'embrassa, un baiser aussi bref qu'intense.

— Et cela me vaudra un mois de prison, affirma-t-il d'un air solennel.

S'il plaisantait ou non, je n'en avais aucune idée.

28

Rob
1625

La forêt se révéla un endroit étrange : en Cornouailles, Rob connaissait tous les arbres et les plantes ainsi que leur nom, les fleurs et fruits qu'ils portaient, et leur cycle de vie que rythmaient les saisons. Mais ici, les arbres possédaient une écorce rougeâtre, rugueuse et dotée de longues entailles verticales, tandis que leurs branches étaient lisses, rondes et largement espacées. Ces dernières formaient un dais épais et sombre, aussi, au pied des arbres, ne poussait-il guère de végétation. Cela en tout cas signifiait moins d'endroits où les brigands pouvaient se cacher pour leur tendre une embuscade.

Ils marchaient l'un derrière l'autre, Rob s'appliquant à suivre les pas de son compagnon de route. Une demi-journée s'écoula sans incident. Ils déjeunèrent de biscuits et de viande séchée qu'ils avaient emportés du bateau et se désaltérèrent à un ruisseau. Ils se remirent ensuite en marche, sans prononcer une parole. L'esprit de Rob en profita pour musarder, et le jeune homme se souvint de sa dernière conversation avec sir John, qui s'était terminée sur une note amère.

« Deux, et pas un de plus. Ramènes-en davantage et je les vendrai moi-même en esclavage ! » avait rugi Killigrew.

De mauvaise grâce, Rob avait dû accepter. Que diraient les gens lorsqu'il reviendrait au village en la seule compagnie de Catherine et d'une autre personne, alors que tant de leurs compatriotes avaient été enlevés ? Il savait, d'après la missive qui leur était parvenue, que la mère de Catherine avait survécu, et le devoir lui soufflait de la sauver en même temps que son aimée, mais plus il y songeait, plus cette idée lui pesait. Rob n'avait jamais apprécié cette femme. Ses amis, au pays, ne manqueraient pas de se railler de lui pour s'être encombré de cette femme acariâtre sans nul doute encline à le réprimander et à le rabaisser en toute occasion. Mais comment faire, si Cat refusait de le suivre sans elle ? Non qu'elles soient si proches, en vérité, mais on affirmait que le sang était plus épais que l'eau. Après réflexion, il aurait préféré emmener Matty – brave Matty, si décente, si placide. Elle était jeune, au contraire de Jane Tregenna, qui était vieille et sèche. En toute logique, ne devrait-il pas la sauver ? Elle serait ainsi en mesure de vivre une existence chrétienne et d'avoir des enfants pour la plus grande gloire de Dieu. Il se rappela le visage sévère et pincé de Jane Tregenna, le compara aux traits ouverts et pulpeux de la jeune servante. Sa décision fut prise. Incapable de brider son imagination, il se représenta Cat acceptant de grand cœur de l'épouser quand tout serait terminé. Elle lui ouvrait les bras, reconnaissante de ce colossal effort qu'il avait déployé pour venir la sauver, voyant dans son héroïsme celui des chevaliers qui peuplaient les récits qu'elle aimait tant. Mais sa conscience l'aiguillonna quelque peu ; il avait tort d'envisager l'amour de Cat en récompense. La délivrer des idolâtres aurait dû être suffisant. N'était-il pas un croisé intrépide qui allait combattre les infidèles, au nom de la chrétienté ? Cette image lui plaisait davantage. Il se comporterait en preux véritable sur le chemin du Seigneur, et en tirerait récompense au ciel. « Mais je préférerais ma récompense sur terre, dans mes bras. »

Un oiseau surgit soudain du dais au-dessus de leur tête, croassant un avertissement, sa longue queue s'étirant derrière lui comme un étendard.

Une pie : un oiseau de mauvais augure, ici comme ailleurs.

Marshall se retourna, agrippa Rob par l'épaule et l'entraîna sous le vent, à l'abri d'un vieux tronc d'arbre. Des voix s'éle-vaient. Au travers des fanes grêles de champignons nauséabonds qui poussaient sur le bois gangrené, Rob aperçut des ombres qui bougeaient à vingt pieds de lui. Les manteaux rayés dont ils étaient vêtus les rendaient difficiles à distinguer, dans les rais de lumière qui perçaient çà et là les épais feuillages, mais les animaux qu'ils menaient ne jouissaient pas d'un tel camouflage. De simples mules, qui tiraient des chariots chargés de bois.

Rob, qui voyait les natifs de cette terre pour la première fois, se fit la réflexion qu'ils ne ressemblaient en rien à des diables, ni même à des brigands. Alors qu'ils approchaient, il comprit à leurs gestes et grands rires qu'ils plaisantaient, comme de simples ouvriers de son pays. Leur peau était un peu plus sombre que la sienne, mais guère plus que celle des pêcheurs avec qui il soupait parfois à Market-Jew; en outre, ils semblaient plus fluets. Il en éprouva une certaine déception. Il s'était attendu à de noirs et féroces géants vêtus de couleurs criardes et brandissant d'immenses cimeterres, mais ces hommes ressemblaient à n'importe quel paysan pauvre qui devait gagner sa croûte et nourrir sa famille.

Six chariots passèrent devant eux dans un grondement, accompagnés d'une troupe d'une quinzaine hommes. Les quatre derniers portaient épée au flanc et surveillaient les environs avec soin.

Immobiles, Marshall et Rob les regardèrent s'éloigner. Après un moment, le Londonien déclara:

— Voilà deux autres navires pirates qui seront construits et équipés pour aborder les côtes anglaises quand viendra le printemps. Viens, petit, creusons l'écart entre eux et nous.

À la tombée de la nuit, ils étaient toujours en forêt. Sous un abri de fortune fait de branches et de feuilles, Rob rêva de Cat battue jusqu'au sang et mourant d'une douzaine de manières différentes: de maladie, de faim, d'épuisement, ou après une folle tentative d'évasion. Il la vit gisant dans une mare de crasse, décapitée par un sauvage à demi nu qui brandissait un cimeterre dégoulinant de sang, traînée derrière deux chevaux jusqu'à devenir méconnaissable, embrochée sur un pieu et pleurant de silencieuses larmes de sang.

Il s'éveilla à l'aube et se traîna à la suite de Marshall à travers l'interminable forêt. Un peu plus tard, dans l'après-midi, l'ancien acteur indiqua quelque chose sur leur gauche. Dans une petite clairière, deux hommes dormaient dans un rond de lumière, leurs manteaux rabattus sur les yeux. Au lieu de partir dans la direction opposée, Marshall fit signe à Rob de le suivre. Il se tourna vers le jeune homme et, grimaçant un sourire, passa un doigt sur sa gorge.

Avec horreur, Rob comprit ses intentions mais, avant qu'il ne puisse protester, le Londonien avait plongé sa lame dans les corps assoupis.

— Ils aiment bien faire une sieste l'après-midi, ces crétins paresseux, déclara Marshall, satisfait.

Rob s'affaissa. Il n'avait jamais assisté à la mort d'un homme auparavant, encore moins assassiné de sang-froid pendant son sommeil. La colère lui monta à la gorge et un flot brûlant s'échappa de sa bouche.

Marshall essuya son épée sur le manteau du premier cadavre puis la rengaina. Il ôta ensuite son vêtement au mort, révélant une paire de jambes décharnées et des bourses grisonnantes.

Rob le dévisagea avec dégoût.

— C'était un meurtre.

— T'as pas l'estomac qu'il faut pour ce boulot, pas vrai, petit ? Tu ferais mieux de t'endurcir, et vite. Ils n'auraient pas éprouvé de scrupules à agir de même avec toi, n'oublie pas cela. Essuie ta bouche à présent, et viens m'aider. Nous prendrons leurs vêtements et tout ce qui nous tente, d'accord ?

Il observa les deux corps, la tête légèrement penchée de côté, et ajouta :

— Tu devrais t'occuper du second, il est plus grand. C'est l'avantage de ces robes ; une seule taille. Mais les chaussures de celui-ci ne t'iront pas.

— Je ne porterai pas les habits d'un mort !

— À ta guise ; nous aurons quitté la forêt quand la nuit tombera. Tu feras peut-être une demi-lieue avant qu'une bande de villageois te lapident jusqu'à la mort. À toi de choisir.

Quelque temps plus tard, deux silhouettes enturbannées et en djellaba, montées sur deux mules couleur de poussière, émergèrent de la forêt de Marmora, dans un paysage désolé.

Rob avait insisté pour porter sa propre tunique sous les vêtements du paysan marocain. Il étouffait de chaleur, la transpiration coulait sur sa peau, les puces et les poux s'attaquaient violemment à sa chair, mais il endurait son inconfort avec une satisfaction sauvage. Il avait assisté sans bouger un orteil à l'assassinat de deux hommes et se sentait sale, à l'intérieur comme à l'extérieur.

Il s'étonna que personne ne leur accorde une quelconque attention, persuadé que la culpabilité qui le consumait rayonnait autour de lui comme une balise, mais en dehors d'un groupe d'enfants dépenaillés qui jetèrent aux mules quelques noyaux d'olives, personne ne daigna même tourner la tête sur leur passage.

— Maudits mioches, grommela Marshall. Ces gens se reproduisent comme des rats. Ils lâchent ensuite leurs enfants dans les champs, où ils agissent en véritables brigands, sans la moindre discipline. Pas étonnant qu'en grandissant ils deviennent mendiants ou voleurs. Le problème vient du haut, comme partout ; il n'y a pas d'autorité centrale dans ce satané pays : c'est une putain de fourmilière !

— Sir Henry Marten m'a appris qu'il existait un sultan, un Moulay quelque chose. Le roi Charles s'apprêterait à lui envoyer un émissaire afin de plaider la cause des prisonniers.

Marshall éclata de rire.

— Moulay Zidane, roi du désordre et des ennuis, dont la plus grande partie est de son fait. Son père, Al-Mansour, prit le nom de Victorieux après avoir repoussé les Portugais du Maroc et abattu soixante mille de leurs soldats. Mais le fils diffère du père : dénué du moindre honneur, il ne s'est même pas attiré le respect de ses propres corsaires, qui ont cessé de lui verser leur tribut et se gaussent de lui à la moindre occasion. C'est la raison pour laquelle nous concluons nos affaires avec le véritable pouvoir, ici.

— Ces pirates possèdent-ils un roi, alors ? Un homme à qui ils ont offert le poste de sultan ?

— Le métier de pirate est complexe, grogna Marshall entre ses dents, moralement complexe, si tu veux.

— Je ne vois guère de moralité dans l'assassinat et l'esclavage.

— Ils envisagent les choses d'une autre manière. Le sidi Mohammed al-Ayyachi est un homme remarquable, que tous écoutent et respectent, qui est parvenu à s'attirer beaucoup d'alliés. Il s'appuie sur une puissance de frappe formidable – capitaines renégats de marine des quatre coins d'Europe, fanatiques religieux, Honacheros fortunés, Maures expulsés d'Andalousie et de Grenade par le roi Philippe : presque tous ceux qui, en fait, ont une dent contre la chrétienté. Très habilement, il les enjoint à mener une guerre sainte tout en les encourageant à s'enrichir. Lorsqu'ils pillent un vaisseau anglais, ils rendent ces richesses à l'Islam pour la plus grande gloire de leur dieu et si, ce faisant, ils tuent des chrétiens ou les obligent à se convertir, leur victoire n'en devient que plus complète. Avec un roi comme lui en Angleterre, nous aurions conquis la moitié du monde. Il est un million de fois plus charismatique que notre pisse-froid de Jacques ou son pompeux blanc-bec de fils. L'ancienne reine aurait grandement apprécié Al-Ayyachi. Ils se ressemblent beaucoup : ils comprennent tous deux la nature des hommes, dont ils savent utiliser les faiblesses pour parvenir à leurs desseins.

— Quelle sorte de dieu est le leur, qui exige de si larges offrandes de sang et d'or ?

Marshall se retourna pour le dévisager avec pitié.

— Le même dieu que le nôtre, petit, le Seigneur tout-puissant. Ils L'appellent d'un autre nom et Le vénèrent d'une autre manière mais sinon peu de choses séparent nos religions, si ce n'est mille ans de sang versé !

Tout cela dépassait l'entendement de Rob pour qui, soudain, le monde basculait.

— Mais si nous servons tous le même dieu, pourquoi sommes-nous en guerre ?

— Pourquoi les hommes se lancent-ils dans une guerre ? Par soif de pouvoir, par cupidité, pour imposer à d'autres leur opinion. Personnellement, tout cela me laisse froid comme marbre : je servirais le Malin lui-même pour parvenir à mon but. À présent, laisse-moi te dire ceci : quand nous aurons pénétré dans ce nid de pirates, ne montre ni colère ni irrespect d'aucune sorte, quelles que soient tes idées, même si tu te crois provoqué, sous peine de perdre la vie en même temps que ta garce, dans un seul coup d'épée, sans que je puisse rien y faire.

Ils poursuivirent leur chemin tandis que le soleil baissait à l'horizon, puis des nuages recouvrirent le ciel et quelques gouttes de pluie se mirent à tomber alors qu'ils traversaient une immense étendue de terre laissée en jachère, parsemée çà et là de rochers et de buissons poussiéreux. Un moment plus tard, ils parvinrent en vue d'un grand nombre de tentes noires et basses arrimées au sol. Du bétail était rassemblé par petits groupes à l'extérieur du campement, dont un troupeau d'affreux animaux, de grande taille, au cou interminable, dotés d'une large bosse sur le dos et de genoux cagneux. À côté des tentes, des femmes s'occupaient de jeunes enfants, tissaient de vives étoffes ou moulaient du grain entre deux pierres. L'une d'elles aperçut les voyageurs et s'avança vers eux en courant, les bracelets d'argent qu'elle portait aux bras et aux chevilles ponctuant sa course d'un tintement métallique. Son apparence s'accordait à l'exotisme que Rob avait attendu des gens peuplant cet endroit au bout du monde : son corps et sa tête étaient couverts de bandes d'étoffe aux couleurs vives attachées à l'aide de magnifiques broches et aiguilles d'argent. Un épais cosmétique noir soulignait ses yeux et accentuait son regard.

Enfin, elle portait au front et au menton des tatouages et avait des mains et des pieds couverts de dessins brun foncé.

La femme tendit vers eux l'une de ses mains décorées de motifs, dans un geste de supplication, puis se mit à jacasser. À la grande surprise de Rob, Marshall ne la chassa pas d'une parole coléreuse mais fouilla dans sa bourse, en sortit une pièce qu'il avait volée aux hommes qu'il avait tués et la plaça dans la main tendue. Plus extraordinaire encore, il adressa quelques mots à la femme dans une langue gutturale, auxquels elle répondit.

— Viens, déclara Marshall en descendant de sa mule, ce soir nous mangerons et dormirons bien ; et demain, nous entrerons à Salé.

— Qui sont ces gens ? Comment savez-vous qu'ils ne nous tueront point au milieu de la nuit pour nous abandonner aux corbeaux ? Et quelles sont ces horribles bêtes enchaînées là ?

Marshall lui donna une claque sur l'épaule.

— Ce sont des voyageurs, comme nous ; des nomades venus des déserts du Sud. Ils parcourent les anciennes routes des caravanes avec leurs chameaux et leur bétail, faisant commerce et troc de leurs produits, ou de toute babiole trouvée en chemin. As-tu vu combien d'argent porte cette femme ? Pas d'inquiétude : leur devise est l'hospitalité. Profites-en ; ils seront les derniers sur notre route à montrer une quelconque décence.

Rob regarda le soleil disparaître dans un embrasement cuivré ; une flèche de lumière violette s'élança vers le ciel qui s'assombrissait tandis qu'au sud les nuages s'éclairèrent d'or et de vermeil, comme illuminés d'un feu intérieur. Peu à peu, les flammes laissèrent place aux cendres ; la nuit tomba et les étoiles apparurent dans le ciel. Il avait le ventre plein après avoir avalé un ragoût savoureux qu'il soupçonnait être de chèvre, mais aussi bon qu'un plat de mouton, accompagné d'un fruit doux et noir qu'il avait appris à mieux apprécier à chaque bouchée et de pains plats cuits sur des pierres incandescentes. En entendant les nomades rire et chanter, il se sentit, pour la première fois depuis qu'il avait quitté Londres, calme et optimiste. Les étrangers ne se montraient pas tous abominables ; tant que lui et Cat étaient en vie, l'espoir demeurait que tout finirait bien.

Au matin suivant, quatre des bergers nomades chevauchèrent en leur compagnie vers Salé, quelques boucs passés par-dessus leurs selles, comme des sacs. Les autres les suivraient à un rythme plus tranquille avec le reste du troupeau et les marchandises. Rob avait la nette impression que Marshall leur avait versé quelques pièces ; en effet, un groupe de nomades pénétrant dans la ville attirait moins l'attention que deux voyageurs solitaires. Surtout quand l'un, de haute taille, avait des yeux bleu vif.

Une heure plus tard, la circulation sur la route se fit plus dense : des paysannes avançaient en portant d'énormes paniers sur leur dos, lanière au front ; des fermiers tiraient des chariots de légumes ; des jeunes femmes vêtues de noir étaient perchées en équilibre précaire sur des mules, simplement assises sur un tapis, leurs deux jambes du même côté battant les flancs de leur monture. Occasionnellement, des cavaliers en arme surgissaient au galop et criaient à chacun de s'écarter ; tout le monde s'appliquait à obéir avec une telle célérité qu'à un moment l'un des chariots se renversa dans le fossé, y répandant son contenu de navets et de pommes de terre. En Angleterre, tout le monde se serait moqué du fermier et aurait continué sa route ; mais ici, hommes, femmes et enfants se hâtèrent de ramasser les légumes dispersés pour les remettre dans la charrette avec un sourire pour le fermier.

Alors qu'ils approchaient de la ville, le paysage changea une fois de plus : les terres desséchées – auxquelles Marshall faisait référence en les nommant « bled[16] », comme si, en effet, toute vie s'en était écoulée – laissèrent place à une campagne exploitée et bien verte, parsemée d'arbres, d'arbustes et de parcelles cultivées. Sur le côté de la route, des femmes étaient assises

---

16. Jeu de mots sur le participe passé du verbe *to bleed*, « saigner » en anglais, et *bled*, qui en arabe signifie « village, pays », par opposition à « ville ». (*N.d.T.*)

derrière des pyramides de fruits étranges ; Rob n'en avait jamais vu de semblables.

— Des grenades, petit, lui expliqua Marshall. Le fruit de la vie, et celui qui causa la chute de Perséphone !

Rob ne se trouva pas plus avancé.

L'un des nomades quitta le groupe pour revenir un instant plus tard, un fruit en main. Marshall le lança à Rob.

— Tiens, cela devrait t'occuper un bon moment.

Le jeune homme y mordit et un goût épouvantablement amer inonda aussitôt sa bouche, ce qui entraîna un éclat de rire général parmi les nomades. Mais il aperçut ainsi l'intérieur ; la pulpe scintillait sous le soleil comme des petits rubis. Rob en sortit quelques-uns et les mit dans sa bouche. L'explosion sucrée qui en résulta lorsqu'il écrasa les petites gemmes entre ses dents s'avéra si inattendue et si sensuelle qu'il en tomba presque de sa monture. Des grenades. Pousseraient-elles en Cornouailles ? Si tel était le cas, il jurait de ne plus jamais manger de pomme.

Enfin, les remparts ocre de la ville s'élevèrent devant eux ; la circulation se fit intense, bruyante, et s'accompagna de nuages de mouches. La route les canalisa vers une immense arche, gardée par des sentinelles vêtues de tuniques poussiéreuses bleu foncé et de braies rentrées dans leurs bottes, la tête enturbannée d'un blanc si éclatant qu'il en devenait éblouissant.

— Fais comme moi et garde la tête baissée, intima Marshall à Rob. Et ne dis rien, même si on te parle.

Il enveloppa son turban autour de son visage de façon à cacher ses yeux dans l'ombre. Rob l'imita.

Le jeune homme aperçut une rangée d'énormes canons de bronze pointés vers la mer à travers des créneaux percés dans les murailles. Des armes onéreuses, d'origine européenne. Il était arrivé : le repaire des pirates, la ville où Catherine avait été amenée après sa traversée des océans. Il se ramassa sur lui-même de façon à masquer la largeur de ses épaules, puis garda les yeux fixés sur les touffes de poils raides qui jaillissaient de l'encolure de sa mule tandis que l'ombre de la grande porte s'abattait sur lui. Les nomades jacassèrent comme des pies avec les gardes, qui, miraculeusement, les laissèrent pénétrer dans un indescriptible pandémonium au milieu de gens qui se bousculaient et d'odeurs plus détestables les unes que les autres.

Ils prirent alors congé de leur escorte, au grand dam de Rob qui les regarda partir avec regret. Alors qu'ils s'éloignaient pour vendre leurs chèvres et échanger leurs articles, le jeune Cornouaillais se surprit à les envier.

Ils abandonnèrent leurs mules parmi une centaine d'autres, attachées par groupes aux abreuvoirs, puis se joignirent à la foule qui serpentait dans les ruelles couvertes de toits de chaume. Ceux-ci filtraient les rayons du soleil et dessinaient un complexe dessin d'ombre et de lumière entre leurs pieds.

— Le *kissaria*, lui indiqua Marshall. Le marché couvert. Mon contact se trouve de l'autre côté. Reste près de moi ; si tu me perds de vue ici, tu seras égaré en quelques secondes.

Rob joua des coudes pour écarter de son chemin les gens qu'il croisait afin de rester à la hauteur de son guide, lequel avançait dans la mêlée comme un taureau, tête baissée. Il finit par agripper la robe du Londonien et s'y accrocha comme un enfant aux jupes de sa mère. Ils traversèrent le marché comme en rêve, passant à côté de poissons à moustache et d'épices aux couleurs vives, de balles de soie et de sacs de laine, de cuivre, de verre ou d'argent, et de caisses contenant des poulets, des lézards ou des serpents. Partout résonnaient les échos de ce langage guttural dont il ne comprenait pas un mot. Il se sentit pris de vertiges, presque nauséeux.

Enfin, ils s'esquivèrent sur la gauche, empruntant une ruelle qui s'éloignait du souk jusqu'à ce que le bruit du marché s'atténue quelque peu ; Marshall ralentit alors. Rob respirait bruyamment et s'aperçut que sa sueur était acide. L'odeur de la peur.

— Et maintenant ? demanda-t-il.

— Maintenant, nous nous rendons dans la maison de l'homme qui connaît celui qui peut nous arranger une audience avec le sidi Al-Ayyachi. Cet homme et moi avons déjà conclu des affaires par le passé, mais il ne se réjouira guère de ce que j'en amène un autre, surtout quelqu'un qui, par sa taille, tranche autant sur la foule. Si l'on me pose la question, j'expliquerai que tu es mon frère à demi demeuré ; s'ils te dévoilent le visage, roule les yeux et tire la langue. S'ils jugent que tu es une menace pour eux, ils t'abattront sans hésitation.

Comme vous l'avez fait avec ces hommes, dans la forêt, songea Rob, qui hocha la tête sans prononcer une parole, avant de s'essayer à loucher.

— Parfait. On te prendrait pour un idiot, n'importe où dans le monde.

Il frappa à une porte bardée de clous. Quelques instants plus tard, un fenestron s'ouvrit vers l'intérieur et Rob aperçut dans l'ombre un visage brun et flétri. Marshall prononça quelques mots, la porte s'ouvrit alors en grand et le Londonien poussa Rob devant lui d'une bourrade.

— Allez, avance. Vite.

À l'intérieur, le Marocain examina le nouveau venu avec attention. Le jeune Cornouaillais, comme obéissant à un signal, tira sur son turban et afficha l'expression la plus hideuse qu'il put ; l'autre recula en effectuant le signe de Fatima pour conjurer le mauvais œil. Marshall et lui échangèrent une suite explosive de sons rauques puis le Londonien se tourna vers Rob :

— Assez, maintenant : objectif atteint. Suis-moi.

Ils furent introduits dans une pièce fraîche où une femme, les yeux sombres et suspicieux, leur apporta du thé. Elle s'enfuit en hâte, sans laisser à Rob le temps de lui montrer son effrayante expression.

Ils demeurèrent assis pendant un temps qui lui sembla infini. Chaque fois que le jeune Cornouaillais allait parler, l'ancien acteur posait un doigt sur ses lèvres en indiquant la porte : « Des espions », articula-t-il en silence. Rob se couvrit le visage, s'adossa contre le mur et somnola.

Enfin, des voix résonnèrent dans le corridor. Marshall se leva à l'entrée d'un homme. Ce dernier paraissait plus jeune et plus dangereux que celui qui les avait accueillis. Sa peau était plus claire et il arborait une barbe noire et fournie. À sa ceinture pendaient une épée et une dague, remarqua Rob, et il semblait homme à savoir s'en servir. Ils ne se saluèrent pas ; le Marocain paraissait nerveux et méfiant. Il poussa Rob du pied.

— Debout, Robert, ordonna Marshall. Mon pauvre frère, il est un peu fou, expliqua-t-il succinctement en se tournant vers le nouvel arrivant. Je ne pouvais le laisser à personne.

L'homme se pencha en avant et, d'un geste brusque, tira sur le turban. Le geste surprit tellement Robert qu'il lui fallut deux bonnes secondes pour se souvenir de son rôle. Trop tard. L'homme lui assena une gifle retentissante et le jeune voyageur le regarda fixement, outré et étourdi par ce soudain accès de violence.

— Il semble Hassan ben Ouarkrim a fait miracle, dit l'homme à l'intention de Marshall. Lui plus fou, maintenant.

Il dégaina sa dague dont la lame recourbée, dans la pénombre du salon, scintilla doucement, puis la pointa vers Rob.

— Qui est-il et pourquoi lui ici ? Il n'est pas ton frère : trop pâle et blanc, comme porc crasseux, avec des yeux bleus comme un diable. Dis la vérité, ou je le tue.

— Il se nomme Robert Bolitho. Il est venu pour sauver sa femme, enlevée par les pillards cet été, en Cornouailles.

L'autre éclata de rire.

— Oui, triomphe de Al-Andalusi ! Comme c'est drôle de voir femmes chrétiennes vendues comme bétail dans le souk de Gazelle !

Rob serra les poings avec tant de force qu'il crut ses jointures sur le point de traverser sa peau. Il se força à ne pas perdre son calme.

— Je peux parler en mon nom, intervint-il d'un ton aussi tranquille que possible. L'une de ces femmes capturées est ma promise, Catherine Anne Tregenna. Elle a de longs cheveux qui descendent jusqu'ici – il indiqua sa taille – et de cette couleur, termina-t-il en indiquant la ceinture nattée et fauve du Marocain.

Aussitôt, la dague s'écarta et piqua la main de Rob, qui poussa un jappement de douleur.

— Écarte tes mains d'infidèle ! Recule, chien, recule !

Furieux, Rob s'exécuta. Marshall le dévisagea, les yeux rétrécis par la colère.

— Je vous supplie de pardonner la grossièreté de mon compagnon, monsieur. Ce n'est qu'un gamin écervelé qui a traversé les mers dans l'espoir de conclure un marché avec votre seigneur vénérable pour la libération de sa fiancée. J'ai pour mon compte une affaire privée dont je souhaite traiter avec le sidi ; affaire qui, je vous l'assure, accommodera grandement votre seigneur. Rangez votre dague et discutons de ces choses comme des frères.

Hassan ben Ouarkrim lui lança un regard dur puis rengaina son arme.

— Tu as chance que Aziz m'a trouvé ; les autres vous auraient tués, tous les deux. Je ne suis jamais frère de bâtard infidèle, mais je sais que tu as fait bonnes affaires avec le sidi, au printemps. Viens.

Le sidi Mohammed al-Ayyachi ne ressemblait en rien à l'image que Rob s'était faite du chef des pirates. Sa demeure, elle non plus, ne trahissait pas la grandeur ostentatoire d'un homme dont les partisans s'étaient emparés des riches cargos, de milliers de navires étrangers, ainsi que de leurs équipages, vendus pour une fortune. Elle était vieille et lasse, comme son occupant, quoique d'une propreté méticuleuse. Le sidi était sur le point de prendre place à table pour déjeuner, dans une petite pièce qui ne contenait qu'une seule table basse et un matelas de roseaux au sol. Il était vêtu d'une djellaba de coton aussi blanche que sa longue barbe ; les seules couleurs émanant de sa personne provenaient de la peau profondément ridée de son visage et de ses mains, ainsi que de ses yeux, noirs et brillants. Il se leva à leur entrée avec la vivacité d'un jeune homme, puis s'inclina profondément devant eux, avant d'échanger de pieuses salutations avec Marshall. Ce dernier, étrangement, s'inclina à son tour et couvrit la vieille main de baisers. Plus étrange encore, le sidi répondit en embrassant l'ancien acteur comme un vieil ami.

— *Salaam*, sidi Mohammed, que la bénédiction t'accompagne.

— Que la bénédiction d'Allah accompagne ceux qui suivent son Prophète. La merci à Dieu de t'avoir ramené sain et sauf parmi nous, William Marshall, ainsi que ton jeune ami, ici, dit-il en indiquant Rob, qui inclina la tête avec raideur. Dismoi, poursuivit sidi Mohammed, qui se pencha en avant et fixa Marshall de ses yeux vifs et inquisiteurs, quelles merveilles m'apportes-tu cette fois ? Davantage de chrétiens pour nous aider en nos efforts ? Ce jeune homme pourrait manier la rame avec une grande facilité ; son corps puissant propulserait une galère sans aucune aide ! Fait-il partie de ces marchandises que tu m'adresses, maître Marshall ?

— Hélas non, Seigneur. Ce garçon qui m'accompagne se nomme Robert Bolitho. Il vient de Cornouailles, d'où votre hardi capitaine, Al-Andalusi Raïs, a ramené tant de prisonniers chrétiens, cette année.

— Ah, notre serviteur Qasem ben Hamed ben Moussa Dib : un brave au service de Dieu ! Qu'il vive une longue et prospère existence afin que la fortune de tous croisse grâce à ses vertueuses actions, *incha'allah*, si Dieu le veut. *Al hamdulillah*.

— *Allah akbar*, acquiesça Marshall en inclinant la tête. Grâce soit rendue au Très Haut et à ceux qui Le servent. Mais nous avons dérangé votre déjeuner, Seigneur ; permettez que nous prenions congé un moment afin que vous puissiez vous sustenter.

Le vieil homme secoua la tête avec impatience.

— Non, William Marshall, non. Prends place, mange avec moi ; et le jeune Robert Bolitho également. Asseyez-vous, je vous prie, comme des frères. Hassan, demande à Milouda d'apporter du pain pour tous, et de l'eau, afin que nos frères puissent se nettoyer.

Une femme entra peu après, avec un bol, une aiguière et deux carrés de coton pour s'essuyer les mains. Le sidi leur versa l'eau parfumée de rose sur les doigts. Il attendit que la femme eût emporté le bol puis fût revenue avec du pain, des olives, et un lourd plat de céramique. Il souleva alors le couvercle et un gros nuage de vapeur s'éleva du plat.

— Ah, du poulet aux citrons confits. Dieu se montre bon pour moi.

Il poussa le panier de pain vers Rob et Marshall et ordonna :

— Mangez, je vous en prie. Ta famille se trouve-t-elle en bonne santé, maître Marshall ? Ta femme, tes fils, ta mère ?

Rob était stupéfait. Pas une fois le Londonien n'avait mentionné l'existence d'une famille. Il aurait très bien pu être célibataire ou veuf, voire orphelin.

Marshall répondit diligemment au marabout puis s'enquit de la santé du vieil homme.

— Grande est ma force, encore, *incha'allah*, quoique bon nombre de tes compatriotes souhaitent l'inverse. Ton M. Harrison s'est montré des plus mécontents lors de sa visite, mais il ne m'apporta pas ce que j'avais espéré, bien que je lui offre beaucoup en échange. Peut-être le temps n'était pas encore venu, et Allah voulait-il autre chose.

Ils mangèrent un moment en silence, puis Marshall remarqua :

— Vous avez fait bonne pêche, cette année, ai-je entendu : bon nombre de captifs ont été remontés des filets tendus en tous lieux.

Les yeux noirs du sidi quittèrent aussitôt la cuisse de poulet qu'il tenait en main.

— En effet, Allah s'est montré généreux et a accordé à nos navires de bons capitaines, des équipages courageux et un temps clément. Quatre cent vingt-trois âmes chrétiennes sont venues renforcer notre cause.

Marshall sourit.

— Un fort beau travail, sidi. Mais peut-être l'œuvre du Très Haut s'accomplirait-elle de la même façon si l'on en comptait quatre cent vingt et une, ou deux ?

— Comment serait-ce possible ? Quatre cent vingt et un ou deux n'est pas quatre cent vingt-trois. La balance ne serait point équilibrée, l'un des plateaux pencherait trop, et cela peinerait grandement Allah.

— Le bronze et le fer parviendraient-ils à changer cela ?

Le sidi marqua une pause.

— Comment peser une âme avec du métal, maître Marshall ? Ce serait comme peser plumes et pierres.

— Peut-être, mais une tonne de plumes équivaut à une tonne de pierres.

— En poids, sans doute, mais point en valeur.

— Si le bronze se montrait le meilleur en provenance d'Europe, et qu'il soit accompagné d'assez de fer pour durer une année ?

Les lèvres du marabout tressaillirent. Il déchira la dernière partie de chair encore attachée à la cuisse de poulet de ses dents jaunes et acérées comme celles d'un rat.

— Cela dépendrait de la qualité du bronze et du fer, ainsi que de ce qui s'ajouterait dans la balance.

William Marshall passa la main sous sa robe et en sortit un rouleau de parchemin. Il le tendit au vieil homme, qui s'en empara après s'être essuyé les doigts avec soin sur le carré d'étoffe et avoir murmuré des remerciements au Créateur.

Le sidi parcourut rapidement la page, le visage impassible, puis déclara :

— Je sais que notre culture considère le marchandage au cœur de toute négociation ; mais je trouve cela fastidieux.

Cette proposition est des plus acceptables. Nous possédons en abondance de l'or espagnol. De l'or anglais aussi, si cela s'avère plus… pratique, aux yeux de ton maître. Bien entendu, il nous faut preuve de leur bon fonctionnement avant de conclure un accord.

Marshall inclina la tête.

— Tout sera fait selon vos désirs, sidi.

— *Incha'allah*. Votre navire se trouve… où, exactement ?

— À une distance permettant de recevoir un signal. Il avancera lorsque j'émettrai ce signal. Vous pourrez alors envoyer une embarcation afin que vos hommes montent à bord vérifier la cargaison.

Le marabout se tourna alors vers Hassan ben Ouarkrim et ils parlèrent dans leur langue. Enfin, le sidi déclara :

— Hassan m'apprend que le garçon avec toi est venu ici afin de réclamer son épouse.

Rob se redressa et essaya de ne pas afficher une expression trop pleine d'espoir.

Marshall haussa les épaules.

— Une misérable garce de chétive que le gamin s'est mis en tête d'épouser. Je ne puis croire qu'elle soit d'une quelconque valeur à votre cause, sidi. S'il vous était loisible de l'inclure dans notre marché, le cœur du petit s'en trouverait grandement allégé.

— Et Matty aussi, intervint Rob en hâte. Matty Pengelly.

— Tais-toi ! lui lança Marshall avec un regard venimeux.

Le sidi prit un air offensé.

— L'enfant cherche à marchander des âmes, n'est-ce pas ? Apprends-lui qu'il s'agit d'affaires qu'il vaut mieux laisser aux anciens qui font preuve de sagesse, et que je ne négocie qu'avec ceux à qui j'ai appris à me fier. Mon cœur saigne de ne pouvoir t'accorder ce que tu demandes, maître Marshall, mais Hassan me dit que la fille aux cheveux de feu est déjà vendue à un maître qui a offert pour elle bien davantage que ce que tu pourrais proposer en échange.

Rob se leva maladroitement et, aussitôt, Hassan bondit sur ses pieds, une main sur la poignée de sa dague.

— J'ai de l'or ! cria le jeune homme.

Il sortit la bourse contenant l'or qu'il avait rassemblé et la jeta sur la table où elle atterrit avec un bruit métallique.

Le marabout la regarda comme s'il s'agissait d'un chien mort. Puis il s'adressa au Londonien :

— Je réalise que ce garçon est jeune et inexpérimenté ; mais tu es responsable de ses manières, maître Marshall, et celles-ci sont malpolies. Je suis grandement offensé. Peut-être devrais-je vous enchaîner tous deux et envoyer Hassan et Al-Andalusi à la rencontre de votre navire afin de ramener son équipage d'infidèles. Combien d'âmes s'ajouteraient alors à notre cause ? Soixante, quatre-vingts, cent ? Mes corsaires et moi, depuis mon avènement, avons confié au diable les âmes de sept mille six cent quarante-trois chrétiens, et il me plairait d'atteindre le nombre de dix mille avant de mourir. *Al hamdulillah.*

Il marqua une pause. Puis il passa les paumes de ses mains sur son visage, les embrassa et les posa sur son cœur, avant de reprendre :

— Cette demeure possède une cour intérieure d'une beauté exceptionnelle, symétrique et paisible ; le parfait endroit où détourner mon attention des complexités du monde extérieur, afin de retrouver la simplicité des vérités spirituelles. Au cœur de ma cour se trouve une fontaine érigée avec l'aide d'un grand nombre de crânes nazaréens. J'aime la contempler après mes prières matinales, y admirer les subtiles relations qui existent entre formes et décorations. Le bruit de l'eau qui s'écoule des yeux d'un infidèle mort est des plus jolis, maître Marshall, un délice pour l'oreille. Souhaitez-vous vous joindre à moi dans ma contemplation ? Je pense pouvoir créer un espace supplémentaire pour un autre crâne, sur la pièce centrale.

Le teint de Marshall était livide.

— Non, sidi, je vous en supplie. Oubliez les prisonnières. Elles n'ont pas d'importance dans ce marché. Vous obtiendrez les quatre canons, ainsi que les boulets et la poudre que vous jugerez bon de réclamer. Ils sont d'excellente qualité, comme vous le remarquerez : vous avez en cela ma parole. Je crois également que vous apprécierez l'ironie liée à leur provenance : ils furent fondus aux frais de la Couronne afin de pourvoir à la défense des côtes de la Cornouailles, Seigneur. Ils étaient destinés à armer le château de Pendennis et St Michael's Mount. Sir John Killigrew vous les recommande et déclare que vos corsaires sont les bienvenus dans cette maudite Cornouailles.

Sidi Mohammed al-Ayyachi hocha gracieusement la tête.

— Ironique, en effet. Sir John reçoit mes remerciements.

Il toucha sa poitrine. Puis il se pencha en avant, ramassa la bourse que Rob avait jetée sur la table et la pesa d'un air pensif.

— Cela me semble peser le poids d'une âme chrétienne. Passons un accord, maître Marshall.

Il lança la bourse de cuir au Londonien d'un geste vif et puissant, comme un cobra qui attaque. Marshall attrapa la bourse d'une main maladroite. Des pièces d'or se déversèrent et rebondirent sur le sol, étincelant dans la lumière du soleil qui pénétrait dans la pièce par la fenêtre surélevée.

— Quatre canons, tous les boulets et la poudre que nous voulons… et ce jeune homme pour nos galères.

Rob sentit son sang se retirer de son cœur.

— Quoi ? Non !

Il regarda fixement Marshall, mais le Londonien était déjà à genoux, ramassant les pièces d'or.

29

Robert Bolitho n'avait jamais souffert de la maladie. Il avait échappé à la vérole, à la peste et à la fièvre jaune. Des années de travail fermier avaient endurci ses muscles et transformé sa silhouette efflanquée en une carrure imposante. Avec ses six pieds cinq pouces[17], il dépassait presque toujours les autres hommes. En outre, ses cheveux blonds, ses yeux bleus et sa pâle constitution faisaient de lui un magnifique spécimen d'Adam.

Comme esclave en Barbarie, cette grâce s'avéra vite une malédiction.

Rob se vit déshabillé et inspecté avec soin en chaque partie de son corps, y compris ses dents. Puis on lui confia un ballot contenant une couverture, une courte veste dotée d'une capuche, une chemise sans col et une paire de braies bouffantes en coton. Un clerc écrivit son nom dans un registre, d'une orthographe approximative. Il fut ensuite mené dans l'un des donjons réservés aux esclaves, le *mazmorra*. Là, il trouva une centaine de pauvres hères serrés dans des quartiers sombres et répugnants ; certains gémissaient et pleuraient, d'autres gisaient, muets et brisés, ou lançaient des imprécations et des malédictions en une dizaine de langues différentes. Au milieu de la nuit, les gardes réveillèrent les nouveaux prisonniers pour les mener devant un forgeron qui encercla de fer la cheville de leur jambe droite, sans s'inquiéter un seul instant

---

17. Environ 1,95 mètre. (*N.d.T.*)

de cogner clou ou os avec son lourd marteau. L'un des hommes éclata alors en sanglots : l'indignité des fers confirmait la perte de son humanité.

Dans le registre, il le savait parfaitement, le nom de Robert Bolitho avait été écrit dans la section destinée aux futurs galériens. Mais la saison des pillages n'ayant pas encore commencé, il fut sélectionné pour broyer les pierres : une tâche effroyable qui nécessitait les captifs les plus vigoureux. Alors qu'il était poussé dans l'impitoyable lumière du jour, il entendit ses gardes :

— Celui-ci pourrait durer trois mois.

— Je te parie un poulet que non.

La première sentinelle lança un regard froid à son compagnon.

— Le Coran interdit les paris, Ismaël. Prends garde à tes paroles, ou tu rejoindras ces infidèles.

Quatre mois après avoir débuté dans la carrière, ce labeur qui consistait à tailler – à la seule force du poignet et à l'aide de quelques simples outils – d'énormes blocs de pierre puis à les transporter à une demi-lieue de là à l'aide de cordes et de traîneaux, Robert Bolitho, contre toute attente, demeurait en vie.

Il avait assisté à la mort de dizaines d'hommes qui s'étaient écroulés, terrassés par la malnutrition, l'épuisement, les coups de fouet jusqu'au sang ou le soleil. L'un des esclaves, pris de folie, avait même tenté d'assassiner un garde : les sentinelles l'avaient sommairement exécuté, le décapitant sans plus de cérémonie. Le corps sans tête, comme un pantin grotesque, avait avancé de deux pas avant de s'écrouler. La tête avait dévalé la colline, et personne ne s'était soucié de la récupérer. D'autres avaient péri empoisonnés par l'eau, ou encore de honte ou de désespoir.

Malgré tout, malgré les cordes de chanvre qui traçaient de profonds sillons dans sa chair, les fers enfoncés dans les plaies de sa cheville, son dos strié de marques de fouet ; malgré ses muscles qui hurlaient lorsqu'il levait le maillet avant de l'abattre sur le roc ; malgré la vermine qui grouillait sur sa tête et festoyait de sa chair, Rob survivait. Lorsqu'il pensait parvenir au bout de ses pauvres forces, il se remémorait Cat, assise sur l'ancien trône de Castle-an-Dinas, sa chevelure fauve balayée par le vent, et il se commandait de vivre.

Parfois, il oubliait à quoi ressemblait Kenegie, qu'il avait tant aimé ; à d'autres moments, il ne se souvenait même plus de son propre nom. Mais jamais il ne faillit à se remémorer l'exacte couleur des yeux de Catherine Anne Tregenna, ni la courbe de ses lèvres, lorsqu'elle souriait.

30

Je fust mené ainsi de la maison du sidi dans un donjon auquel ils baillent céans le nom de mazmorra. Iceluy se trouve sous terre et seul un trou laisse passer la lumière, en ce lieu où s'encontre la véritable image de la misère et de la souffrance – cent pauvres infortunés en haillons crasseux, certains maigres comme des vers, affaiblis par la maladie, les frappements, la vile pitance…

Je reposai la lettre, épouvantée, et levai les yeux vers Idris.

— Les prisonniers étaient-ils véritablement gardés dans de telles conditions ?

— Je le crois. Les esclaves étaient tellement nombreux que leurs ravisseurs devaient craindre un soulèvement s'ils les gardaient en bonne santé, à l'air libre.

— Comme ces temps étaient cruels et ces gens, barbares.

— Il est vrai que personne ne traiterait ses prisonniers de cette manière de nos jours, contrevenant ainsi gravement aux droits de l'homme. Je ne parlerai pas de la baie de Guantanamo, ni de l'esclavage féroce des Africains par les Anglais, les Espagnols, les Portugais, les Américains… énonça-t-il en comptant sur ses doigts.

— J'ai compris, capitulai-je, forçant un sourire.

Nous étions assis dans l'antichambre d'un merveilleux restaurant situé dans une cour intérieure, tenu par des amis d'Idris. Nous nous étions régalés de *b'stilla* de pigeon et de brochettes de poisson, et avions partagé une bouteille de délicieux vin rosé local. Cela, ou bien le contenu des lettres de Robert Bolitho, nous avait quelque peu grisés.

— Khaled se montrera ravi, déclara soudain Idris. Il fait des recherches sur sidi Al-Ayyachi depuis des années ; mais je ne crois pas qu'il ait jamais trouvé une source qui le décrive en personne ou, en tout cas, pas de façon aussi précise.

— C'était un véritable monstre, semble-t-il.

— Les héros et les vilains : tous des monstres, en fait, sourit Idris.

Il sortit l'une de ses éternelles cigarettes, la tint un instant entre les doigts. Après quelques secondes de réflexion, il remit la cigarette dans son paquet qu'il referma d'un geste plein de détermination avant de l'écarter de lui.

— Il est temps de cesser cette mauvaise habitude, dit-il.

— Comme ça ?

— Comme ça.

— Vous semblez si sûr de vous.

— Il existe certaines choses, dans ma vie, dont je suis sûr.

Le regard qu'il m'adressa était d'une telle intensité que la tête me tourna.

À cet instant précis, l'un des serveurs renversa un petit vase. Une activité fébrile s'ensuivit alors que l'un ramassait les roses éparpillées, l'autre épongeait l'eau et un troisième courait chercher la pelle et la balayette.

— Nous devrions partir, dis-je, jetant un œil à ma montre.

Il était à peine onze heures passées ; mais l'horloge interne de mon corps épuisé indiquait trois heures du matin.

— Vous ne voulez pas terminer de lire les lettres ?

— Je suis exténuée. Finissons demain. Ou le jour suivant, si cela ne vous dérange pas trop que je reste encore un peu.

Et j'avais besoin de temps pour réfléchir à cette journée plutôt extraordinaire. Beaucoup d'événements étaient survenus en un temps très court, dont le moindre n'était pas ce baiser donné dans l'allée.

Idris afficha un large sourire.

— J'espérais que vous diriez cela. Notre demeure est la vôtre, pour le temps qu'il vous plaira.

Notre retour s'effectua sans hâte, à travers la médina endormie, le croissant de lune éclairant nos pas d'une douce lumière argentée. Les chats efflanqués que nous croisions s'égaillaient à notre approche. Quelques chiens sauvages, occupés à festoyer des restes du marché, reculèrent dans la nuit en attendant de se retrouver seuls à nouveau. Le chant d'un oiseau résonna soudain, plaintif et mélancolique dans l'air immobile.

— *Andaleeb*, déclara Idris. Je ne connais pas le nom anglais, je crois qu'il s'agit d'une sorte d'alouette. La tradition explique qu'ils chantent avec les voix des amants désunis. Si les étoiles leur sourient, nous entendrons le chant de l'autre. Écoutez.

À l'ombre majestueuse des anciennes murailles almohades, les secondes s'écoulèrent comme une éternité.

— Elle ne viendra pas, le taquinai-je, mais Idris posa un doigt sur ses lèvres.

— Attendez.

Le silence, bien entendu, laissa alors place à un autre trille, sur notre gauche.

— Elle se trouve au sommet du minaret, sourit Idris. Ils seront réunis.

Plus tard, seule dans sa chambre, je m'assis au bord du lit et sortis l'enveloppe de mon sac. Là était la vérité de deux autres amants séparés. J'avais promis à Idris de ne pas découvrir leur histoire sans lui, mais je ne pus m'empêcher de jeter un rapide coup d'œil aux pages à venir.

« *Main et cheville menottées de fers* », lus-je. Puis... « *battus maintes fois et sauvagement, jusqu'au sang* ». Mes yeux descendirent au bas de la page et furent retenus par « *Las ! Pauvre Jack Kellynch, bon homme qui nullement ne mérita si male fortune, que terrible et cruelle fut sa fin* ». Pauvre Matty Pengelly, songeai-je alors avant de me demander ce qu'il était advenu d'elle. Avait-elle appris le sort de Jack ou bien se trouvait-elle déjà vendue à un maître qui l'avait mise au travail dans sa cuisine, ou pire, dans son lit ? Je me levai, ôtai ma djellaba et mon voile puis brossai ma chevelure aplatie. Je pris une douche, brève et froide, dans la petite pièce attenante, avant de grimper dans le lit étroit. Alors que mon intention était de ranger les feuilles de papier, j'eus le regard accroché par cette phrase : *« Nostre navire arriva à Plymouth le vingt-troisième jour de juillet de l'an 1626, et jamais je n'aperçus les costes de l'Angleterre avec plus de joie au cœur. »* Voilà. Cela avait coûté à Robert Bolitho presque une année mais il avait réussi, malgré ses effroyables expériences, à ramener sa Catherine au pays. Je me demandai comment il était parvenu à s'échapper des prisons d'esclaves et à fuir avec Cat, mais il me faudrait attendre pour savoir. Je devais dormir.

Le sommeil avait décidé de me fuir. J'avais beau me tourner et me retourner dans mon lit, je ne parvenais pas à trouver de position confortable. Il me sembla à un moment entendre une chouette ululer au-dehors, mais cela était ridicule : j'étais plongée au cœur d'une cité africaine, pas dans les landes de la Cornouailles. Lorsque, enfin, je parvins à m'endormir, ce fut de Catherine que je rêvai.

31

Catherine
1625

À la grande surprise de Cat, les jours s'écoulèrent rapidement. Avant même qu'elle ne le réalise, la fin du mois arriva, puis la fin de l'année. Ici, on ne parlait pas de Noël ; aucune tempête de neige ne soufflait du nord-ouest et aucune branche de gui ou de lierre n'était accrochée au-dessus de la cheminée – on ne trouvait d'ailleurs aucune cheminée dans la demeure. Pas de zythogala[18] chaude aromatisée de brandy et de clous de girofle, ni de messe de minuit à l'église de Gulval, où chacun tapait du pied et, lors des prières, soufflait dans ses mains pour se réchauffer. Janvier laissa la place à février et aux premiers signes du printemps. Kenegie lui manquait-il ? Elle essayait de ne pas se remémorer sa vie passée. Mais parfois un souvenir se faufilait dans ses pensées, alors qu'elle croyait son esprit occupé : lorsque les bavardages des femmes, penchées sur leurs tambours et métiers à broder, lui rappelaient ceux des laitières dans les étables, qui cherchaient à savoir qui menait qui au bal du village ; quand elle se rendait, en compagnie de Leila, au sommet de la colline, d'où elles observaient la mer qui s'écrasait contre les rochers, au-dessous, exactement comme à Market-Jew ; parfois même, quand elle pelait un navet ou s'éveillait le matin, sans plus savoir qui ni où elle était.

Sa vie ne se déroulait en rien comme celle qu'elle avait imaginée, sur cette terre étrangère. C'était une existence

---

18. Boisson chaude populaire au Moyen Âge à base de lait aromatisé d'épices et de bière, ou de vin. (*N.∂.T.*)

simple, sans être austère ; parfois dure, mais jamais cruelle. Bien que beaucoup de temps soit accordé aux prières journalières, au moins autant était destiné à la préparation et au service du thé au cours de la journée, lorsque les femmes souhaitaient un moment de répit et s'engageaient en commérages qui n'auraient pas été admis à Kenegie. Le bain au hammam s'avéra une révélation, transformant la terrible épreuve qu'il avait tout d'abord constituée en un plaisir infini. La nourriture ne consistait pas à remplir l'estomac de façon purement fonctionnelle mais était inventive, subtilement épicée et merveilleusement présentée : « Manger doit être un régal pour les yeux et le palais », la réprimandait Habiba à moitié par pantomime, à moitié par paroles, lorsque Cat jetait pêle-mêle les légumes dans le tajine. Hasna lui montra comment préparer elle-même son khôl, à l'aide d'une pierre qu'elles achetèrent ensemble au souk, dont les reflets bleutés lui rappelèrent l'éclat des ailes de la pie ; comment la moudre pour obtenir une poudre qu'il fallait ensuite transformer en pâte ; comment remplir la délicate petite fiole à laquelle était attachée une fine baguette d'argent, puis l'appliquer sans pleurer, sous peine de voir les larmes entraîner de longs sillons noirs sur les joues.

Avec sa connaissance de la langue qui augmentait, elle en vint à mieux comprendre sa situation. L'homme auquel les autres femmes faisaient référence en le nommant sidi Qasem ben Hamed ben Moussa Dib était bien celui qu'elle avait connu sous le nom de Al-Andalusi, le capitaine du vaisseau corsaire ; toutefois, ses compagnes le considéraient non avec peur mais avec respect et affection. C'était un bienfaiteur, un marchand et un homme droit, lui apprirent-elles. Le fait qu'il fasse commerce d'esclaves – dont elle faisait partie – leur semblait absolument normal, comme s'il avait monnayé des chevaux ou des chameaux ; après un temps, Cat elle-même s'aperçut que sa perception des choses changeait. En vérité, elle trouvait difficile de se considérer comme une esclave, ou même une véritable servante : son maître était rarement présent, et les tâches qui lui incombaient, outre la surveillance de l'atelier de broderie, n'avaient rien de pesant. Elle jouissait de davantage de temps pour elle-même qu'elle n'en avait bénéficié à Kenegie. Lorsqu'elle s'aperçut qu'elle aimait balayer la cour et s'occuper des fleurs qui l'ornaient, bien que personne ne le lui ait demandé, elle découvrit un aspect paisible de son caractère qu'elle n'aurait jamais soupçonné.

Un jour, alors que Catherine était depuis près de sept mois dans la demeure de son nouveau maître, le raïs fit son apparition sans être annoncé, et la trouva assise dans la cour, le balai à ses pieds, les yeux clos, le visage tourné vers le soleil.

— Tu ressembles à la rose, dit-il doucement, avec ses pétales qui boivent le soleil.

Elle ouvrit les yeux, se leva en toute hâte, trébucha sur son balai et serait tombée si le raïs ne l'avait pas rattrapée. Il l'aida à s'asseoir et elle murmura :

— Merci, sidi Qasem.

— Qasem, seul, est suffisant.

— Qasem.

Cela lui sembla très étrange ; jamais elle n'avait appelé sir Arthur Harris de son simple prénom, la seule idée en était absurde.

— Pourquoi tu souris ?

— Je pensais à mon ancien maître.

— Me ressemblait-il ?

Son sourire s'agrandit. Sir Arthur, impassible, barbu et anglais jusqu'au bout des ongles : difficile d'imaginer deux hommes plus dissemblables.

— Pas le moins du monde !

Il sembla peu sûr de la façon dont il devait interpréter ce jugement, car il changea de sujet.

— Aimes-tu ma cour intérieure ?

— Elle est très belle et très... sereine.

— Je ne connais pas ce mot : « sereine ».

— Calme, tranquille – un bon endroit où s'asseoir et réfléchir.

Le visage du raïs se transforma, les plis de son front s'estompèrent.

— C'est un *chahar bagh*, jardin fait à l'image du jardin céleste, du paradis éternel. La vie humaine débuta dans le Jardin, et là nous retournons, à notre mort. Ceci représente notre voyage, poursuivit-il en indiquant l'eau qui coulait dans les canaux qui partaient de la fontaine centrale, car, comme l'eau, nous toujours en mouvement, nous occupés à chercher bonheur, connaissance, et foi. Le Coran dit quatre rivières coulaient dans le jardin d'Éden : rivières d'eau, de lait, de miel et de vin. Mais ici, dans mon petit paradis terrestre, caché du reste du monde, je dois me contenter de l'eau. Et quand je suis ici, je suis heureux.

Il avança la main et cueillit une rose qui poussait sur le treillis.

— Quelle perfection ! Dieu est beauté, et Il aime la beauté. Peut-être Il a créé cette fleur exactement pour le jour d'aujourd'hui. Les pétales ne sont pas touchés par insecte ni pourrissement ; la fleur n'a pas encore commencé à faner. Le parfum est parfum de paradis. Mais demain elle commencera à pourrir. C'est mieux si je cueille aujourd'hui et verse les pétales dans la fontaine qui est source de vie, ainsi la rose reste dans la mémoire sous sa plus belle forme.

Il posa un instant la rose sur la joue de Cat pour que celle-ci en respire l'arôme et sente la texture veloutée contre sa peau. Bien qu'il ne l'ait pas touchée directement, une onde de choc parcourut ses membres, comme si tous deux s'étaient soudain retrouvés connectés par la foudre, et elle eut du mal à respirer. Le raïs écrasa alors la fleur dans sa main afin de laisser sa fragrance remplir l'air immobile, puis s'avança vers la fontaine pour y disperser les pétales.

Cat ferma les yeux. Lorsqu'elle les ouvrit à nouveau, il avait disparu.

Après cela, chaque fois qu'elle allait dans la cour, elle y percevait sa présence, comme s'il l'épiait, dissimulé derrière l'un des piliers des arcades, ou à l'ombre du pavillon. Parfois, il lui semblait apercevoir un mouvement furtif dans la galerie supérieure, mais jamais elle ne voyait quiconque lorsqu'elle s'y précipitait ; seuls quelques bruants lançaient leurs trilles, leurs plumes vermeilles tranchant sur le blanc des fleurs de jasmin.

Les femmes travaillaient avec application sous sa tutelle, ravies de développer leur habileté. Lorsque Cat se trouvait parmi elles pour les aider à améliorer un motif ou leur montrer un point de broderie, elle ne pensait à rien d'autre : son esprit demeurait absorbé par la simplicité et l'exactitude de sa tâche, par les points à broder et par le délicat équilibre des couleurs. Trop de celles-ci et le résultat devenait criard, trop peu et il ressemblait au travail de Fez ou au noir sur blanc traditionnel d'Angleterre. À présent, lors des nombreuses fêtes qui se célébraient dans le pays, ses élèves se paraient d'un vêtement qu'elles avaient elles-mêmes orné – ceinture de soie, voile, caftan. La nouvelle se propagea et bientôt bon nombre de femmes vinrent frapper à la porte pour demander à la brodeuse étrangère de leur donner quelques leçons, car elles aussi désiraient ces magnifiques habits qu'elles ne pouvaient, sinon, se procurer.

Leila secouait la tête.

— Il est très beau de coudre ces choses, mais cela n'apportera pas fortune à ton maître, ni au reste d'entre nous.

Cat la dévisagea, perplexe.

— Que veux-tu dire ?

La Hollandaise rougit. Puis elle haussa les épaules.

— Autant que tu le saches. Le sidi Qasem a établi ici un comptoir marchand et s'est montré assez bon pour m'y inclure. Nous partagerons les bénéfices en parts égales, et chacun d'entre nous versera un cinquième de notre part dans un fonds commun destiné à la communauté. Dès lors, tu le comprends, un vêtement d'enfant ou un voile ici et là ne sauraient profiter à la collectivité.

Ni à ta propre poche, songea Cat amèrement, mais elle tint sa langue.

— Que devrions-nous fabriquer, alors ?

Leila tira une liste de la poche de sa robe.

— Des ornements pour chevaux, des couvertures de selle, des tapisseries de cérémonie, qui nécessiteraient à profusion l'utilisation de fils d'or et d'argent, de glands, de tresses…

— Des objets onéreux pour des hommes fortunés.

— Si tu veux. Mais plus ces riches nous verseront d'or, plus il s'en trouvera dans le fonds commun. Et puis, cela te vaudra davantage de prières de la part des gens d'ici.

— Pourquoi prieraient-ils pour moi ?

— Tu es une infidèle. Pire, une *kafir* : tu es destinée au sixième niveau de l'enfer à ta mort, où tu seras forcée de manger le fruit de l'arbre de *zaqqum*, qui intensifiera ton tourment tandis que tu brûleras dans les flammes éternelles. Les femmes prient pour que tu fasses ta *shahada* et les rejoignes en leur culte.

— *Shahada* ?

— C'est très simple. Tout ce que tu dois faire est de dire « Il n'y a d'autre Dieu qu'Allah et Mohammed est Son prophète ». À cet instant, tu es acceptée dans l'islam.

— C'est tout ?

Leila se pencha vers elle avec empressement et la prit par le bras.

— C'est tout, et ensuite tu seras l'une des nôtres. C'est très facile et cela rendrait… chacun très heureux.

— Je ne vois pas la valeur d'une conversion si dérisoire.

La Hollandaise afficha un sourire rusé.

— Une musulmane ne peut être esclave ; cela t'apporterait la liberté. Il est aussi bien connu qu'un musulman ne peut épouser qu'une femme de l'islam.

Elle marqua une pause, pour mesurer l'impact de ses paroles, puis ajouta :

— J'ai appris que Khadija, la cousine du sidi Qasem, a commandé un voile de mariage.

— Je m'en réjouis pour elle.

— Toutefois, bien entendu, les relations sexuelles avec une esclave femelle sont permises à un musulman, même si celui-ci a pris femme.

Cat arracha la liste des mains de l'autre femme.

— J'ai du travail. Je ne peux pas continuer à bavarder comme ça.

Le reste de la journée, sa broderie connut erreur sur erreur ; ses élèves secouèrent la tête en l'observant du coin de l'œil. Était-elle souffrante ? Sa peau semblait bien rouge. « Peut-être est-elle amoureuse », suggéra Hasna d'un ton malicieux, et elles rirent.

Comme Nell Chigwine l'aurait réprimandée de son attitude, digne de Jézabel, songea Cat en appliquant la dernière touche de khôl. Elle s'observa dans le miroir de sa chambre ; le bleu de ses yeux ainsi soulignés ressortait de façon saisissante, les boucles en argent tintaient à ses oreilles, les somptueuses broderies au col et aux manchettes embellissaient son caftan écarlate. La couleur des catins...

Puis elle se souvint que Nell était morte à présent, et de quelle façon elle avait péri. La honte l'envahit.

Aujourd'hui était un jour important. Le sidi Qasem amenait chez lui un groupe de marchands, afin de présenter son nouveau commerce. Le jour précédent, les femmes avaient nettoyé le plus beau salon, arrosé les coussins d'eau de rose, battu les tapis, poli les cuivres et les bois. Plus important, elles avaient mis la touche finale à une dizaine de nouvelles broderies qu'il pourrait utiliser comme échantillons. Les deux mois écoulés s'étaient déroulés au rythme d'innombrables points exécutés à l'aide de fils d'or et d'argent afin de produire un nombre suffisant de pièces délicates que le groupe irait montrer à Meknès, Fez, Larache, Safi, et même à Marrakech, dans l'espoir d'en retirer des commandes. L'atelier de Cat avait produit, à cette fin, une série d'extraordinaires accessoires destinés aux chevaux : une couverture de selle frangée de glands d'or et merveilleusement bordurée, une housse de selle spectaculaire à coudre directement sur le cuir, une sangle et une têtière tissées d'or. En plus de ces splendides éléments, le sidi Qasem disposait de vêtements plus traditionnels : *izar*, voiles, ceintures, galons et courtines. Le raïs s'était impliqué davantage que d'habitude. Il leur avait souvent rendu visite afin de donner son avis sur la coupe et la qualité du tapis de selle et des harnais. Tout en travaillant, Cat s'était souvenue comme d'un rêve de cet après-midi où elle l'avait vu qui attendait, de l'autre côté de Bou-Regreg, immobile et silencieux, avec sa monture caparaçonnée d'écarlate et d'or.

Elle prétexta devoir pendre les draps et monta sur la terrasse pour tenter de l'entrevoir à son arrivée. Son attente fut de courte durée : quelques minutes s'étaient à peine écoulées lorsqu'elle aperçut un groupe d'hommes qui apparurent au pied de la colline, au bas de la maison. Enturbannés et vêtus de djellabas, ils luttaient contre le vent. Ses yeux étaient irrésistiblement attirés par le plus grand d'entre eux, dont la démarche, même à cette allure, demeurait souple et féline. Alors qu'ils approchaient, il leva la tête et croisa son regard – telle la limaille de fer attirée par l'aimant – et elle se cacha en hâte, effrayée par la façon dont son cœur se gonflait dans sa poitrine.

Plus tard, il lui incomba d'apporter la grande théière d'argent, les petits verres et les biscuits aux amandes qu'elles avaient cuits ce matin-là, dans le salon où les hommes se délassaient en fumant et en échangeant des plaisanteries. Il la dévisagea de son regard sombre et énigmatique et, lorsqu'elle vit ses yeux s'écarquiller, elle sut qu'elle avait fait son effet. Elle s'inclina et quitta la pièce, drapée dans sa modestie, sans lancer aucun regard à droite ni à gauche ; mais ce soir-là elle attendit qu'il vienne frapper à sa porte et ne fut pas déçue.

— Il semble que vous allez me rapporter beaucoup d'argent, déclara-t-il, adossé au chambranle de la porte.

Cat reposa le livre qu'elle étudiait et leva les yeux. Il avait les pupilles dilatées à cause de cette herbe qu'il avait fumée avec ses invités. Il donna une impulsion du poignet à son chapelet et les petites pierres polies décrivirent un arc de cercle pour atterrir en cliquetant dans sa paume.

— La housse de selle ? Ou alors les tuniques de mariage ?

Il sourit.

— Hossein Malouda a offert une petite fortune. Pour toi.

— Pour moi ?

— Il dit que les échantillons sont remarquables, mais la créatrice de ces échantillons plus remarquable encore. Tu es soignée, ton travail aussi.

Elle sentit une veine battre à sa tempe. Quelle erreur elle avait commise en espérant gagner sa seule approbation ! Elle avait oublié qu'elle n'était que du bétail, une chose à vendre et à acheter.

— Qu'avez-vous répondu ?

Il joua un instant encore de son chapelet, puis l'enfouit dans une poche de sa djellaba.

— Je n'ai pas encore donné ma réponse.

— Pourquoi ?

La question s'échappa de ses lèvres, trahissant son angoisse. Elle sentit son cou qui s'enflammait, le sang lui monter au visage.

— Parce que je n'ai pas encore décidé ce que je ferai de toi. Il n'est pas seul à offrir un bon prix pour toi.

— Une autre personne a essayé de me racheter à vous ?

— Quelqu'un est venu avec une proposition il y a quelques mois. Malheureusement, il n'est pas venu me voir, mais le sidi Al-Ayyachi.

— Malheureusement ?

— Le sidi a décidé qu'il conclurait un autre marché avec lui.

— Vous semblez tous penser qu'il vous est permis de m'acheter et me vendre comme… comme un chameau !

Il éclata de rire.

— Ah, Cat'rin, dans ta robe rouge et ton argent : jamais je ne vis plus beau chameau. Toutefois, je me souviens une femelle de ces animaux, poursuivit-il en se frottant le menton, l'air rêveur, avec de grands yeux noirs et caractère qui engendrait la peur chez chaque cavalier. Elle crachait et mordait à tout propos. Tu me rappelles cette chamelle. Mais elle domptée, à la fin.

— Vous ne me dompterez jamais. Je ne suis pas un animal que vous pouvez asservir à votre volonté, ni vous ni aucun homme.

La lumière rouge du soleil couchant flamboya dans les yeux sombres du raïs. Un court instant, il ressembla à cet être démoniaque, ce djinn dont parlaient les femmes. Puis il recula et l'éclair disparut. Alors qu'il sortait sur le balcon, il souffla doucement :

— Et c'est pourquoi je t'aime, Cat'rin Anne Tregenna.

Le matin suivant, Leila et elle visitèrent le souk afin de trouver la femme qui fabriquait les passements ornés de glands dont elles avaient besoin pour enrichir une têtière de cheval. Cat appréciait beaucoup ces excursions. Elles lui permettaient d'observer ce monde dans lequel elle vivait à présent, de se repaître de visions et d'odeurs tout en prétendant être une femme libre qui, argent en poche, pouvait acheter ce que bon lui semblait. Comme elle était vêtue d'une djellaba et d'un voile, nul ne lui accordait plus d'attention qu'à une autre femme, sauf lorsque quelqu'un remarquait ses mains blanches ou ses yeux bleus. Alors, ils baissaient la tête avec un sourire, lui lançaient un regard de marbre, ou encore refusaient de la toucher.

— Les plus vieux pensent que nous sommes maudites, chuchotait Leila, car nous avons une peau de la couleur du cochon ; ils pensent que nous avons été corrompues par le souffle du diable. Mais tes yeux sont bleus ; cela, peut-être, te sauvera-t-il à la fin, conclut-elle sans s'expliquer davantage.

Elles trouvèrent la femme qui fabriquait les passements, à l'arrière de sa petite échoppe, au cœur de la médina, penchée sur le travail qu'elle exécutait au crochet. Celui-ci ne correspondait pas à la qualité que Cat s'était vu promettre. Elles s'éloignèrent sans le passement nécessaire ni avoir conclu de marché, et la jeune Cornouaillaise se retrouva de mauvaise humeur. L'air dans la boutique était étouffant et elle souffrait d'un début de mal de tête. Les deux femmes empruntèrent un raccourci vers la fontaine qui s'élevait devant la coupole recouvrant la tombe d'un saint local et Cat épongea son visage à l'aide d'un coin mouillé de son voile. Elle commençait à se sentir mieux lorsque retentirent des cris de douleur accompagnés des sifflements répétés d'un fouet. Sur la route, un peu plus loin, un groupe de prisonniers aux chevilles cerclées de fer semblait plongé dans la confusion ; l'un de ces malheureux était agenouillé sur le sol poussiéreux tandis que l'une des sentinelles s'acharnait sur lui.

Cat, les yeux rivés sur l'homme à terre, mit plusieurs secondes avant de remarquer celui qui se tenait à ses côtés. Elle abrita ses yeux du soleil. *Impossible…*

Elle bondit sur ses pieds, son mal de tête oublié, mais une foule s'était assemblée afin d'observer le chrétien tombé et elle ne parvint pas à confirmer ce qu'elle avait cru voir. Jouant des coudes, Cat s'élança dans la foule, mais quelqu'un lui agrippa le bras et la tira en arrière.

— Où crois-tu aller ?

Elle avait toujours pensé que Leila l'accompagnait afin de lui fournir assistance, comme traductrice et comme guide, mais elle réalisa alors combien elle s'était montrée naïve : la Hollandaise faisait office de gardienne.

Cat se libéra d'une bourrade.

— Je connais cet homme, le grand, là…

Mais le gardien était parvenu à remettre sur pied celui qui s'était effondré et la file de prisonniers s'ébranla de nouveau, offrant à Cat une vision de dos lacérés et de côtes qui saillaient sous la peau, comme celles de mules affamées. Ils étaient partis. Elle resta immobile, alors que la foule se dispersait. Elle devenait folle. Elle avait cru, un court instant, voir son cousin. Mais ce n'était pas possible ; Robert Bolitho se trouvait en Cornouailles, à des milliers de lieues de là.

« Et si, chuchota une voix dans un coin de son esprit, et si les corsaires avaient effectué un autre raid ? » Elle fit part de sa question à Leila, qui éclata de rire.

— Personne ne quitte Salé en cette période de l'année ; des vents violents soufflent depuis le sud-sud-ouest et rendent impossible tout retour au port. Aucune razzia n'interviendra avant le mois de mai.

Mais, malgré ces affirmations, Cat ne parvint pas à repousser l'image de cet homme qui se détachait – tout comme son cousin – du reste de ses compagnons, avec ses larges épaules qui dépassaient d'un demi-pied celles des autres. Sans avoir précisément vu son visage, elle finit toutefois par se convaincre de ce qu'elle avait vu. L'image de Rob, fers aux chevilles et battu, hanta ses jours et ses nuits.

Une semaine plus tard, lorsque le raïs revint dans sa demeure, Cat alla à sa rencontre.

— Puis-je vous parler ? demanda-t-elle, les yeux baissés.

Il la mena dans le salon et elle lui raconta la scène à laquelle elle avait assisté, au souk. Comme il ne répondait pas, elle eut la soudaine impression qu'il savait déjà ce qu'elle allait dire.

Elle leva les yeux et s'aperçut que ses lèvres ne formaient à présent qu'une ligne mince, tandis que ses yeux se rétrécissaient. Il arborait l'expression qu'il avait affichée lorsqu'il avait ordonné de brûler une croix sous les pieds du révérend Truran.

— Je voulais juste savoir s'il vous était possible d'apprendre, poursuivit-elle en hâte avant que son courage ne l'abandonne, si l'un des esclaves anglais répond au nom de Robert Bolitho.

Après un long silence, le pirate demanda :

— Pourquoi ferais-je cela ? Qui est-il pour toi ?

— Mon cousin, répondit Cat d'une voix ferme.

Le sidi Qasem s'adossa au mur, les yeux réduits à deux fentes, comme ceux d'un chat assoupi. Puis il agita la main avec dédain.

— Je ne me mêle pas des affaires des autres.

Il se pencha, attrapa sa *chicha* et entreprit, ostensiblement, de la nettoyer, de la remplir, puis de l'allumer.

— Je vous en prie, souffla Cat, dont le cœur battait si fort qu'elle parvint à peine à prononcer ces mots.

Plusieurs jours s'écoulèrent en travail et bavardages, mais le raïs ne revint pas. L'un de ses esclaves, qui vivait dans la maison qu'il possédait de l'autre côté de la rivière, apporta ses ordres. Cat, qui avait le sentiment que le sidi l'évitait, se montra cassante avec le garçon ; elle le renvoya sans même lui proposer à boire. Elle découvrit une tunique sans manches qui devait être embellie, des rideaux de lit – sans doute somptueux jadis – qui nécessitaient quelque rajeunissement, et une commande pour un voile d'épousée qu'accompagnaient de strictes instructions précisant qu'il ne fallait utiliser que la soie et la gaze la plus délicate. Était-il destiné à sa cousine Khadija ? se demanda Cat, qui ensuite s'efforça de ne plus penser aux paroles de Leila.

Elle confia la tunique à ses trois meilleures élèves, chargea Habiba, Latifa et Yasmina de restaurer le baldaquin, et s'attela elle-même à la conception du voile. Leila se rendit au souk afin de trouver une aune de gaze blanche tandis que Cat prenait place avec Hasna et deux des femmes les plus âgées afin de choisir un motif.

— Le grenadier ? suggéra Hasna, les yeux brillants. Imaginez, l'or et le rouge sur le blanc !

Mais Latifa, la veuve, fit claquer sa langue impatiemment.

— Le grenadier est destiné au premier enfant : tout le monde le sait ! Veux-tu que l'épousée se rende à son union couverte de honte ?

Hasna rougit et toutes éclatèrent de rire ; ce fut à cet instant précis que le sidi Qasem choisit de faire son entrée, suivi d'un autre homme. Cat avait le dos tourné à la porte, aussi ne décela-t-elle la présence des visiteurs qu'au soudain silence et à la façon dont les femmes masquaient leur visage. Elle tira elle aussi son voile et se retourna.

Robert Bolitho regarda fixement la scène qui s'offrait à lui : une dizaine de femmes natives du pays, assises en cercle et occupées à quelques travaux d'aiguille. Toutes avaient les traits masqués par leur voile, aussi, seuls leurs yeux apparaissaient, noirs et brillants. À l'exception de l'une d'entre elles. La main retomba, révélant le visage qu'il avait chéri dans ses rêves, celui qui l'avait poussé à traverser les océans ; le visage que son imagination avait invoqué afin de survivre aux effroyables situations auxquelles il était soumis. *Son* visage. Mais en même temps celui d'une autre. C'étaient bien ses yeux, d'un bleu pâle et saisissant, mais ils n'étaient pas comme ceux de cette jeune fille qu'il avait laissée tous ces mois plus tôt, devant l'église de Penzance. Le trait noir et exotique qui les soulignait n'était pas seul à faire d'elle une étrangère. Le regard qu'elle lui lança était plus sombre, plus profond, plus dérangeant, et il éprouva soudain une frayeur inconnue.

Cat regarda fixement la silhouette famélique vêtue de haillons qui dépassait le sidi Qasem. Le visage de l'homme était brûlé et décharné, les joues creuses, le nez étrangement tordu. La chevelure blonde et fournie avait disparu, laissant place à quelques touffes éparses qui lui rappelèrent les plants qui se dressaient çà et là, une fois la récolte effectuée, dans un champ de blé. Mais ses yeux, grands et dénués de toute fourberie, étaient toujours d'un bleu profond. Les yeux de ce garçon pour qui elle avait si souvent fait la coquette, en Cornouailles.

— Rob, oh, Rob… Qu'est-ce qu'ils t'ont fait ? Ils t'ont enlevé, toi aussi ?

— Oui, on pourrait le dire ainsi ; mais cela n'est pas arrivé de la façon que tu imagines, car c'est ici que j'ai été pris, et non là-bas. J'avais même rassemblé de l'argent pour ton rachat. Lady Harris m'en a donné un peu, et la comtesse a acheté ta nappe d'autel ; je suis désolé d'avoir dû la lui abandonner, Cat, surtout inachevée, mais je n'avais pas vraiment le choix. Cependant, ils m'ont pris l'argent et la bague...

— Il dit la vérité, Cat'rin, intervint le raïs. Il est venu ici sur un bateau anglais pour négocier ta rançon, mais il a été trahi. Les Anglais sont une race de traîtres.

Sa voix était dure, inflexible, glacée ; celle d'un homme qui refusait d'exprimer ses émotions. Il marqua une pause et son regard passa de Catherine à Rob.

— Je l'ai trouvé dans un enclos d'esclaves. Mais il n'est plus esclave, à présent. J'ai acheté sa liberté. Maintenant je t'offre ce cadeau. Tu n'es plus esclave – mon esclave –, tu es libre. Libre de partir avec lui, si tu veux. Tu dois faire un choix.

Cat sentit son regard la brûler comme de la braise. Mais elle ne leva pas les yeux vers lui ; trop d'émotions la secouaient, tout cela se montrait trop étrange. La tête lui tourna soudain, elle eut l'impression qu'elle quittait son corps et observait la scène depuis un autre endroit de la pièce – le fier capitaine corsaire, si cruel, si sûr de lui, réduit à un silence tendu ; l'Anglais émacié qui se tordait les mains en un geste familier ; la jeune fille qu'elle avait jadis été, astucieusement grimée, étrangère dans son caftan ; tous trois liés par les fils invisibles du destin.

Elle sortit de son corps, quitta l'atelier de broderie, la demeure du marchand, la cité forteresse de ce pays étranger. L'Arbre de la Connaissance s'éleva soudain devant elle, ses racines profondément plantées dans la terre, le large tronc masquant la lumière, ses branches étirées vers les cieux où brillaient un croissant de lune, des étoiles. Elle ne pouvait les voir, mais elle savait qu'Adam, Ève et le serpent faisaient à présent partie de ce tableau, sans visage, hors du temps. Elle sentit leur présence, écrasante, funeste, à l'intérieur de son corps et en même temps au-dehors. Son esprit devint la proie d'une explosion de chair et de sang tandis que sous sa peau se mêlaient le chaud et le froid, l'immensité et le massif, le doux et le sinueux ; bientôt elle ne sut plus où elle débutait et où commençait l'autre. Était-ce Ève, Adam, le serpent ou l'arbre ? Elle sentit la Connaissance se lever en elle et l'engloutir comme une vague de sang qui accéléra les battements de son cœur. Puis elle s'effondra par terre, et les rugissements qui résonnaient en elle s'éteignirent soudain.

Le corsaire fut le premier à réagir. Il cria en arabe, un juron ou une exclamation, puis souleva le corps de Cat et l'emporta. Habiba et Hasna lui emboîtèrent le pas, abandonnant Rob dans un océan de femmes qui se mirent à chuchoter, l'observer et rire de lui derrière leur voile. Il les ignora. Reconnaissant un objet sur le sol, il se pencha et le ramassa. La mémoire lui revint soudain de la sensation qu'il avait éprouvée la dernière fois qu'il l'avait tenu entre ses mains, quelques instants avant de l'offrir à Cat pour son anniversaire.

Il l'ouvrit à la page de titre ; là, sûr comme mars en carême, se trouvait son inscription : « *Pour ma cousine Cat, 27ᵉ jour de may 1625.* » Moins d'une année s'était écoulée, qui lui semblait un siècle. Des larmes lui piquèrent les yeux, comme autant d'aiguilles brûlantes. Le fait qu'elle l'avait gardé avec elle malgré tout ce qui lui était arrivé devait avoir une signification. Il tourna les pages, stupéfait d'y découvrir partout l'écriture de Cat, bien plus soignée qu'il l'aurait cru, venant de sa difficile et entêtée cousine. Il laissa son esprit dériver devant les motifs et les esquisses, tournant les pages au hasard. Son nom surgissait parfois et accrochait son regard : « *Rob me fit jurer de ne rien dire sur le sujet de pirates ou de Turcs... embuschée à jamais à Kenegie...* » Il feuilleta plus avant et lut : « *Unie à mon épais cousin Robert, vivant en masure derrière l'estable des vaches, grosse année après année d'enfants, eslevant sarabande de galopins et périssant dans l'obscurité. Je dois m'eschapper de cet endroict...* » Impossible, elle ne pouvait pas avoir pensé cela. Il se mit à transpirer. « *Ma mère se montre souffrante, il n'este rien que je puisse faire pour elle. Nulle lumière ni air pur ne nous conforte...* » Cela, au moins, lui semblait plus familier et ressemblait à sa propre expérience. Il se demanda si Jane Tregenna avait survécu, mais ne trouva nulle mention de son sort. Puis il lut : « *Comme j'aurais aimé suivre la recommandation d'Annie Badcock de rebrousser chemin vers Kenegie, avec Rob...* » Les battements de son cœur s'apaisèrent. Tout irait bien. Cherchant à se rassurer encore, il revint quelques pages en arrière, où une phrase se détacha des autres : «*Ainsi je suis ici, en la cabine du capitaine de ces pirates...* »

Il referma le livre et le glissa sous sa chemise. « Personne ne doit jamais le voir, se promit-il. Lorsque je l'aurai emmenée d'ici, nous le brûlerons ou le jetterons à la mer depuis le bateau, et jamais plus, lorsque nous serons unis, nous ne le mentionnerons. » Il s'élança vers la porte, repoussant Latifa qui tentait de s'interposer.

— Bois.

De l'eau fraîche humecta ses lèvres. Elle ouvrit les yeux. Un visage aux contours flous se trouvait tout proche du sien, à la peau sombre et aux yeux aussi noirs que le charbon.

— Cat'rin, Cat'rin, reviens à moi.

D'où venait-elle ? Où allait-elle ? D'étranges images se glissèrent dans son esprit, celles d'un vaisseau voguant en pleine mer, à destination d'une terre fertile, son cousin Rob au gouvernail. Qui l'emmenait au loin...

Elle lutta pour s'asseoir, agrippant la main posée sur son visage, s'y cramponnant.

— Ne me faites pas partir. Je ne veux pas partir.

Elle parla comme l'enfant de six ans qu'elle avait jadis été, de cette voix plaintive qui gémissait et suppliait de ne pas rendre visite à son oncle et à sa tante. Elle n'en aima pas le ton.

La main dans la sienne se resserra. Quelqu'un embrassa ses doigts.

— Oh.

Elle tourna la tête en direction de ce baiser et, avant d'être en mesure de formuler la moindre pensée rationnelle, chercha des lèvres celles qui étaient posées sur ses doigts.

Le baiser qui suivit n'avait rien en commun avec celui qui lui avait été imposé par sir John Killigrew avec sa moustache, sa langue, son odeur de tabac et de bière. Celui-ci avait le goût d'herbes fraîches et de menthe ; elle aurait voulu qu'il ne cesse jamais.

Enfin, le raïs se détacha d'elle et la tint devant lui, à bout de bras.

— Que dis-tu, Cat'rin ? As-tu tous tes esprits, ou bien erres-tu encore ?

Il avait l'air anxieux. Cat croisa les mains sur ses genoux, baissa les yeux et les examina un moment. Le silence se déploya entre eux comme un voile. Les pensées se succédèrent dans son esprit, rapides et désordonnées. Jamais elle n'avait ressenti, de toute sa vie, le désir d'embrasser un homme. Elle ne s'était pas attendue à ce que l'expérience soit aussi intense : elle avait l'impression que sa peau – la peau de tout son corps – s'embra-sait à son toucher. S'efforçant de se concentrer, elle demanda :

— Je ne suis plus votre esclave ?

— Je t'ai rendue libre ; tu es la femme libre qui doit faire son choix. En vérité, ajouta-t-il d'une voix douce après une pause, je crois *je* suis *ton* esclave, à présent.

Elle baissa de nouveau les yeux, essayant de réprimer un sourire. Puis elle s'immobilisa.

— Si je reste, dois-je me convertir à l'islam ?

— Si tu deviens mon épouse, oui. Mais tu peux rester comme femme libre et vivre sous mon toit, continuer le travail et gagner ton argent. Si tu préfères, je ne toucherai jamais à toi.

— Vous feriez de moi votre épouse ?

Qasem hocha la tête.

— De tout mon cœur.

— Votre seule épouse ?

— Une seule, suffisant.

— Je croyais que vous alliez vous unir à votre cousine Khadija.

Il éclata de rire.

— Je crois cette histoire inventée par Khadija elle-même.

Il pressa sa main contre son cœur et elle perçut les battements profonds et forts qui vibraient sous sa paume.

— Veux-tu m'épouser, Cat'rin Tregenna ?

Elle écarquilla les yeux. Accepter signifiait qu'elle devait renier sa foi, se damnant ainsi pour l'éternité aux yeux de sa propre religion. Elle deviendrait hérétique. Infidèle. Le choix qui s'offrait à elle lui sembla irréel. Elle ne savait plus si, en son cœur, elle demeurait une chrétienne. Car elle avait perdu quelque chose lors de son voyage, puis dans les cachots des esclaves. Elle savait que, pour prendre une décision éclairée, il aurait fallu considérer tout ce qui lui avait été donné ce jour-là – Rob, la liberté, le cœur de cet homme étranger, un avenir comme régente en broderie – et passer un long moment à délibérer.

Mais elle s'en montrait tout simplement incapable : trop réfléchir ne lui apporterait que déraison. Elle inspira profondément et répondit d'un ton précipité, craignant que les mots ne lui échappent :

— Je resterai ici et t'épouserai, Qasem.

À cet instant précis, Robert Bolitho pénétra dans la cour intérieure. Il n'entendit pas les paroles de Catherine, mais l'attitude des deux silhouettes agenouillées à côté de la fontaine ne lui laissa aucun doute : il éprouva l'impression de briser une intimité. La souffrance qui l'envahit le cloua au sol et, lorsqu'il parla, il lui sembla que le monde n'était plus le même.

— Catherine !

Sa cousine s'écarta du pirate et se tourna vers lui, le visage en feu : elle était l'image vivante de la femme déshonorée qu'elle était devenue.

— Catherine, accepte mon aide, rentre avec moi. Tu n'es pas liée à lui, quoi qu'il affirme.

Elle se leva et son voile se détacha, découvrant sa chevelure qui tomba en cascade autour d'elle comme un incendie.

— Je n'ai pas besoin d'être sauvée, Robert. Je suis libre d'effectuer ce choix ; lorsque tu retourneras à Kenegie, tu témoigneras que j'ai *choisi* de demeurer ici, de ma propre volonté et pour des raisons que tu ne peux pas comprendre.

— Oh, je vois, jeta-t-il amèrement, avant de poursuivre d'une voix que Cat, pour la première fois, trouva grossière. Je ne sais pas si je reverrai Kenegie, ni si j'y retrouverai jamais un emploi. Je suis parti sans la permission de sir Arthur ; j'ai embarqué sur le premier vaisseau qui s'est présenté, sachant que je partais en compagnie de ruffians qui pouvaient me voler et jeter mon corps à la mer. Cela, peut-être, aurait mieux valu, pour le bien que m'a apporté ma survie ! J'ai emporté la bague de ma grand-mère et me suis répété à l'infini que, lorsque enfin mes yeux se poseraient sur toi, je passerais l'anneau à ton doigt en promesse qu'aucun danger, jamais, ne t'arriverait. Mais... cela aussi, ils me l'ont dérobé, tout comme ils m'ont dépouillé de mon argent et de ma liberté.

« Cat, je t'ai aimée toute ma vie et je sais que tu m'aimes également. Je ne me soucie pas que tu sois déshonorée et te prendrai telle que tu es. Et si un enfant venait de notre union, qui soit doté d'une peau sombre et d'yeux noirs, il deviendrait notre croix que nous porterions avec vaillance. Tu vois, j'ai pensé à tout, et en plus je le confesse : il ne me reste aucune fierté. Quoi qu'il t'ait fait, quoi qu'il se soit passé, je te pardonne.

Cat serra les poings.

— Comment oses-tu m'offrir une union de charité, Robert Bolitho ? Je n'ai pas besoin de ton pardon – ni d'autre chose ! Je n'ai rien fait dont je doive rougir. Tu me dévisages comme si je t'avais trahi mais jamais je ne t'ai aimé autrement que comme mon cousin. Je regrette de t'annoncer cela en de si amères circonstances, Rob, mais il est important que tu l'apprennes.

Le silence s'installa entre eux, lourd de malentendus et de récriminations. Enfin, Rob s'écria :

— Comment peux-tu rester là, sans que ton cœur saigne à me voir ainsi ? Tu brûles du feu de la tentation, comme Nell t'en accusait ; et à présent, tu as ensorcelé un homme plus riche que moi, un idolâtre qui plus est. Tu as perdu l'esprit, Catherine Anne Tregenna, et ton âme !

Le capitaine des corsaires bondit alors sur ses pieds.

— Qasem, non.

La façon dont elle posa la main sur le bras de l'étranger, et surtout la réaction de ce dernier, était plus que ce que Rob pouvait supporter. La colère qui l'avait agité s'estompa, le laissant sans défense. Submergé par une vague de détresse, il laissa échapper un sanglot qui éclata soudain dans le silence de la cour.

Cat sentit ses yeux s'embuer. Elle s'adressa à lui avec douceur :

— Je comprends que tu me trouves cruelle et sans cœur, Rob. Je sais ce que tu as fait pour moi, l'ampleur de ton geste, les risques encourus, l'horreur endurée. Je suis tellement désolée de ce qui t'est arrivé. Jamais je ne t'aurais demandé de venir me chercher. Tu as fait preuve d'un tel courage...

Il écarta ses paroles d'un geste, refusant sa sympathie.

— Ça n'a pas d'importance. Je n'agis pas seulement pour toi : d'autres sont l'objet de mon attention.

Ce mensonge éhonté était le premier qu'il ait jamais sciemment proféré.

— J'espère que tu mèneras une existence heureuse, ici, Catherine.

Les traits de celle-ci s'altérèrent : y avait-il perçu de la surprise ? Du soulagement ? De la déception ? Elle ne ressemblait plus à cette jeune fille pour qui il avait traversé les océans. Elle était morte à ses yeux. Il s'arracha à la contemplation de ce visage et se tourna vers l'homme.

— Sidi Qasem, j'ai une faveur à vous demander.

— Demande.

— Je désire sauver la vie d'une autre. L'or que le sidi Mohammed m'a pris devrait payer sa rançon.

Le corsaire afficha un air surpris.

— Qui dois-je rechercher ?

— Elle se nomme Matty Pengelly, enlevée lors de ce même raid sur Penzance. C'est une jeune fille simple et décente, qui mérite un meilleur sort que celui d'esclave.

Sidi Qasem inclina la tête.

— S'il est possible de faire cela pour toi, je le fais. Tu as ma promesse. Je te trouverai aussi une place sur un navire qui part pour les côtes d'Angleterre, et écrirai une lettre pour assurer ta sûreté si par malchance tu tombes entre les mains d'autres… marchands. Est-il autre chose que tu veux me demander ?

On aurait dit que le corsaire rayonnait de l'intérieur, comme si un soleil brûlait dans son corps. Oui, songea le jeune Cornouaillais avec amertume, son triomphe était éclatant. Rob détourna les yeux, incapable de regarder cet homme qui lui ôtait son rêve.

— Non. Il ne reste rien au monde qui vaille cette peine.

32

Et ainsi, Matty, fis-je de toy ma femme. Que bonne espouse te montras-tu, toutes ces années, ainsi que bonne mère à nos enfants. Point ne fut-ce mon cas. Esgaré, sauvage, colère et le cœur par trop rempli de chagrins qu'en moult occasions je cherchai à noyer. Pour tout cela, je suis désolé. Plus que tout, je pleure de n'avoir point reconnu le cap qu'emprunteroit ma vie, tôt assez pour que de le suivre seul, plutôt que de t'entraisner à ma suite. À présent, voicy ta chance de te construire un autre avenir. Quitte Kenegie. Ce lieu estouffe, rempli qu'il este de désespoir, d'eschec et d'infortune. Pars avant qu'il ne soye trop tard, sauve-toy. Trouve autre homme sans point porter en toy le poids de ma vie, ni celuy de ma mort.

Pars, avec mon attachement si ce n'este mon amour.
Ton espou fourvoyé,
Robert Bolitho

Le regard d'Idris quitta la lettre et se posa sur moi.
— Quelle triste fin !
Nous étions assis, face à l'embouchure de Bou-Regreg, dans le café maure de la Qasba des Oudaias. Le soleil passait par les entrelacs serrés de la treille, tandis qu'une brise de mer nous apportait une délicate senteur de roses. J'avais suivi des yeux un petit chat qui chassait une feuille entre les pieds des tables tandis qu'Idris lisait la lettre, car je n'avais pu me résoudre à la relire une fois de plus. Elle me semblait lourde de malheur et de malchance et j'éprouvais le sentiment que, si je me laissais

aller à prononcer les dernières paroles de Robert Bolitho à haute voix, un désastre s'abattrait sur nous.

— Croyez-vous aux fantômes, Idris ?

— Bien sûr. Démons et esprits malins rôdent à nos côtés. Mais nous n'aimons pas les mentionner, car cela les encourage.

Je lui parlai d'Andrew Hoskin, de ces miasmes désespérés qui avaient envahi la maison, de cette sensation de panique qui m'avait engloutie dans le grenier, lorsque j'étais allée chercher la bible familiale d'Alison. Qui renfermait les lettres de Robert Bolitho.

Puis je me souvins de l'endroit où j'avais retrouvé ces lettres : dans une boîte, sous une couche de poussière, un carton qui n'avait visiblement pas été ouvert depuis très longtemps. Comment était-il possible que les mots employés par Andrew dans la note qu'il avait laissée lors de son suicide – Andrew dont la sensibilité, en aucun cas, ne s'apparentait au littéraire ou au classique – ressemblent autant à ceux utilisés par Robert Bolitho ? Je frissonnai et les cheveux de ma nuque se hérissèrent, comme caressés par le souffle glacé du temps.

— *Khamsa oukhmiss.*

Idris toucha le bois de la table. Oh, ce geste : quelle merveilleuse conjuration universelle du mauvais sort !

— Je suis heureuse d'avoir confié le livre à Anna. J'ai l'impression que cette histoire est maudite, comme si le temps ne cessait de presser les gens en ses filets pour en extraire la vie. Les Tregenna, les Pengelly, les Bolitho – toute ma famille cornouaillaise semble piégée.

— *Habibi*, m'interpella-t-il doucement en prenant ma main, il existe mille et une raisons de s'ôter la vie, tout comme il existe mille et un types de personnes, à travers le monde. Les motifs se répètent peut-être, mais nous ne sommes pas totalement les esclaves de la providence. Dans notre culture, nous croyons qu'on n'exige de personne qu'il supporte plus qu'il ne peut endurer.

— À l'évidence, cela ne s'appliqua pas à Robert Bolitho ni à Andrew : une telle colère, une telle déception...

Je restai immobile, la tête entre les mains, le cœur envahi de peine pour ces deux hommes. Après un moment, je demandai :

— Croyez-vous que nous souffrons en rédemption des péchés de nos ancêtres ?

Idris me prit de nouveau la main, la retourna dans la sienne et suivit du doigt les lignes qui sillonnaient ma paume.

— Dans l'islam, le péché originel n'existe pas. Chaque âme entre dans le monde, pure et lumineuse, sans culpabilité d'aucune sorte. La Chute a bien eu lieu, mais a été pardonnée. Dieu a renvoyé Adam et Hawa des cieux, vers le paradis terrestre de Jenaa, afin d'en devenir les gardiens, et c'est là que Satan les a convaincus de goûter au fruit défendu ; mais dans le Coran, ils partagent tous deux la culpabilité et, lorsque Dieu leur a pardonné leur acte, Il les a envoyés ensemble dans le monde afin de travailler la terre, comme deux égaux. Leurs enfants ne portent pas le poids des échecs de leurs parents ; personne n'est mort pour sauver nos âmes. Le passé est passé : les choses prennent place, nous souffrons, puis nous avançons vers la lumière.

— Il s'agit d'un point de vue remarquablement humain.

— La culpabilité et le tort sont corrosifs, Julia ; ils détruisent les vies. Je suis convaincu qu'il est possible de recommencer à zéro, de trouver le bonheur. Je le sais.

L'après-midi, nous avons abandonné la vieille ville pour arpenter les boulevards larges et illuminés de soleil de la partie nouvelle de Rabat. Idris me mena dans divers cafés et librairies avant de terminer par une boutique de vêtements où s'étalaient des écharpes et des caftans aux couleurs éclatantes.

— Il vous faut rapporter à Londres quelque chose qui vous rappelle le Maroc, déclara Idris.

Je caressai l'une des écharpes ; elle était en soie et les tons bleu, vert et or chatoyaient comme un océan sous le soleil d'été.

— Très belle, admirai-je.

Il la prit en main et la tint près de mon visage.

— Très.

Le prix était ridiculement bas, mais Idris passa un temps infini à négocier avec la pauvre femme qui tenait la boutique. Enfin, elle emballa l'étole et me la tendit; je payai et me tournai pour quitter les lieux.

Idris me retint par le bras.

— Non, non, il y a autre chose.

Il échangea un sourire avec la femme derrière le comptoir; ils avaient soudain l'air malicieux et complices.

— Quoi?

— Imane va vous montrer.

La marchande me guida derrière un rideau situé à l'arrière de sa boutique puis me laissa devant un large miroir, sous une lumière fluorescente impitoyable. La surface d'étain me renvoya le reflet d'une femme livide à l'air épuisé, la peau et les cheveux crayeux, les yeux noirs, creusés. J'éprouvai du soulagement à voir revenir la Marocaine. Elle portait un amas de tissus turquoise dans les bras.

Elle déplia un long caftan traditionnel aux larges manches. Des boutons s'échelonnaient sur toute la longueur, de l'ourlet au col: de parfaits nœuds turcs passés dans des brides effectuées au point de chaînette, décorées de chaque côté de broderies artisanales qui montraient des croissants de lune et des étoiles, faites de fils d'or et d'argent. Les mêmes motifs ornaient les manches et le bas de la robe.

J'en eus le souffle coupé.

— Elle est magnifique. *Fabuleuse**.

Imane me sourit puis m'aida à la passer. Elle demeura ensuite à mon côté lorsque j'admirai la transformation dans le miroir.

— *Ça vraiment vous convenir, mademoiselle. C'est votre couleur. Montrez à votre mari** !

— Ce n'est pas… commençai-je, avant de m'interrompre.

Quel intérêt y avait-il à entreprendre une explication compliquée ?

— D'accord, dis-je en souriant.

Idris se tenait debout devant la porte, l'air d'un homme qui aurait bien fumé une cigarette. Lorsqu'il entendit cliqueter les anneaux métalliques du rideau, il se retourna, et ses yeux s'agrandirent.

Je compris qu'il avait payé pour le caftan, d'où le marchandage.

— Je veux que vous le portiez pour vous souvenir du Maroc.

— Comment pourrais-je jamais oublier le Maroc ?

Il agissait avec une générosité qui me mettait mal à l'aise : je ne savais pas quoi lui dire. Entre nous, déjà, flottait un air lourd de non-dits, de tension impalpable. Je partais le soir suivant ; par certains côtés, je n'avais nulle envie de partir, mais j'avais besoin d'espace. Il me fallait peser mes choix et prendre des décisions.

En compagnie de mon ami, je flânai dans de magnifiques jardins ornementaux ; des hommes jouaient aux échecs, accoudés à de petites tables sur la terrasse d'un café, tandis qu'à côté d'eux, sur le sol, des enfants se livraient à un jeu compliqué à l'aide de bouchons de bouteille et de petits cailloux. Je regardai le propriétaire du café poser un bol au-dehors ; aussitôt, trois chats efflanqués quittèrent l'ombre où ils avaient trouvé refuge et entreprirent de vider la gamelle des restes de poulet, avec une avidité leste, silencieuse et concentrée.

— Il est dit que le Prophète s'assit un jour dans ce jardin pour le contempler, me dit Idris tandis que nous observions les félins, mais lorsqu'il fut temps pour lui de partir prier, il s'aperçut que son chat, Muezza, s'était endormi sur sa manche. Il s'agissait de ce même chat qui jadis l'avait sauvé d'un serpent, aussi, au lieu de le déranger, découpa-t-il le tissu pour retourner à ses occupations.

Je souris, les yeux fixés sur les trois félins ; ils terminèrent de lécher leur gamelle puis s'éloignèrent paresseusement. Quel conte charmant ! Comme il serait agréable d'être un chat, jouissant de cette assurance que le monde veillerait toujours à ses besoins !

À cet instant, le portable d'Idris se mit à sonner. Il décrocha et s'adressa à son interlocuteur d'une voix joyeuse. Lorsque sa conversation s'acheva, il se tourna vers moi, les yeux brillants.

— *Jeddah* est de retour des montagnes. Elle vous attend.

Je ne sais pas comment j'avais imaginé la grand-mère d'Idris, mais lorsque je la vis, debout dans le salon, je crus qu'il s'agissait d'une personne qui rendait visite à la famille.

— Voici Lalla Mariam, déclara toutefois Idris avec fierté, avant de l'étreindre en déversant un flot de berbère où je perçus mon nom – Julia – mentionné par deux fois, tel deux îlots flottant sur un océan de sons incompréhensibles.

Elle me prit soudain dans ses bras. En voilà une qui n'a rien d'une vieille femme frêle, songeai-je, sentant des muscles déliés qui recouvraient une ossature solide. Elle me souhaita la bienvenue – «*marhaban, marhaban*» – puis continua dans un torrent de berbère dont je ne compris pas un traître mot. Elle me lâcha tout aussi soudainement puis s'élança à travers la pièce. J'entendis son pas résonner dans l'escalier, aussi assuré que les sabots d'une chèvre sur la roche de montagne.

— C'est une force de la nature, votre grand-mère ! Quel âge a-t-elle ?

Il haussa les épaules.

— Personne ne le sait ; ce n'est pas un sujet dont nous nous entretenons beaucoup. En plus, ils ne connaissaient pas les actes de naissance ni les documents, là où elle est née. *Jeddah* elle-même, je pense, ne le sait pas avec exactitude. Nous ne décomptons pas nos jours comme vous, les Occidentaux.

— C'est la mère de votre mère ? Quel âge a votre mère ?

Il hocha la tête puis réfléchit un moment. Attendant sa réponse, je songeai combien sa culture différait de la mienne, où chaque article de journaux aurait mentionné l'âge de toute personne aussitôt après son nom, combien ces précisions étaient inutiles.

— Je pense... soixante-trois.

— Et combien de frères et sœurs votre mère a-t-elle ?

Il les énuméra sur le bout de ses doigts.

— Douze. Malika était la septième.

J'effectuai un rapide calcul. J'avais lu que les femmes des régions montagneuses se mariaient souvent très jeunes, mais même ainsi et en comptant les écarts entre les naissances, cela lui faisait...

— Seigneur ! Quatre-vingt-cinq ans, au moins !

— Elle est extraordinaire, n'est-ce pas ? Allons à l'étage ; elle a apporté quelque chose que je voudrais vous montrer.

Il tendit la main vers moi et je gravis les marches avec lui.

À l'étage, en face de la chambre d'Idris, une porte était ouverte. Quelqu'un chantait à l'intérieur. Je m'arrêtai sur le palier pour écouter, ne voulant pas interrompre la mélodie. Sans avertissement, Idris se joignit soudain au chant de la vieille femme, alternant à contretemps des notes vibrantes et mélodieuses. Je songeai aux oiseaux que nous avions entendus dans la médina, ceux qui, d'un mur à l'autre, s'adressaient leurs trilles.

— Traduisez-moi les paroles, suppliai-je lorsqu'il eut terminé.

— « Dieu compta les beautés au nombre de dix :
Henné, savon et soie – celles-ci font trois.
La charrue, le troupeau, les abeilles
Six, cela fait.
Sur la montagne, qui se lève, le soleil.
Sept, cela fait.
Le croissant de lune, fin comme la lame d'un chrétien
Cela fait huit
Avec les chevaux et les livres
Nous comptons dix. »

Il porta ma main à ses lèvres et reprit :

— Vous serez chargée de beautés, avant votre retour vers votre ancienne cité grise, promit-il en poussant la porte. Vous avez votre objet de soie, *Jeddah* a apporté du savon d'argan, et ma cousine Hasna ornera vos mains de henné un peu plus tard...

Je l'entendis à peine. Lalla Mariam se tenait dans la pièce, droite comme un roseau, examinant une longueur d'étoffe chatoyante. Ce ne fut toutefois pas celle-ci qui attira mon attention, mais l'expression qui illumina les traits de la grand-mère d'Idris lorsqu'elle leva les yeux vers moi. Dans la demi-pénombre du salon, j'avais aperçu une vieille femme digne à la chevelure argentée encadrant des traits fins. Mais à présent, dans la lumière qui l'auréolait, sa beauté me coupait le souffle.

— Oui, c'est magnifique, n'est-ce pas ? demanda alors Idris. Je savais que vous apprécieriez le délicat artisanat. *Jeddah* en est très fière, elle adore le montrer aux gens...

Je détachai mon regard du visage de sa grand-mère et le posai sur l'objet qu'elle avait rapporté des montagnes. Il s'agissait d'une large et longue bande de soie blanche brochée dont les bordures étaient ornées de dessins exquis. Des centaines de fougères et de guirlandes de bruyère stylisée se déroulaient et s'ouvraient aux rayons d'un soleil invisible, piquées çà et là de minuscules boutons roses et de fleurs d'un jaune d'or. Les feuillages, exécutés avec une précision presque géométrique, émergeaient dans un ordre soigneux et formaient un cadre d'où affleuraient les boutons de roses. Mais ce fut l'examen des petites fleurs jaunes, perchées sur leurs fines tiges pointues, qui glaça mon sang dans mes veines.

— Des ajoncs, murmurai-je, me souvenant de la couronne qu'avait tressée Robert Bolitho pour la femme qu'il aimait.

Les boutons et les fleurs épanouies semblaient brodés avec un réalisme tellement inhabituel que j'avais l'impression de sentir le riche arôme – comme du massepain chaud – qui se répandait en même temps que se déployait la bande d'étoffe.

— Des ajoncs ?

— Cette fleur, là. C'est une plante sauvage et épineuse qui pousse partout sur les collines et les falaises de la Cornouailles. Un motif de broderie très rare.

Idris traduisit pour sa grand-mère, qui écouta calmement l'explication, le regard fixé sur moi. Puis elle se mit à parler avec animation ; Idris lui répondit avant de lui poser à son tour une question. L'échange qui s'ensuivit ressembla au babil de deux pies.

Il se tourna enfin vers moi.

— *Jeddah* dit trois choses : premièrement, que cette fleur – ce buisson – existe aussi ici, sur la côte de l'Atlantique. Ensuite, que ce voile – il s'agit d'un voile de mariée – se trouve dans la famille depuis des générations, mais personne ne sait d'où il vient ni qui le confectionna, quoique notre famille ait compté de nombreuses femmes expertes dans les travaux d'aiguille. Enfin, que le style de cet objet est connu sous le nom de « *aleuj* » : un mélange de qualité berbère traditionnelle – très dense, précise, géométrique – et d'un style plus fluide et réaliste venu d'Europe. « *Aleuj* » en arabe classique signifie « étrange », « étranger », ou même « l'étranger ». Mais il peut aussi se traduire par « celui qui s'est converti à l'islam ». Et les premiers échantillons connus datent du XVIIᵉ siècle.

La vieille femme ajouta alors quelque chose ; elle le répéta trois fois pour qu'Idris comprenne.

— Elle dit qu'ici, à Rabat, vécut jadis une femme maître en broderie qui se nommait Zahrat Chamal.

Je le regardai, perplexe.

— Il s'agit d'un nom donné, reprit-il, pas un nom de naissance. Il signifie « Fleur du Nord ».

Catherine était-elle devenue Zahrat lorsqu'elle s'était convertie pour épouser son raïs ? « Chamal » indiquait-il le nord du Maroc ou plus loin encore ? Avait-elle adopté ce nom lors de sa conversion, comme Will Martin devenu Ashab Ibrahim ? Peut-être la diseuse de bonne aventure avait-elle dit la vérité, après tout ; jamais elle ne se marierait comme Catherine.

J'examinai les points de broderie du voile : délicats, précis, utilisant un fin fil de satin. Comme ceux de la nappe d'autel de la comtesse de Salisbury. Il ne s'agissait pas d'une preuve en soi, tout le monde utilisait du satin, même moi. J'imaginai Cat enveloppée dans ce voile magnifique, comme ces femmes que j'avais vues dans les tableaux, une couronne berbère en argent posée sur la tête, les perles lui ceignant le visage, sa chevelure fougueuse cachée sous un voile coloré, ses yeux bleus fixés fièrement sur un homme vêtu d'or et d'écarlate. Il la prenait par la main afin de la mener sous le dais spectaculaire que les femmes de sa classe avaient brodé en cadeau à sidi Qasem ben Hamed ben Moussa Dib et son épouse venue de loin.

Lorsque je levai le regard vers Lalla Mariam, je m'aperçus que, comme les miens, ses yeux bleus étaient embués de larmes.

33

Alison tourna mes mains dans les siennes pour mieux examiner mes paumes.

— Et ça ? demanda-t-elle.

— Une rose, je crois – une variété ancienne, comme une rose grimpante – aux pétales plats. Mais je ne sais pas comment se nomme la plante sur la main gauche.

Elle suivit la ligne formée par les feuilles qui, comme une chaîne de cœurs, couraient de la paume à la pointe de mon index.

— Comme c'est joli. Et ça ? Tu l'as acheté à Rabat ?

Elle toucha l'anneau que je portais au troisième doigt de ma main droite. Idris l'y avait glissé en me disant au revoir, devant l'aéroport. « Il appartient à *Jeddah*, m'avait-il dit solennellement. Elle a dit qu'il s'agissait d'un prêt ; elle voulait que je vous le donne car il vous ramènera au Maroc. » Puis il avait refermé mes doigts dessus avant de me donner un long baiser, caché des regards extérieurs par les pare-soleil de son taxi. Je me souvins de la sensation de faiblesse dans mes jambes lorsque j'avais atteint le poste de sécurité. Depuis, nous nous étions téléphoné chaque soir ; notre brève romance s'était ainsi lentement transformée en une cour désuète et pleine de charme. Nous en avions profité pour discuter de tout, depuis la poésie française jusqu'aux échecs de nos équipes nationales respectives de football. J'avais l'impression d'en savoir davantage à son sujet que je n'en avais jamais appris sur Michael.

— Combien de temps cela durera-t-il ?

— Pardon ?

— Le tatouage ! Combien de temps restera-t-il ?

Déjà, le henné avait pâli et ne possédait plus cet orange lumineux qui m'avait surprise lorsque, au matin de mon départ, la pâte séchée était tombée sous la douche. Le dessin montrait à présent le même ton brun que mes taches de rousseur et, comme elles, semblait faire partie de moi. Je ne voulais pas le voir s'effacer.

— Idris a dit un mois, environ.

— Il t'a marquée comme sa propriété, cet Idris, me taquina-t-elle.

— Certainement pas ! C'est une tradition : les femmes arborent des tatouages au henné comme forme de protection contre les influences maléfiques.

Le silence s'installa. J'étais revenue du Maroc deux semaines plus tôt et le temps s'était écoulé depuis dans un tourbillon d'activités. Trois propositions m'attendaient pour mon appartement, ainsi qu'une commande potentiellement lucrative. La simplicité et la rapidité de cet enchaînement m'avaient stupéfiée : c'était comme si la providence me poussait dans une direction. J'avais également passé beaucoup de temps avec Anna. Ensemble, nous avions rendu visite à son amie au département des publications du musée Victoria & Albert, une femme élégante d'une cinquantaine d'années, au langage raffiné, qui à son tour nous avait présenté quelqu'un travaillant au département des textiles anglais. Les regarder s'extasier sans retenue devant le travail de Cat et les esquisses qu'elle avait griffonnées dans *La Gloire de la brodeuse* se révéla une récompense en soi. Bien entendu, elles demandèrent s'il leur était possible d'exposer l'ouvrage à côté de la nappe d'autel ; je leur répondis honnêtement que je n'avais pas encore décidé de ce que j'allais faire de mon livre. Elles se montrèrent déçues, mais bientôt, après une discussion sur la possibilité de garder le livre quelque temps afin d'établir des copies, tout le monde se sépara sur une note positive. Anna avait l'air radieuse, et je le lui fis remarquer.

« Je suis tellement heureuse de pouvoir agir ainsi pour la famille et, je dois dire, pour la postérité, si cela ne semble pas trop pompeux. »

Je lui assurai qu'il n'en était rien et elle ajouta :

« Et Dieu merci, je n'éprouve plus de nausées, le stade dangereux est dépassé et l'échographie était normale…

— Garçon ou fille ?

— Je n'ai pas voulu savoir. Il vaut mieux ne pas anticiper l'avenir, je crois. J'apprends à prendre la vie comme elle vient. »

Anna changeait. Comme nous tous, peut-être.

Je souris.

— Prête ? demanda Alison, interrompant le cours de mes pensées.

— Plus que jamais.

Je ramassai un galet plat et le lançai sur la mer en direction de l'île de Saint-Clément. Il rebondit six fois avant de s'enfoncer dans les profondeurs.

— Flûte, j'en voulais sept.

— « Six pour de l'or », cita Alison avec un rire, ce n'est pas trop mal.

— Comme dans la comptine ?

« Un pour chagrin,
Deux pour la joie,
Pour une fille – trois
Quatre – un garçon,
Cinq d'argent rond,
Six pour de l'or,
Et avec sept le secret dort. »

— C'est ce qu'on disait toujours, quoique Andrew eût pour habitude de mentionner une autre version qui venait de la partie écossaise de la famille :

« Un pour chagrin,
Deux pour la joie,
Pour l'union : trois,
Quatre : un naîtra,
Cinq le destin,
L'enfer vif : six,
Sept : devant toi, le diable sera… » Aïe !

— Génial : l'enfer vif. Peut-être n'est-ce pas une bonne idée, après tout.

— Tu n'as pas à le faire pour moi, répliqua Alison d'un ton ferme. Jamais je ne remettrai les pieds dans cet endroit. Ces lettres m'ont filé la frousse. Tu es sûre de toi ?

— Je le dois. Je me sens… responsable, même si je sais que cela semble insensé.

Quinze minutes plus tard, nous nous tenions devant la ferme de Kenegie, alors que le soleil commençait à disparaître.

— Tu as tout ?

J'avais tout : torche, briquet, bougie, pain, sel, eau. Et les lettres de Robert Bolitho, attachées avec une bandelette finement brodée que Lalla Mariam m'avait donnée. Il s'agissait des documents originaux : lorsque j'avais exposé mes intentions à Anna, elle s'était moquée de moi mais avait renoncé aux missives. « Garde-moi des copies – des bonnes, m'avait-elle fait promettre. Cela ennuiera d'autant plus Michael. » Le ruban brodé était de la même main que le voile de mariée : il portait la marque de Catherine. « Il s'agit d'un ruban avec lequel elle aurait attaché sa chevelure, au hammam », m'avait expliqué la vieille femme par l'intermédiaire d'Idris. En piètre contrepartie de sa générosité, je lui avais offert mon fichu brodé de plumes de paon, lui promettant de compléter le quatrième coin avec le motif qu'elle choisirait.

Je laissai Alison assise sur le capot de sa voiture et pénétrai dans la maison. L'écho de mes pas résonna dans les pièces vides. J'allumai toutes les lumières sur mon trajet. Au pied des escaliers qui menaient au grenier, je marquai une pause.

Puis je serrai les dents et entrepris de grimper.

Bien sûr, le grenier était la seule pièce de toute la maison où la lumière ne fonctionnait pas. J'allumai la bougie, que je plaçai sur le bureau d'Andrew. Dans le cercle tremblant de lumière, je déposai le pain, une petite colline de sel et une fiole d'eau bénite provenant du bénitier de l'église de Gulval. La chaleur, l'eau, de quoi se sustenter : tout ce dont manquent les morts et, comme me l'affirmait ma mère lorsqu'elle me racontait des histoires la veille de la Toussaint, ce qu'ils désirent plus que tout et à quoi ils aspirent farouchement. Puis je posai les lettres de Rob sur le plan de bois.

J'inspirai profondément et me lançai :

— Robert Bolitho, si vous êtes là, j'espère que vous m'entendrez. Mon nom est Julia Lovat : vous et moi sommes peut-être de lointains parents. Je ne le sais pas exactement, cela n'est probablement pas très important. Ce qui l'est, c'est que j'ai rapporté vos lettres. Je suis désolée que vous ayez été dérangé, et aussi que nous ayons emporté vos lettres au loin. Je sais que, dans le post-scriptum, vous avez demandé à Matty de les brûler, mais je crains qu'elle n'en ait rien fait. Je la comprends : les femmes aiment s'accrocher aux choses, même celles qui leur sont douloureuses. Elle a eu tort de les garder mais il ne faut pas l'en blâmer, ni nous de les avoir lues. J'ai déchiffré vos lettres, Robert, je sais que vous êtes un homme bon et honnête. En dépit de cela, vous avez fait du mal autour de vous ; vous n'auriez pas dû agir ainsi avec Andrew Hoskin, et peut-être avec d'autres dont je ne sais rien. Votre douleur vous a peut-être semblé infinie au point de vous pousser à ne plus vous soucier de ceux que votre désespoir a entraînés à sa suite. Vous avez agi avec beaucoup de courage en suivant votre cœur et en risquant votre vie pour essayer de sauver Catherine Tregenna…

Venu de nulle part, un souffle glacé balaya soudain la pièce ; la flamme de la bougie vacilla, envoyant des ombres fantomatiques sur les murs du grenier. J'entourai mon corps de mes bras, observant la lumière de la flamme qui jouait avec les bords ciselés de l'anneau que m'avait donné Idris, essayant d'apaiser les battements de mon cœur.

— Rien n'est plus douloureux au monde que l'amour voué à une personne qui ne vous le rend pas. Mais la décision de Catherine de demeurer au Maroc ne se résumait pas au simple refus de vous épouser, ni même à l'amour qu'elle portait au capitaine corsaire.

Je caressai le ruban brodé qui tenait les lettres; les fils d'argent étincelèrent. Les roses, les fougères, les fleurs d'ajonc: ses thèmes de prédilection.

— Voyez-vous cela, Robert? C'est un travail merveilleux, délicat; votre cousine possédait un véritable don, un don rare – regardez ces roses sauvages, ces ajoncs. Vous souvenez-vous de cette couronne que vous avez fabriquée pour elle? Elle ne l'a jamais oubliée, gardant la Cornouailles en son cœur, toute sa vie. Mais si elle était revenue, son don aurait été gâché. Au Maroc, elle est devenue ce qu'elle avait toujours rêvé: elle passa maître en broderie. Lui en voulez-vous véritablement d'avoir poursuivi son rêve, Robert?

Je marquai une pause.

— Je ne sais pas pourquoi je divague ainsi. Cela ne rime sans doute à rien. Soit je parle toute seule, soit vous vous fichez de tout ce qui n'est pas votre propre douleur. Mais je voulais essayer de vous dire que je comprends votre peine; un peu, du moins. Je sais aussi que votre expérience a dû être effroyable. Mais Rob, vous devez reconnaître ceci: vous avez sauvé Matty – chère Matty, si gentille –, qui se croyait perdue à jamais dans cet étrange pays. Puis vous avez construit votre existence ensemble. Vous avez eu des fils, Robert. C'est extra-ordinaire, ce que vous avez accompli, je suis tellement fière de vous.

Les mots me manquèrent et je demeurai là, assise dans l'ombre, attendant quelque chose, avec le sentiment d'être prise de folie. Par le velux, j'aperçus une bande de ciel rougeoyant; bientôt, il ferait nuit noire.

— Je vais partir, à présent. J'ai dit ce que j'avais à dire. Je voulais juste vous rapporter vos lettres et vous rendre hommage, déclarai-je en me levant.

Je suis certaine – tout à fait certaine – que, ce faisant, je ne touchai pas le bureau. Mais à cet instant la chandelle se renversa et roula, comme poussée par la force de la gravité, vers les lettres qui s'embrasèrent aussitôt. Je poussai un cri et lâchai la torche. Le feu prit une teinte rouge profond, puis orange, et enfin un jaune doré qui pâlit jusqu'au blanc. Deux pensées me vinrent simultanément : la première, que j'aurais dû sauvegarder la broderie de Catherine. La seconde, que le grenier – et moi avec – allait disparaître dans les flammes. Mais à l'instant même où ces pensées me traversaient l'esprit, le feu s'éteignit, aussi rapidement qu'il avait commencé, me laissant dans le noir total.

D'une main tremblante, je me penchai et tâtonnai sur le sol à la recherche de ma torche, craignant de sentir à tout moment le froid glacial d'une main posée sur ma nuque. Mais rien ne vint, rien du tout. L'air était immobile, il semblait même plus chaud. Mes doigts se refermèrent enfin autour de la torche. Je l'allumai et la dirigeai vers le bureau, craignant de voir les dommages qui y avaient été infligés.

Les lettres avaient disparu ; il n'en restait qu'un petit tas de cendres. Au milieu, le ruban brodé de Catherine demeurait intact. Je m'en emparai d'une main hésitante. Il n'était même pas chaud. Comment était-ce possible ? Mon esprit rationnel m'expliqua qu'il était beaucoup plus résistant que le papier – surtout un parchemin vieux de quatre cents ans – mais quand même… En tremblant, j'aspergeai le bureau d'eau bénite puis redressai la chandelle. J'honorai alors le souvenir de ma mère en jetant une poignée de sel par-dessus mon épaule gauche afin d'éloigner le diable.

Lorsque j'arrivai en bas de l'escalier, mes dents claquaient et mon corps tremblait. Alison ôta sa veste et la posa sur mes épaules.

— C'est fini ?

— Je crois.

J'affichai un sourire blême. Qui pouvait l'affirmer ?

Dans le jardin, le bras de ma cousine passé par-dessus mon épaule, j'observai la mer. Un dernier éclat pourpre marquait la ligne d'horizon. Silhouette romantique, St Michael's Mount se dressait dans la baie, comme en ce fatidique jour de juillet 1625 quand, drapeaux claquant au vent, la flotte de Al-Andalusi s'était glissée à travers ses maigres défenses.

Je fermai les yeux, l'esprit envahi de souvenirs. Enfin, je souris.

Dans moins de trois semaines, alors que les lignes de henné s'estomperaient définitivement pour ne devenir que les ombres de ce qu'elles avaient été, moi aussi, je retournerais au Maroc, l'île de l'Ouest.

Inch'allah.

Note de l'auteure

Le Dixième Cadeau est une œuvre de fiction, quoiqu'elle soit fondée sur des faits historiques.

Les raids menés par les corsaires sur les côtes sud de l'Angleterre, qui ont eu lieu de façon intermittente pendant plus de deux cents ans au cours des XVIIe et XVIIIe siècles, se sont avérés de mieux en mieux documentés ces dernières années bien que, lorsque j'ai grandi en Cornouailles, ils n'aient jamais été mentionnés, et que la plupart des gens ignorent encore ce chapitre particulièrement sanglant de l'histoire anglaise.

La majorité des attaques des pirates était dirigée contre les navires de pêche ou de marchandises ; les corsaires leurraient leurs victimes en hissant un faux pavillon avant de révéler leur véritable identité, lorsqu'il devenait impossible pour les infortunés sur qui ils avaient jeté leur dévolu de fuir ou de se défendre. Le rapt violent de cargaisons et d'équipages, et la vente qui s'ensuivait des captifs à l'esclavage, représentait un péril courant auquel faisaient face ceux qui naviguaient, et il ne se limitait certes pas aux attaques faites sur les navires anglais par les musulmans et les renégats : nombreux furent les Anglais, parmi les plus illustres, qui établirent leur fortune en attaquant des bâtiments étrangers, de façon légale lorsqu'ils étaient porteurs de Lettres de Marque (déclarant leurs gains, qu'ils partageaient ensuite avec l'Amirauté, proches en cela de la façon dont les corsaires de Barbarie avaient organisé leur propre commerce), ou au contraire en toute illégalité, œuvrant comme pirates pour l'obtention de profits purement privés.

Les corsaires de Rabat, connus en Angleterre sous le nom de Ruffians de Salé, possèdent une histoire particulièrement fascinante. La piraterie menée en vue d'établir un profit devint une activité florissante sur tout le Bassin méditerranéen, surtout lorsque les échanges commerciaux entre l'Est et l'Ouest impliquèrent des proies faciles et de riches cargaisons. Mais ce qui, à l'origine, n'était qu'un acte isolé de bandits entreprenants se transforma en une action idéologique et organisée, après que Philippe III d'Espagne, désireux de réunifier l'Espagne catholique, expulsa par édit les Maures de son royaume. Beaucoup perdirent tout ce qu'ils possédaient, et se retrouvèrent sans argent ni abri sur les rives nord du Maroc, la rage au cœur contre les Espagnols et, par extension, contre les chrétiens de l'Ouest. De là est née une alliance des Maures, des Hornacheros, de fanatiques et d'Européens renégats, qui entreprirent de fortifier Salé et Rabat, d'où ils lancèrent une guerre sainte contre leurs ennemis.

Poussés par leur ferveur religieuse, les corsaires s'aventurèrent de plus en plus loin, jusqu'à hisser leur pavillon sur l'île de Lundy Island, dans le canal de Bristol, au début de l'été 1625, d'où ils lancèrent d'innombrables raids contre les navires et les bourgs côtiers du sud-ouest du pays.

Le document historique qui préface cet ouvrage, c'est-à-dire la lettre que le maire de Plymouth adressa au nouveau Conseil privé du roi au printemps de 1625, afin de les avertir des probabilités non seulement des raids lancés par les corsaires (ce qui constituait déjà une menace régulière contre la navigation estivale) mais aussi, pour la première fois, d'attaques lancées contre des colonies établies sur les côtes, ne semble pas, comme il est de coutume dans cette administration bureaucratique, avoir obtenu pour résultat d'augmenter la sécurité.

L'attaque de l'église de Penzance que je décris se fonde sur l'évocation, dans les archives nationales, d'un événement ayant pris place en été 1625, quand « soixante hommes, femmes et enfants furent enlevés de l'église de *Munnigesca* dans la baie du Mont » (terme placé en italique par mes soins). Personne, à ce jour, ne sait ce à quoi « Munnigesca » fait référence ; certains ont spéculé qu'il s'agissait de l'église perchée sur St Michael's Mount, mais je ne peux pas le croire, car cela aurait signifié que sir Arthur Harris – alors maître du Mont – ainsi que sa famille auraient fait partie du nombre de ces captifs, puisqu'une large congrégation de soixante personnes n'aurait été rassemblée que si les Harris s'étaient trouvés présents. Or sir Arthur n'a jamais souffert ce terrible destin : il est mort en 1628 au manoir de Kenegie ; ses dernières volontés et son testament sont visibles dans les documents paroissiaux locaux. Les deux seules colonies suffisamment importantes pour générer une congrégation de cette envergure, selon Carew et Leland, auraient été Marazion, alors connue sous le nom de Market-Jew (altération de Marghasewe), ou Penzance. Mon choix s'est porté sur l'église de Penzance, qui se serait dressée là où s'élève à présent l'église Sainte-Marie – sur un promontoire, face à la baie. Elle aurait été bien visible depuis la mer, représentant dès lors une cible facile. Il est curieux que le Mont n'ait pas vu les corsaires ni tiré sur eux (nulle mention n'est faite d'une quelconque défense dans les archives nationales), mais sir Arthur œuvrait depuis plusieurs années à rassembler des fonds afin de réarmer le Mont.

En revanche, la contrebande des quatre canons destinés au réarmement de Pendennis et de St Michael's Mount, vendus par sir John Killigrew au sidi Al-Ayyachi, est de mon invention, même si, d'après la nature de l'homme et de ses aïeux, cette spéculation n'est sans doute guère éloignée de la réalité.

Bien que je ne sois en rien experte en broderie, j'ai effectué des recherches sur les méthodes et le style de l'époque avec autant de minutie que possible, et je suis profondément reconnaissante à Caroline Stone, qui connaît beaucoup plus de choses sur la broderie d'Afrique du Nord, et plus spécifiquement du Maroc, que je n'en saurai jamais.

Grande a été ma déception lorsque je me suis aperçue qu'il ne subsistait pas d'archives au Maroc traitant des captifs pris par les Ruffians de Salé en 1625. Un nombre important de récits sur l'infortune et les expériences de prisonniers anglais nous sont toutefois parvenus, quoique peu d'entre eux datent de 1625, et qu'aucun ne s'applique à des femmes à cette époque. Cependant, j'ai lu beaucoup de ces récits et j'y ai emprunté, çà et là, quelques détails par souci d'authenticité, même si j'ai procédé avec circonspection, car la tentation était grande pour ces prisonniers d'enjoliver les récits, les pressions commerciales étant au XVIIe siècle similaires à celles du XXIe.

J'ai établi ci-après une liste des textes qui m'ont aidée lors de mes recherches. Il me faut également remercier les personnes sans qui je n'aurais pas pu écrire ce roman. D'abord, ma mère, qui m'a rappelé cette légende familiale depuis longtemps ensevelie ; en second lieu, mon partenaire d'escalade, Bruce Kerry, qui m'a accompagnée lors de ma première et cruciale visite du Maroc ; troisièmement, Emma Coode, amie et collègue, qui a lu le texte, chapitre après chapitre, tandis que je l'écrivais, et qui non seulement a constitué un public d'exception mais m'a également fourni de précieux encouragements. Je veux aussi remercier mes éditeurs, Venetia Butterfield et Allison McCabe, pour leur soutien et leurs inestimables suggestions. Enfin, et c'est le plus important, je souhaite remercier mon époux, Abdellatif Bakrim, qui s'est montré une source extraordinaire de culture, d'histoire et de langue berbères, arabes et marocaines. Il m'a aidée à traduire des textes et son aide s'est avérée cruciale dans l'interprétation de tous les matériaux marocains. Il a été aussi l'homme qui m'a inspiré le personnage du raïs. À présent que je le connais bien, toutefois, je ne saurais l'imaginer en corsaire impitoyable ni en fanatique et, pour cela, je lui suis profondément reconnaissante.

Sources et lectures

The Barbary Slaves, Stephen Clissold (Londres, 1977)

The Berbers, Michael Brett et Elizabeth Fentress (Oxford, 1996)

Captives, Linda Colley (Londres, 2002)

Les Corsaires de Salé, Roger Coindreau (Institut des hautes études marocaines, 1948)

Corsari Nel Mediterraneo, Salvatore Bono (Milan, 1993)

The Crescent and the Rose, Samuel C. Chew (New York, 1937)

The Embroideries of North Africa, Caroline Stone (Londres, 1985)

Infidels, Andrew Wheatcroft (Londres, 2003)

Islam in Britain, Nabil Matar (Cambridge, 1998)

The Lands of Barbary, Geoffrey Furlong (Londres, 1966)

Nine Parts of Desire, Geraldine Brooks (Londres, 1994)

Piracy, Slavery and Redemption, édité par Nabil Matar (New York, 2001)

The Pirate Wars, Peter Earle (Londres, 2003)

Les sermons de Christopher Love (sources Internet)

The Tragical Life & Death of Muley Abdala Melek, John Harrison (Londres, 1627)

« Ward the Pirate », Abdal-Hakim Musad (article sur Internet, 2003)

White Gold, Giles Milton (London, 2004)

Cet ouvrage a été composé en Cochin 12,25/14,7
et achevé d'imprimer au Canada en novembre 2008
sur les presses de Quebecor World St-Romuald, Canada

Imprimé sur du papier Quebecor Enviro 100% postconsommation,
traité sans chlore, accrédité Éco-Logo et fait à partir de biogaz.

certifié   procédé   100% post-   archives   énergie
         sans   consommation   permanentes   biogaz
         chlore